我们要坚持的道路，就是邓小平同志开辟的、以江泽民同志为核心的党的第三代中央领导集体坚持并发展了的中国特色社会主义道路。坚持这条道路，就要坚持中国共产党的领导和社会主义制度，坚持并在实践中不断完善有利于推动中国特色社会主义事业蓬勃发展的各方面的体制制度和方针政策，更好地实现社会主义现代化和中华民族的伟大复兴。坚持这条道路，就要坚持走和平崛起的发展道路，坚持在和平共处五项原则的基础上同各国友好相处，在平等互利的基础上积极开展同各国的交流和合作，为人类和平与发展的崇高事业作出贡献。

——胡锦涛总书记在纪念毛泽东诞辰110周年座谈会上的讲话

中国是个发展中的大国。我们的发展，不应当也不可能依赖外国，必须也只能把事情放在自己力量的基点上。这就是说，我们要在扩大对外开放的同时，更加充分和自觉地依靠自身的体制创新，依靠开发越来越大的国内市场，依靠把庞大的居民储蓄转化为投资，依靠国民素质的提高和科技进步来解决资源和环境问题。中国和平崛起发展道路的要义就在于此。

——温家宝总理在美国哈佛大学的演讲"把目光投向中国"

宋玉华　江振林　等著

Emerging Great Powers:
Game and Perspective of Historic Rise

新兴大国
——历史性崛起的博弈与前景

人民出版社

策划编辑:郑海燕
责任编辑:郑海燕
装帧设计:曹　春

图书在版编目(CIP)数据

新兴大国——历史性崛起的博弈与前景/宋玉华、江振林等著.
-北京:人 民 出 版 社,2004.9
ISBN 7 - 01 - 004524 - 0

Ⅰ.新⋯　Ⅱ.①宋⋯ ②江⋯　Ⅲ.国际政治-研究　Ⅳ.D5

中国版本图书馆 CIP 数据核字(2004)第 094813 号

新兴大国——历史性崛起的博弈与前景

XINXING DAGUO——LISHIXING JUEQI DE BOYI YU QIANJING

宋玉华　江振林　等著

人 民 出 版 社 出版发行

(100706　北京朝阳门内大街166号)

北京通县电子外文印刷厂印刷　新华书店经销

2004 年 9 月第 1 版　2004 年 9 月北京第 1 次印刷

开本:787 毫米×1092 毫米 1/16　印张:19.25

字数:273 千字　印数:0,001 - 4,000 册

ISBN 7 - 01 - 004524 - 0　定价:34.00 元

邮购地址 100706　北京朝阳门内大街 166 号

人民东方图书销售中心　电话 (010)65250042　65289539

目　录

CONTENTS

4

导论　新兴大国崛起道路的新探索

——中国的和平崛起及其世界意义

一、新兴大国崛起及其带来的矛盾

新世纪初，新兴大国的兴起及其影响已受到国际社会的广泛关注。这些新兴大国包括发展中的中国、加速增长的印度、复兴中的俄罗斯和稳步发展的巴西等国。这些非西方新兴大国的迅速崛起将对现行的国际体系形成挑战，早在 1997 年，曾任美国商务部副部长、耶鲁大学管理学院院长的著名经济学家杰弗里·加腾在《十大新兴市场》一书中就指出，与正在沙滩上享受明媚的阳光却突然乌云密布不同，"这里聚集的是新兴的全球性力量，具体表现在十大新兴市场的崛起上，如中国、印度和巴西正获得足以改变世界政治、经济格局的力量"[①]。

不论主观意图如何，这些非西方新兴大国的迅速崛起将导致一场改变世界力量版图的革命。这场历史性革命对于国际政治格局、对于世界经济及整个国际社会的影响将伴随着新世纪的进程逐渐展现，并将在 21 世纪中下叶全面地表现出来。就其世界意义及影响而言，这场革命与封建制度的瓦解、两次工业革命、19 世纪世界经济的增长和力量结构的调整，以及 20 世纪的"热战"、冷战及冷战的终结等具有同等重要的历史意义。

新兴大国的崛起将对现有的国际格局、现行的国际体制带来什么样的冲击或挑战？这既取决于新兴大国将以何种姿态、何种方式崛起，也取决于国际社会特别是现有大国以何种心态、何种战略和

---

① 杰弗里·加腾著，吕大良、王全斌译：《十大新兴市场——来自美国商务界权威人士的报告》，新华出版社 1998 年版，第 1 页。

政策来应对。

按照现代国际关系理论现实主义学派的逻辑，新兴大国的崛起必然会构成对现有大国的威胁；而现有强国则必然对前者采取遏制的战略和政策。"进攻性现实主义"的代表学者约翰·米尔斯海默在其新著《大国政治的悲剧》（The Tragedy of Great Power Politics）中提出，"国际体系是一个险恶而残忍的角斗场，要想在其中生存，国家别无选择，只能为权力而相互竞争"。① 在无政府状态下，"任何大国的理想局面是成为世界上惟一的地区霸权。那个国家将是一个维持现状的大国，它可以尽情地保护现有的权利分配。今天的美国就处于这种令人垂涎的位置，它支配着西半球，而且世界上其他地区都没有霸权。但如果一个地区霸权面对一个可与之匹敌的竞争对手，那么它就不再是维持现状的大国。无疑，它一定会竭尽全力削弱甚至消灭它的远方对手。当然，两个地区霸权都会受到这一逻辑的驱使，它们之间必然发生剧烈的安全竞争。"② 由此，米尔斯海默主张面对新兴大国崛起即潜在竞争对手的出现，美国合乎逻辑的战略选择就是遏制。

2

尽管西方鼓噪遏制新兴大国崛起之声不断，现有大国现实的政策选择仍不能不受到当代时代特征的制约。由于当代全球化的加速发展，通过资本、人员、技术、劳务等生产要素在全球范围内自由流动与配置，以及规范商品和要素自由流动的国际规则和制度的逐步建立和完善，各国在经济上日益形成"你中有我、我中有你"的格局。并且伴随着信息通讯技术的高度发展，各国间政治及文化等方面的交流、沟通也越来越频繁，人类的整个经济、政治和精神生活在当代已经越来越全球化了。经济全球化的加速正是美国克林顿政府早在1993年就制定了新兴大市场战略的原因，也是美国重新评估自己在这些市场利益的原因，更是美国以新的方式思考自己的世

---

① 约翰·米尔斯海默著，王义桅、唐小松译：《大国政治的悲剧》，上海人民出版社2003年版，中文版前言。

② 约翰·米尔斯海默著，王义桅、唐小松译：《大国政治的悲剧》，上海人民出版社2003年版，第54页。

界角色以及国际事务的轻重缓急的原因①。事实上，崛起中的新兴大国以其迅速增长的经济、巨大的商品和资本市场潜力以及智力知识资源为现有大国提供了千载难逢的机遇，拒绝之等于拒绝机遇，遏制之等于遏制自身利益空间。因此遏制无异于逆历史潮流而动。正像美国政治家、战略家基辛格所说，在政策选择上，实在是无法遏制。但即使如此，遏制崛起仍然是美国为主的霸权国家的既定方针。

新兴大国的迅速崛起注定会改变现有国际格局，也注定要遇到遏制崛起的各种力量，崛起与遏制崛起将成为国际社会在相当长历史时期内的主要矛盾②。因此，新兴大国选择什么样的崛起模式和道路就显得至关重要，这将决定它们能否处理和化解好这一矛盾以实现顺利崛起。目前，中国是世界瞩目的崛起中新兴大国的领头雁，受到的挑战和压力也最大。所以中国崛起战略的选择和制定就成为牵一发而动全身的关键。

3

二、中国和平崛起的战略

（一）中国的迅速崛起

过去的 2003 年是出乎意料的一年。中国政府新领导班子成功地控制了"非典"疫情、实现了 9% 的高增长并把首位中国航天员送入太空，在中国人民欢庆 2004 年传统春节之际，国际社会也盛刮起"中国风"。细心的人们注意到，这股"中国风"已悄悄地从"逆风"转变成为"顺风"，从"冷风"变为"暖风"。这种风向的转变表明世界看中国的眼光变了，变得较为现实、较为积极了。有两件事情十分抢眼：

一是 2004 年 1 月底法国对中国最高领导人胡锦涛的到访给予前所未有的高规格款待，并邀请他到国会发表演说。巴黎的标志——艾菲尔铁塔夜晚被 280 盏红灯照亮，披上了象征中国的红色，而闻名遐迩的法国国庆阅兵地点——香榭丽舍大街上则举行了有 54 辆彩车参加的盛装游行，位于游行队伍前列的是世界上最长的巨龙。国

---

① 杰弗里·加腾在其著作中列举了这些新兴市场对美国以及全球政治经济利益十个至关重要的方面（第 32 页到第 35 页）。

② 这一矛盾将成为当今世界各种矛盾包括东西矛盾、南北矛盾、西西矛盾的交会点。

际社会评论，这是民族意识深厚、素有崇尚本国文化传统的法兰西民族首次允许在他们最引为自豪的场所为外国举行庆祝活动。据法国官方统计，有 70 多万法国观众直接观看了 1 月 24 日的华人游行，直接、间接参与"中国文化年"活动的法国人有 2000 万之众。

二是中国成为 2004 年 1 月底举办的瑞士达沃斯经济论坛上最热门的话题。从超过 9％的经济增长率到可能出现的经济过热，从中国的大市场到高达 500 多亿美元的年外国直接投资，从人民币升值、贸易顺差到中国购买国库券成为美国赤字财政的稳定器等等。如威斯康星大学中国问题研究专家爱德华·弗里德曼所说："中国是达沃斯经济论坛上提到的次数最多的一个词。中国更是亚洲关注和羡慕的焦点。"①

国际社会给予中国的礼遇及对中国问题的高度关注不是偶然的。这是因为中国在改革开放以来的二十多年里已逐渐在世界民族之林中毅然自立，中国作为一个地区大国在国际事务中的影响力已日益凸显。国际货币基金组织 2004 年 4 月 14 日发表的《世界经济展望》报告的中国部分指出，在过去的 20 年里，中国在全球经济中的作用急剧上升，GDP 平均每年增长 9％以上，在世界贸易中的份额从不到 1％增长到近 6％，中国已成为世界第六大经济体和世界第四大贸易体。报告指出，中国不仅迅速提高了其出口在世界市场的份额，不断增加的进口更是有力支持了其邻国经济的强劲增长，并对世界商品价格的上升做出贡献。报告指出一个有趣的现象是，在中国从各地区进口迅速增长的同时，它从周边的东亚新兴经济体和东盟的进口增长特别快，这反映中国作为地区加工中心和制造业再出口中心的作用不断上升，也表明中国作为地区经济增长的引擎作用将很快大于日本。报告指出随着中国包括金融和企业部门、劳动力市场和社会安全网等必要的结构性改革的实施，中国经济的地位将进一步提高，其融入世界经济的程度将进一步加快。报告集中研究了中国的继续崛起对未来世界经济的影响，认为从长远来看，中国在全球范围内所发挥的作用可能会超过二战后的其他任何一个经济强国，

---

① ［美］《基督教科学箴言报》2004 年 1 月 27 日文：在国外感受到中国的辉煌之年，转引自《参考消息》2004 年 2 月 2 日。

如日本或东南亚国家。与此同时，联合国贸发会议发表了对投资人
士和专家的调查报告。调查预测，随着世界经济复苏和跨国企业并
购的新发展，2004 年世界海外直接投资在时隔 4 年低速后将出现新
一轮扩张热潮，中国被列于全球直接投资人气排行榜之首位。

国际组织的报告表明，中国作为世界最大的新兴市场和最大的
直接投资东道国的魅力已经凸显。由此近些年来关于中国崛起的国
际舆论从"威胁论"到"机遇论"甚至到"救星论"就是顺理成章
的了。因此，如果从中国崛起成为世界强国的历史长时期来看，经
过四分之一世纪的改革开放，中国走入世界经济和贸易的大国方阵、
并成为拉动世界经济特别是亚太地区经济引擎的第一步目标已初步
实现。

（二）中国发展模式

回顾中国 25 年来改革开放与经济社会的发展，可以发现中国崛
起的清晰轨迹。中国在认清自己国情的基础上，汲取了错失发展机
遇的历史教训，紧紧地跟上 20 世纪 80 年代经济全球化的发展大潮，
分步骤、分领域地加快了融入经济全球化的进程。依靠自身的经济、
政治和社会改革，中国取得了奇迹般的增长，在世界经济中的地位
显著提高，并在国际上赢得了更多的理解、信任、尊重和支持，中
国的国际地位和影响力进一步增强。更值得世界关注的是，中国在
这一历史进程中，初步形成了一个适合自身国情的"中国发展模
式"，这一模式已得到国际社会的广泛认同，并以其特有的吸引力为
许多处于不同发展阶段的国家包括转型经济国家所思考、参照和仿
效。

5

所谓"中国发展模式"，就是指以"和平崛起"战略为核心，在
政治体制不发生激烈变革的情况下，通过富有成效的改革开放，实
现经济的跨越式发展，并成功地融入世界体系。其主要特点可以概
括为：

1. 坚持依靠自身力量，通过制定宏伟的、思想连贯和富于远见
的国家战略指导经济社会发展全局。在扩大对外开放的同时，更加
充分和自觉地依靠自身的体制创新，依靠开发越来越大的国内市场，
依靠把庞大的居民储蓄转化为投资，依靠国民素质的提高和科技进

步来解决资源和环境问题。这是中国和平崛起发展道路的要义。

2. 坚持以"和平崛起"战略为核心的独立自主、务实灵活的外交政策，注重经济外交、大国外交、周边外交，在发展中国家广交朋友，为经济社会发展创造和平有利的国际环境。根据客观需要，灵活而有原则地执行邓小平同志提出的"冷静观察、稳住阵脚、沉着应付、韬光养晦、善于守拙、决不当头、有所作为"28字方针；尊重历史，以务实的态度处理历史遗留问题；"与邻为善，以邻为伴"，开展多种形式的"睦邻、安邻、富邻"的经济技术交流与合作。

3. 坚持渐进式改革道路。在改革路径选择方面，采取自下而上的区域性改革试点和制度创新与自上而下的政府宏观调控和职能转换相结合的方式；在改革的模式取向方面，逐步建立有中国特色的现代市场经济体制，充分发挥市场机制配置资源的基础性作用和必要的政府规制的作用；在改革的进程方面，以社会稳定为前提，恰当地把握好改革的次序、力度和进程，避免激进式改革可能带来的经济社会的剧烈动荡。

4. 坚持审慎的政治改革方式。即以一种循序渐进、摸索和积累的方式，从易到难进行改革，并吸取中外一切优秀的思想和经验。中国自1978年以来的历程可被描述为"重大的经济改革和较小规模的政治改革"。尽管变革是大势所趋，但对于中国这样一个人口众多、有过数千年封建历史、民主观念和现代意识薄弱的大国而言，在政治改革方面审慎行事是明智的。

5. 坚持自主式对外开放。立足于中国国情，顺应全球化趋势，通过坚持不懈地自主性开放，既有效释放了中国生产力解放所带来的巨大能量，又富有成效地吸收了外部资源，也成功地规避了1997年东亚金融危机那样的外部冲击。

6. 坚持"以人为本"的科学发展观。发展中大国在现代化进程中表现出很强的二元经济特征，因此执政党的改革开放政策必须注重民众利益，协调各阶层的利益关系。中国领导层较好地把握了这一原则，使全体人民——包括"草根"阶层与弱势群体都能从经济社会的发展和进步中受益。在中国逐步形成了"改革开放——民众生活水平提高——更深层次、更高水平的改革开放"这样的良性循环。"以人为本"的科学发展观对于执政党的重要性毋庸置疑,最近瓦杰帕伊在印度大选中的失败正是因为印度前政府的工作疏远了百姓,只为少数精英服务,即使瓦杰帕伊领导的经济改革取得了很大成功,最终仍然被印度人民所抛弃。

"中国发展模式"对世界的特殊吸引力在于:中国改革开放的起点与众多发展中国家和转型经济国家有着诸多的相同之处。首先,这些国家都处于相对落后的经济发展水平,面临着人口、资源等硬约束;其次,原有的经济发展模式都遇到不同程度的困难,而西方发达国家的发展模式又不适合本国的国情,因此它们将目光投向中国。"中国发展模式"的"特殊吸引力"也引起了美国的高度关注。因为随着"中国发展模式"认同度的提高,很多发展中国家似乎正在放弃"美国民主模式"而转向重视经济的"中国发展模式";如果"中国发展模式"是可持续的,那么会在不远的将来,对美国模式构成莫大的威胁,这种威胁可能不是中国力量本身,而是中国的发展经验。①

7

无独有偶,西方评论界也对此有类似的观点。早在 2002 年,Kavaljit Singh 在 *From Beijing Consensus to Washington Consensus: China's Journey to Liberalization and Globalization* 一文中通过对中国发展模式的研究和与"华盛顿共识"的比较,提出了"北京共识"的概念②。2004 年 5 月初,温家宝总理访问欧洲之际,《金融时报》刊登了美国《时代》杂志前任编辑 Joshua Cooper Ramo 题为 *China Has Discovered its Own Economic Consensus* 的评论文章。③ 文章认为 1990 年世界银行经济学家 John Williamson 有感于拉丁美洲国家的债务问题而创建的"华盛顿共识"(即新兴经济体应遵循"走向透明化、私有化和自由化的同时,让资本自由流动"的经济发展模

---

① 郑永年:"中国模式概念的崛起",香港《信报》,转引自《参考消息》2004 年 4 月 23 日第 1 版。

② Kavaljit Singh:"From Beijing Consensus to Washington Consensus: China's Journey to Liberalization and Globalization", *APRN Journal*, Volume 7, December, 2002.

③ Joshua Cooper Ramo:"China Has Discovered its Own Economic Consensus", *Financial Times*, May 6, 2004.

式），由于管理不当、政府腐败等因素，效果适得其反，在过去 10 年来阻碍了一些国家的经济发展。而当初"最无视这种压力的两个国家"中国和印度，都根据本国的实际情况发明了自己的发展模式。文章把中国这种不受银行家们的意图驱动、切合基本需要并寻求公正及高质增长发展模式定义为"北京共识"——与"华盛顿共识"相对照。文章指出，"北京共识"要求私有化、自由贸易等进程遵循极为慎重的原则，它被定义为：艰苦、主动地创新和试验（如中国经济特区）；坚决捍卫国家疆土和利益（如台湾）；深思熟虑、不断积聚超过常规需要的能量以作手段（如 4000 亿美元的外汇储备）。其主要目标是在坚持独立的同时寻求增长。Ramo 认为"北京共识"是实现"和平崛起"的工具，并基于对中国经济模式及经济成就的分析，进一步指出"北京共识"是更适合中国、印度等新兴经济体的经济发展模式，并逐步成为其他发展中国家学习的榜样。

8　　英国卫报也著文对中国发展模式作了类似的分析，它说："中国的发展道路非常独特，极具中国特色，它以自己独特的方式对待资本主义……区别于'华盛顿共识'，发展中国家已经把中国模式看成是一种新的'北京共识'，它没有把资本主义当成目标，而是把它作为实现目标的手段；……这是一个新的经济模式。它融合了资本主义的发展原理，但又受到国家的指导，而国家时刻牢记必须提高数以亿计的人民的生活水平和生活质量，否则它的合法性则面临危机……"①

　　"中国发展模式"的另一个特殊吸引力在于它是以"和平崛起"战略为核心的，"中国发展模式"的进一步成熟、"和平崛起"道路的进一步探索将向世人展示史无前例的发展路径和强国更替新范式，摆脱大国政治的悲剧。

　　毋庸讳言，当前"中国发展模式"也面临着可持续性的挑战，主要是高投入、高能耗、高污染的粗放式经济增长方式所带来的资源瓶颈压力和环境压力，地区发展失衡、收入分配差距扩大而社会保障体系又远未完善的矛盾，经济飞速发展而政治体制改革相对滞

---

① Will Hutton：*The Great Mall of China*，Guardian，UK，May 9，2004.

后等经济社会问题。这些问题不仅将困扰着中国经济的可持续发展，也将考验着中国的和平崛起。如果这些问题得不到有效解决，就无法打消国际社会对中国崛起过程中"谁来养活中国"、"谁来支撑中国的高速发展"等疑虑。中国经济过热的问题已引起世界警惕。2003 年中国经济增长所需能源已超过日本，成为世界第二大能源消费国，中国的石油缺口已超过需求 1/3，形成进口高度依赖格局。2003 年中国的钢铁、水泥的消耗量约占世界的 25％和 50％。日益增长的经济规模使中国成为世界需求大国，推动了世界市场的价格上涨；各种原料如稻米、大豆、原油、铜、铁、钛、木材，无一不涨，一个新的通货膨胀时代悄然来临。根据英国商品研究局针对 17 种主要原料、商品所作的价格变动研究，认为这波原料涨价为 20 年来幅度最大的一次。尽管美元贬值对世界通胀难辞其咎，但西方媒体却再次将问题简化为"中国输出通胀"。

9

（三）中国和平崛起战略的提出

2003 年 12 月 10 日，温家宝总理于访美期间在美国哈佛大学演讲中阐述了中国将走"和平崛起"的道路，这是中国官方首次向世界宣告和平崛起是中国的国家战略。在此之前，中国学界就崛起方式问题已做了多年的探索。

早在 1995 年，现任中国人民大学美国研究中心主任时殷弘教授就说到过中国崛起的方式问题，阎学通教授也就此发表了看法。有意思的是，二人的讨论是"搭霸权国的便车"和"霸权国不让搭便车"的问题，这刚好与现实主义流派的国际关系理论的一种主张相吻合。现实主义学派认为，一个新兴大国只有两种选择：或者当力图改变国际体制基本规范的挑战者，或者当世界领导者的伙伴和追随者。英国学者乔治·莫德尔斯基的霸权周期理论指出：近 500 年来的挑战者国家统统归于失败，而新的世界领导者统统是前世界领导者的主要伙伴；挑战者的合作者将与挑战者同遭厄运，而世界领导者的伙伴尽管会由于自己的从属地位而受损，但却同时可能在更大程度上得到领导者的支持、保护或其他实惠，甚至有机会后来居上，成为新的领导者。二战前后的德国和日本都曾有过"挑战——惨败"和"追随——崛起"的经历。

然而就这些年来中国面临的情势看，问题要复杂得多。虽然中国不想当挑战者，霸权国也想当然地把中国看做是挑战者；即使中国愿意成为其追随者，霸权国也不会真正相信。因而这两条路对中国而言都走不通。中国的人口和经济规模、中国的追赶态势、特别是中国与世界主流意识形态的差异等情势决定了中国的崛起是个太过敏感的话题。因此不难理解一心一意带领中国人民埋头搞建设的中国领导人要韬光养晦，回避"崛起"二字了。

"崛起"一词之所以太过敏感的另一原因，是历史的严酷事实和经验。一部国际关系史，就是新老国家兴衰变化的历史。虽然严格说来，"崛起"并不是国际关系理论或世界政治中的一个基本概念，但在现实主义关于"霸权更替"或"权力转移理论"看来，"崛起"就意味着一个新霸权的兴起，意味着国际权利从旧霸主向新霸主的转移，意味着新旧霸主之间即将到来的、命中注定要发生冲突和战争。① 美国著名政治学家塞缪尔·亨廷顿曾经指出"英国、法国、德国、日本、美国和苏联在经历高速工业化和经济增长的同时或在紧随其后年代里，都进行了对外扩张、自我伸张和实行帝国主义"。"这似乎成了世界历史上的一条'铁律'，正是出于对这条'铁律'的担心，自 20 世纪 90 年代以来，'中国威胁论'在西方世界就一直没有中断过，随之而来的就是'围堵中国论'"。②

因此，对于中国崛起的潜能和可持续性、中国崛起后将如何参与世界，国际社会多有猜测和疑虑。米尔斯海默曾撰文指出："一个富裕的中国将是一个决心获得地区霸权的侵略性的国家，不是因为一个富裕的中国具有邪恶的动机，而是因为任何国家为了生存而使它繁荣达到最大限度的最佳办法就是统治世界上它所在的地区。"③在 2002 年 4 月 8 日的采访和对话中，米尔斯海默明确提出联合日本、越南、韩国、印度、俄罗斯共同遏制中国的观点。对于中国现在强调要做一个负责任的国家，与国际社会共同努力实现世界和地

① 庞中英："构筑和平崛起的国家战略"，http：//www.china.org.cn/chinese/zhuanti/hp/531508.htm。

② 郑永年："和平崛起与大中国和平整合"，香港《信报》2004 年 3 月 23 日，转引自《参考消息》2004 年 4 月 8 日。

③ 转引自庄礼伟："中国：建设性地崛起"，《南风窗》2004 年第 1 期，第 24 页。

区的和平、稳定和繁荣的主张，米尔斯海默认为，"那只是中国现在还没有足够的发展和强大，所以中国需要这么做。如果将来中国强大了，一定会控制这些国家，限制它们的发展，这也符合中国的利益。"①

　　事实会不会是这样？历史是不是就注定要重演？中国共产党人和中国人民能不能以自己的艰苦探索、庄严承诺和严格兑现打破所谓的"大国政治的悲剧"式循环？中国共产党人和中国人民能不能以自己的不懈努力，探索并建立一种能实现世界和平与发展的普世性的国际关系新理论？一种融入马克思主义历史观的国际关系学的现代化理论？

　　回答应该是肯定的。尽管改革开放以来，特别是近十年来，我们的主要精力是在学习西方的理论上，西方的国际关系学、国际政治经济学主流理论在一定程度上成了中国国际关系理论界的主流思潮，"在观念来源上，中国国际关系理论压倒一切地依赖美国同行"②。但所幸的是，在这片有 5000 年文明传统的沃土上，在西学东渐中，经过中国领导人和中国国际关系学者的努力，可以构成中国现代国际关系理论的一些要素已经酝酿并成长起来了，中国国际关系的新理念及全方位外交的新思路正在逐渐形成、发展并趋向成熟。

11

三、中国国际关系新理念

　　根据现有的研究，新世纪中国国际关系的新理念可以概括为以下几个方面。

　　（一）"和而不同"的世界观

　　"和而不同"源自中国先辈思想家孔子的"君子和而不同"的思想，是中国几千年传统文化的珍贵结晶之一。费孝通先生指出，这一古老的概念仍有强大的活力，可以成为现代社会发展的一项重要准则，是世界多元文化必走的一条道路。当代，"和而不同"是人类

<hr />

　　① 约翰·米尔斯海默著，王义桅、唐小松译：《大国政治的悲剧》，上海人民出版社 2003 年版，序第 4 页。

　　② 熊·布思林："国际关系学、区域研究与国际政治经济学"，转引自庞中英："开放式的自主发展：对英国国际关系理论的一项观察——思考中国国际关系理论的方向"，《世界经济与政治》2003 年第 6 期，第 25 页。

共同生存的基本条件。[①] 江泽民同志在许多场合将这一思想运用于国际关系领域，阐述了中国对世界文明多样性及和谐共处重要性的认识，认为"和而不同"是社会事物和社会关系发展的一条重要规律，是人类各种文明和谐发展的要旨，也是处理国际关系的原则。温家宝总理 2003 年 12 月 10 日在哈佛大学演讲时进一步深刻阐述了这一原则。他说，中华民族具有极其深厚的文化底蕴，历来酷爱和平。"和而不同"是中国古代思想家提出的一个伟大思想。和谐而不千篇一律，不同而又不彼此冲突；和谐以共生共长，不同以相辅相成。用"和而不同"的观点观察、处理问题，不仅有利于我们善待友邦，也有利于国际社会化解矛盾。中国的"和而不同"世界观成为崭新的中国国际关系理念的核心。文明的多样化及其和谐发展是世界文明与人类进步的表现。"和而不同"主张世界各种文化、不同社会制度和发展模式应该相互尊重、相互交流和相互借鉴，在和平竞争中取长补短，在求同存异中共同发展。[②]

12

"和而不同"世界观的提出是中国领导人在新的历史条件下对 20 世纪 80 年代中期"超越意识形态论"的一次新发展，是认识论的一个新飞跃。在改革开放初期，中央计划经济体制及意识形态差异是开国不久的中国与世界交往的最大障碍。为了顺利融入国际社会，中国共产党人以巨大的战略勇气提出了超越意识形态和社会制度差异、加强与各国友好交往与经济合作的思想。1986 年 6 月，时任中共中央总书记的胡耀邦同志出访西欧，在 14 日出席英国首相撒切尔夫人举行的宴会的讲话中，指出："中国共产党认为，马克思主义要发展，仍然应当不断地吸收和概括当代人类文明发展的最新成果。任何先进的哲学思想都不应当成为教条，而是激励人们不断进行探索和创造的精神动力，应当随着实践的发展而发展。我们中国人现在所要做的，就是把马克思主义的基本原理同中国现代化建设的实际结合起来，建设有中国特色的社会主义。基于这样的逻辑，我相

---

① 费孝通在"经济全球化与中华文化走向"国际学术研讨会上的论文摘要，《人民日报海外版》2000 年 11 月 15 日第 3 版。

② 夏立平："论中国实现和平崛起的国际战略新理念"，《国际问题研究》2003 年第 6 期，第 34 页。

信我们两国可以而且应当超越意识形态和社会制度的差异，积极地推进我们之间业已存在的友好合作关系。"这番讲话在国际社会引起很大反响。当时的香港《明报》曾为此发社论，称之为"中国共产党宣言"。

在 1989 年"六四"风波后以美国为首的西方国家对中国实施制裁封锁之时，中国改革开放的总设计师邓小平同志对前来访问的美国前总统尼克松说，"你是在中美关系非常严峻的时刻到中国访问的"，"我非常赞同你的看法，考虑国与国之间的关系主要应该从国家自身的战略利益出发，着眼于自身长远的战略利益，同时也尊重对方的利益，而不去计较历史的恩怨，不去计较社会制度和意识形态的差别，并且国家不分大小强弱都相互尊重，平等相待。"① 邓小平同志进一步指出结束严峻的中美关系，要由美国采取主动，并阐述了中国对待西方制裁的原则立场。这一番高瞻远瞩、透彻明理的分析是和平共处五项原则的升华，体现了中国对处理世界事务"和而不同"的主张。

13

（二）和平与发展的时代观

20 世纪 80 年代初，中国实施改革开放首先遇到的问题就是，中国应该以什么样的姿态加入国际社会、应怎样与世界共处？中国应该如何定位自己在国际社会中的角色？这些问题的答案首先取决于中国如何认识这个世界，认识我们所处时代的性质。中国学界关于时代性质的讨论是这一判断重要性的集中体现。列宁在 1916 年发表的论著《帝国主义是资本主义的最后阶段》中提出"我们的时代是帝国主义与无产阶级革命的时代"的经典论断，此后的两次世界大战和十月革命、中国革命及非殖民化运动验证了这一命题的准确性。这也成了中国从建国到文化大革命 10 年动乱时期的主流观点。那么，世界经过二次大战后几十年的发展，对当今时代的性质，中国是坚持列宁当年的命题，还是与时俱进，做出新的概括？这是坚持和发展马克思主义的原则问题，也是中国迫切需要解决的时代观问题。

---

① 《邓小平文选》第三卷，人民出版社 1993 年版，第 330 页。

　　邓小平同志坚持马克思主义实事求是的学风，结合自己对当今世界的深刻认识，提出了"和平与发展是当代世界主题"的论断，廓清了当时学术界一些模糊认识。他说，考察和判断时代的性质，一个是政治角度，一个是经济角度。前者主要是对国际局势中战争与和平可能性的认识，后者主要是指经济问题或者说发展问题。邓小平同志1985年3月4日在会见日本商工会议所访问团的谈话中驳斥了国际上有人认为中国是"好战"的论调，强调毛泽东主席和周恩来总理等都多次声明，中国是最希望和平的；都强调反对超级大国的霸权主义，并认为霸权主义是战争的根源，而中国是维护世界和平与稳定的力量。邓小平同志指出，"总起来说，世界和平的力量在发展，战争的危险还存在，但是制约战争的力量有了可喜的发展。"他指出世界各国人民都不希望有战争，中国作为和平力量、制约战争的力量，虽然现在这个力量还小，但等到中国发展起来了，制约战争的和平力量将会大大加强。这些思想构成了中国共产党的和平观。①

　　邓小平同志概括地指出，"现在世界上真正大的问题，带全球性的战略问题，一个是和平问题，一个是经济问题或者说发展问题。"小平同志在另一场合说，和平是有希望的，发展问题还没有得到解决，应当把发展问题提到全人类发展的高度来认识，只有这样，才会明了发展问题既是发展中国家自己的责任，也是发达国家的责任。这些认识构成了中国共产党的发展观。

　　中国共产党以和平与发展为主题的时代观，包括其和平观和发展观，不仅成功地指导了改革开放的实践，并成为影响国际舆论的重要理念，为中国发展争取了较长时期的和平国际环境和良好的周边环境。在此后的近20年里，中国领导人在党的代表大会和人民代表大会及各种国际会议等重要场合一直坚持并宣传和平与发展的时代观，准确地界定了自己在世界的角色定位和战略诉求。和平与发展也成为在新的历史条件下制定中国国际、国内战略的基本原则。

　　（三）合作共赢的共同利益观

　　随着经济全球化和区域经济一体化的迅速发展，世界已越来

① 《邓小平文选》第三卷，人民出版社1993年版，第104～106页。

成为一个多元多样而又相互依存的共同体，其中包含着多元的利益主体、丰富多样的利益内涵以及错综复杂的利益关系。国家利益、地区利益和全球利益相互交织、相互依存。任何国家都把国家利益作为其制定国际战略和对外政策的根本出发点，中国也不例外。但是同时，中国主张顺应历史潮流，维护全球的和平与发展，增进全人类的共同利益；并且主张采取更开明的态度，承认和尊重别国的利益。

　　这种共同利益观，实际上就是在承认国家利益、地区利益和全球利益差异的基础上，强调一国国家利益、地区利益和全人类利益具有共通、共享以及可协调的一面，强调一国应自觉地、主动地维护世界和平与发展，通过增进全人类利益来增进地区利益和国家利益。共同利益观的提出和发展是国际关系理论的一大进步，标志着人类社会更加理性和睿智。它要求各国在各类国际交往中，应超越零和心态，求同存异，加强合作，实现共利、共赢。

15

　　（四）平等、民主的国际关系观

　　中国历来主张国不分大小、强弱，彼此应平等善待，主张国际关系民主化。2004年年初，胡锦涛在出访法国、埃及、加蓬和阿尔及利亚的四国之行中，在不同场合多次强调了中国关于国际关系平等化、民主化的主张。他指出，"国家不论大小、强弱、贫富，人民不论种族、信仰、传统，应该一律平等。发展中国家有权根据自己的历史传统、文化特征和发展水平选择自己的政治制度和发展模式。"他强调没有发展中国家的稳定，就没有世界的和平；没有发展中国家的振兴，就没有世界的繁荣。发展中国家要实现发展，首先需要自身的不懈努力，同时需要良好的国际环境，而促进国际关系平等化、民主化是创造和平的国际环境的重要途径。正是基于这一认识，长期以来，中国以平等和包容的精神，在国际社会寻找共同点。中国同广大发展中国家本着平等互利、注重实效、长期合作、共同开发的原则，在众多领域进行了富有成效的合作。

　　与世界各国建立平等、民主的关系已成为中国处理国际关系实践中的指导理念，也成了中国得以在世界广交朋友的法宝。它曾经帮助中国在1971年恢复被剥夺了近30年的联合国合法席位，帮助中国成功地维护了一个中国、台湾是中国一部分的原则，帮助中国成功加入世界贸易组织，也帮助中国十一次成功挫败一些国家试图用人权遏制中国的阴谋。

（五）优态共存的广义安全观

发生在美国的"9·11"恐怖袭击事件和国际反恐合作，把不同于传统安全概念的非传统安全问题突出地提上国际社会议事日程。除了恐怖主义之外，国际社会还面临着许多跨国和全球性的非传统安全问题，如跨国犯罪、毒品走私泛滥、环境恶化和全球气候变暖、艾滋病蔓延、SARS 一度肆虐，等等。这些问题的解决需要提出维护传统的和非传统安全的新的安全理念或安全观。

在全球面临新的安全困境下，必须构建广义的安全观。安全问题除了传统的领土安全、主权安全外，还包括涉及经济、社会、文化等方面的诸如环境安全、人权安全、社会安全、文化安全、信息安全、健康安全等新的问题。与此对应的安全战略不仅要在安全序列的底端（危态）进行考虑，更要在其顶端（优态）进行设计与共建。[①] 把优态作为对象的安全置于发展国际关系的最基本前提下，就使安全从保障生命存在拓展到了保障生命存在的优化状态，从"战争—和平—安全"拓展到了"发展—和平—安全"，由此展现了广义安全观的价值目标。优化共存范式（Superior Co-existence Paradigm）就成了广义安全观的战略定位。

广义安全观和优化共存范式确立了全球体系中各层次行为体的价值和伦理坐标，从理论上阐述了中国作为振兴中大国维护国家安全和国际社会安全应拥有的理念和行为选择取向。"中国对 1997～1998 年亚洲金融危机的合作式回应，就是一个负责任的大国对非传统安全的经济安全体现优态共存战略的历史性典范。"[②] 中国作为区域性大国于 2003 年 10 月加入"东南亚友好合作条约"则是中国新安全观的又一杰作。

（六）公正、合理的国际政治经济新秩序观

建立国际政治经济新秩序是中国共产党的一贯主张。20 世纪 70

---

① 余潇枫："从危态对抗到优态共存"，《世界经济与政治》2004 年第 2 期，第 13 页。
② 余潇枫："从危态对抗到优态共存"，《世界经济与政治》2004 年第 2 期，第 13 页。

年代毛泽东提出"三个世界"理论的同时，就提出了创建国际政治经济新秩序的主张。1974 年邓小平在联合国大会发言时，全面阐述了建立国际经济新秩序的主张。1988 年邓小平在会见印度总理拉吉夫·甘地的谈话中，邓小平强调，世界上现在有两件事情要同时做，一个是建立国际政治新秩序，一个是建立国际经济新秩序。[①] 但是，国际政治经济新秩序怎样建立? 如何着手? 党的十六大报告对此作了进一步的阐述，认为国际新秩序的内涵包括政治、经济、文化、安全、法律等各个方面。

　　从隔绝于世界体制之外到进入体制之内、从游离到融入世界经济之中，中国走过了漫长的选择、困惑、坚持的改革开放之路。自 1986 年提出申请到 2001 年，中国历经 15 年才得以实现加入世界贸易组织的愿望。在国际关系领域，中国和印度、缅甸等亚洲国家在 20 世纪 50 年代就提出了著名的和平共处五项原则，代表着亚洲文明对国际关系向正确方向发展的杰出贡献;在安全领域，在 5 个核武器国家中，中国是国际原子能机构全面保障附加议定书首先生效的国家;在发展领域，中国是第一个制定"21 世纪议程"国家战略的发展中国家，中国还倡议成立了中非合作论坛、中阿合作论坛，中国被联合国称为执行千年宣言的示范国家;在社会领域，中国首先加入了联合国反腐公约和打击有组织犯罪公约;在周边地区，中国首先倡议并实施建立中国—东南亚联盟自由贸易区的计划，中国、日本、韩国—东盟自由贸易区的计划也在积极推动之中，这些计划将推动在本地区建立建设性经济合作关系。在 2004 年 4 月 24 日的博鳌论坛上，中国国家主席胡锦涛在主旨讲话中表明中国希望加速区域经济一体化进程，这包括创建亚洲自由贸易区，并加强宏观经济、金融政策协调，探索建立区域投资实体、债券市场及金融合作体系。此外，中国是第一个加入《东南亚友好合作条约》的区域外大国，中国还倡议成立了上海合作组织。中国历来主张多边主义原则，主张加强联合国的地位和作用，拥护《联合国宪章》的宗旨和原则，以应对人类面临的共同挑战。

17

---

① 《邓小平文选》第五卷，人民出版社 1993 年版，第 282 页。

中国融入现行国际体制的努力及积极在现行国际体制中发挥建设性作用的实践充分表明，中国对现行国际秩序采取了现实的、开明的、客观的态度。中国在指出现行的国际秩序具有不公正、不合理的历史局限性的同时，承认现有国际秩序的存在有其合理性。中国主张建立公正合理的国际政治经济新秩序，但"不是要挑战或用革命性的手段推翻或打破国际秩序，不是要'另起炉灶'，而是要在参加现有国际组织并在其中发挥积极的和建设性的作用，对现有国际秩序的不合理成分加以改造，使其趋于完善、公平、公正，最终形成和确立公正合理的国际政治经济新秩序"。① 正如中国总理温家宝所说，中国的崛起"不会妨碍任何人，也不会威胁任何人，也不会牺牲任何人"。这是中国政府对国际社会"中国崛起疑虑"的明确回应。

中国的这种新秩序观已为国际社会所广泛接受。不同的时代需要不同的国际关系理论来指导国家的战略和外交政策，因而不同的理论适用于不同的时代。上述在中国改革开放中酝酿和发展的国际关系新理念凝结了中国国际关系理论的精华、为中国发展模式的形成和中国走和平崛起的道路奠定了理论基础。

四、中国和平崛起战略和发展模式的世界意义

近年来，在中国的和平崛起备受国内外关注的同时，关于中国发展模式的讨论再度兴起。随着中国改革开放不断取得新成就，"中国模式"得到世界各国更广泛的认同，从而被赋予新的含义和新的生命②。从世界历史发展的长时期看，中国的和平崛起战略和以此为核心的中国发展模式必将对世界产生多方面的深刻影响。

（一）中国将成为世界经济增长的一个强大引擎

中国和平崛起和"中国发展模式"将使中国成为世界经济增长的一个强大引擎。美国《新闻周刊》2003年6月刊文指出，"中国经

① 夏立平："论中国实现和平崛起的国际战略新理念"，《国际问题研究》2003年第6期，第34页。
② 郑永年："'中国模式'概念的崛起"，香港《信报》2004年4月20日，转引自《参考消息》2004年4月23日。

济威胁论"妨碍了人们正确看待中国经济的正面影响，那就是，中国经济在高速增长、出口增加的同时，由国内需求导致的进口也在急剧增长，由此带动了全球投资，带动了周边国家和地区的经济稳定。在世界"三大经济引擎"美国、日本和德国经济均不景气的情况下，中国可能成为挽救世界的第四大引擎。据亚洲开发银行预测，到 2005 年，中国将成为第一大进口国，比人们预计它成为世界第一大出口国的时间还要早整整五年。即使在美、日、德三大引擎引力增强的形势下，中国成为世界最大商品劳务市场和资本市场的潜力以及成为投资大国的势头也将使中国当之无愧地成为世界经济增长的一大引擎。另据莱曼公司推测，按照购买力平价理论分析，中国对全球经济发展的贡献已经超过了日本，到 2008 年就有可能超过欧洲。[①]

（二）中国将成为世界和平的一支稳定力量

中国的和平崛起和"中国发展模式"将极大地加强世界和平与发展的力量，有力地推进世界多极化进程，从而使世界格局向着更加平衡稳定、使国际社会向着更加安全和谐的方向发展。中国的稳定繁荣本身就是对亚洲与世界和平稳定的重要贡献，中国外交政策的宗旨是维护世界和平、促进共同发展。中国不仅是这样说的，也是这样做的。

（三）中国将成为新兴大国崛起的一个新典范

中国的和平崛起和"中国发展模式"将为人类的国际关系史创造新的典范，"证明人类可以以理性和和平的方式处理好国家冲突这一千古难题"[②]，证明一个大国可以以和平的理念、多赢的共识参与经济全球化进程，谋求利益共享，共同发展来实现各民族的伟大振兴。这将为巴西、印度、俄罗斯这样的非西方历史大国的发展振兴模式提供重要的借鉴，为新兴大国的"排浪式"崛起展示新的路径。

（四）中国的和平崛起将成为发展中国家的一面旗帜

中国的和平崛起和"中国发展模式"，也将证明一个落后的发展

---

① ［美］《新闻周刊》2003 年 6 月 23 日文，转引自《参考消息》2003 年 7 月 6 日。

② 古平："伟大民族复兴的道路选择——论中国的和平崛起"，《人民日报》2004 年 2 月 17 日。

中国家可以选择适合自己国情的道路，通过改革开放融入世界经济抓住国际机遇，逐步发展自己、积累力量，摆脱被"边缘化"的命运。中国将为大量中小发展中国家的发展振兴树立一面旗帜，增强信心，团结奋斗，为自己创造崭新的前程，在世界舞台上争得自己的一席之地。

（五）中国文明将成为世界文明的一朵奇葩

无论是过去，还是未来，世界文明都将呈现出丰富多彩的特征。对此，塞缪尔·亨廷顿也认为，"在未来的岁月里，世界上将不会出现一个单一的普世文明，而是将有许多不同的文化和文明相互并存"。[1] 在伊拉克战争一周年答法国记者的提问时，亨廷顿认为，"我们必须承认，中国或阿拉伯穆斯林世界这样一些伟大的文明正在进入世界舞台的前台，他们不赞成我们的价值观，这些伟大的文明正在以自己的速度、按照自己的方向发展、加强。"中国古老文化在亚洲具有极大的影响力和亲和力，而集聚中国现代文明的"中国发展模式"则主张世界上不同的文明可以通过对话实现和谐共存，以避免"文明的冲突"给人类带来灾难。中国的和平崛起和"中国发展模式"将使中国古老文化和现代文明水乳交融，将使多元化的人类文明和文化更加绚丽多彩。

---

① 塞缪尔·亨廷顿：《文明的冲突与世界秩序的重建》，新华出版社 1998 年 3 月，中文版序言。

第一章　新兴大国的崛起

——国际格局的新变量

我们正处于力量格局调整的巨大变化之中，这个格局正由新兴大市场所改写。就其含义而言，这是一场革命，与封建制度的瓦解、两次工业革命、19世纪世界经济的增长以及本世纪三四十年代旧秩序的解体具有同等重要的历史意义。

——［美］杰弗里·加腾

21

2003年10月，美国高盛公司的经济分析和投资计划专家小组撰写了题为《与BRICs共同梦想——通往2050年之路》（Dreaming with BRICs：the Path to 2050）的报告书，"BRICs"是巴西、俄罗斯、印度和中国的开头字母，是国际关系专家间使用的新造词。这些国家领土广阔、资源丰富、人口众多，用高盛专家小组的话说，它们都是经济上的发展中国家。报告描绘的BRICs的前景让人吃惊，到2050年，这四国将全部进入世界经济前六强。尽管四国的发展之路仍然存在变数，但不可否认的是，这四个崛起中的大国正通过自身实力的不断增强拥有了改变全球势力对比的能力，因而得到了越来越多的重视。它们也被赋予了崛起中的"新兴大国"的称号。

第一节　新兴大国的界定

确定哪些国家是新兴大国，并不是一件容易的事。高盛公司之所以选择巴西、俄罗斯、印度、中国等四国作为研究对象，主要是这四国均为领土广阔、资源丰富、人口众多的大国，都是经济上的发展中国家。但这些特征显然没能完全地概括出 BRICs 作为新兴大国的共性。我们认为，巴西、俄罗斯、印度、中国四国之所以被称为新兴大国，主要是基于以下六个标准。

一、国土面积、人口、资源和市场规模

首先考察国土面积。我们注意到巴西、俄罗斯、印度和中国均为幅员辽阔的大国。四国国土总面积均在 200 万平方公里以上，其中俄罗斯、中国、巴西的国土面积均排在世界国土面积最大的六国之内。再看四国的人口规模，参见表 1-1。此外，这四国均为资源种类较齐全的国家，俄罗斯和巴西还是世界上某些重要矿产资源的主要供给国[①]。

表 1-1　　2002 年 BRICs 的人口　　（单位：百万人）

巴西	俄罗斯	印度	中国
174.5	144.1	1033.4	1281.0

资料来源：World Bank Group Database。

由于幅员辽阔，人口众多，因此这四国现在的市场规模或潜在的市场规模也相当可观。以中国为例，目前的中国市场规模已居世界前列，在未来 20 年里，仍具有巨大的发展潜力。中国商务部部长吕福源在 1998 国际投资论坛上指出，中国政府不断推进经济体制的改革，市场经济体制的建立大大解放了生产力，国民经济持续快速健康发展，国内外贸易发展迅速，市场规模将不断扩大。2003 年，中国消耗钢材相当于全球产量的 1/4；消费水泥占全球产量的 40% 以上；高速公路已增加到 2.5 万公里，居世界第二位；电话用户超过 4 亿户，居世界第一位；互联网上网人数 5910 万，居世界第二位。

二、地区大国和地区影响

巴西、俄罗斯、印度和中国四国均为地区大国。其中，巴西位

---

① 以俄罗斯为例，目前，世界上 10% 的石油供给由俄罗斯提供。

于南美、中国位于东亚、印度位于南亚、俄罗斯则横跨亚欧两洲，它们中的任何一个取得经济上的成功，都将带动其周边国家的发展。相反，如果它们陷入经济危机，也有能力将邻国拖入困境。除了经济影响外，作为地区大国，这四国均为该地区政治稳定的关键因素。

巴西地处拉美，是拉美地区国土面积最大也是人口最多的国家，在美国眼中，也自然是拉美地区最有分量的国家。巴西是南方共同市场的初建国之一，也是南方共同市场与安第斯共同体之间建立自由贸易区这一议题的重要推动者。同时，巴西依托其在拉美地区的重要地位，在建立美洲自由贸易区的多边谈判中与美国"针锋相对"。2003 年 11 月，在美国迈阿密举行的商讨建立美洲自由贸易区的谈判几近破产，完全是由于美巴之间谈不拢。美国以农业补贴应在世界贸易组织会议上讨论为由，拒绝在本次会议上涉及这一敏感领域。但巴西希望美国能够承诺减少农业补贴，从而增加巴西的农业出口。美巴关系的走向事实上将影响到美洲自由贸易区的前景。

23

俄罗斯作为一个横跨亚欧两洲的大国，是欧洲以及亚洲特别是东亚地区经济发展和政治稳定的关键因素。俄罗斯一直宣称自己是欧洲国家，因为属于欧洲意味着一个更为现代化的俄罗斯，它将与欧洲和睦相处，与布鲁塞尔的关系最终将制度化，并将获得类似欧盟成员的地位。因此，俄罗斯国内改革以及俄罗斯与欧盟之间"共同空间"的形成，将导致它与欧盟的一体化。俄罗斯一直非常关心它在远东和西伯利亚地区的利益，俄罗斯政府对远东和西伯利亚地区的相对落后状况深感忧虑，这在一定程度上决定了俄罗斯的亚洲战略。俄罗斯政府目前奉行普京的多极化主张，即在制约美国的"游戏"中，中国是潜在的盟友。但普京明白，与这个巨大的亚洲邻国走得太近会发生危险。制约中国威胁的一个办法就是与日本加强经济等方面的往来，这种对中国复杂的心理就造成了现行的中日俄三角关系状况，其突出表现在石油关系上。这一系列复杂的政治经济关系使俄罗斯深深地锁在亚欧大陆之间而成为一个重要的地区大国。

印度地处南亚，自 20 世纪 90 年代实施经济改革措施以来，印度经济取得了令人瞩目的成就。印巴关系、印中关系都是影响南亚地区甚至整个亚洲地区经济和政治稳定的关键因素。其中对南亚地区影响最直接的当属印巴关系、印度和巴基斯坦之间一直围绕着克什米尔进行主权之争，局部小规模冲突时有发生。巴基斯坦在1998年成功地进行了核试验，成功追赶上了已经拥有核武器的印度，因此，双方进入了互相炫耀实力的时期。但这样的对抗使得双方政府都越来越为庞大的军费开支[①]而不堪重负，并且双方军备竞赛的结果必将是两败俱伤。因此，目前印巴实现了迅速接近并已确定和谈时间表。另一方面，对印度来说，近一两年来最担心的是邻国中国突飞猛进的经济发展。印度目前针对中国的主要战略为：在本国主导下建立南亚经济区，从而拥有与中国抗衡的经济实力。2004年1月在南亚区域合作政府首脑会议上，印度将其提出的创设南亚自由贸易区等主张写进了宣言。因此，印巴关系、印中关系的前景将直接影响到南亚及整个亚洲地区。

24

经过二十多年的改革开放，中国已经成长为一个地区经济大国。中国政府一直表明其做负责任的地区大国的立场。但就中国崛起对亚洲地区的经济影响来看，应该是一分为二的。对于亚洲国家而言，中国一方面是一个有潜力的市场和对外直接投资的理想场所，另一方面也是出口市场中的竞争对手。一般来说，贸易结构同中国互补的高收入国家（地区）可能会从中获益，而同中国竞争的低收入国家（地区）则会受到损失[②]。除经济影响外，中美、中日俄、中印等双边和多边关系的走势不仅对亚洲地区乃至整个世界的经济和政治的平稳发展都将起到十分重要的作用。

三、世界政治、经济和社会事务的重要参与者

BRICs四国除了作为地区大国对本地区的经济发展和政治稳定发挥作用以外，它们还积极参与整个世界的政治、经济和社会事务。

以中国为例，目前中国已迅速并且高度融入国际分工体系。这种融入势头主要表现在，中国拥有美国贸易赤字总额的1/4，还拥有

---

① 巴基斯坦目前的军费开支达到国家预算的20%左右。
② 关志雄："中国作为经济大国的崛起及其对亚洲的影响"《国际经济评论》2001年3～4月。

对欧盟的贸易顺差，但是对日本、亚洲其他国家及初级产品生产国的贸易中，中国处于逆差状态。总体上，中国进口零部件、资本物质和原材料，但向高收入国家特别是美国出口组装产品。中国出口有一半来自跨国公司，并且这种融入世界经济的势头多少打消了贸易伙伴们对中国快速崛起的不安。尽管中国在全球产出中的比例中只占 4% 左右，但目前国际性经济大戏的主角主要由中国来扮演。

除了积极融入世界经济以外，中国在国际政治和社会事务中也开始扮演着越来越重要的角色。2003 年，作为两次朝核六方会谈的发起方和主办方，中国在解决朝鲜核问题中扮演着关键的角色。同年，中国改善了与南部邻国印度的关系，同时拥有了与印度和巴基斯坦两国的良好关系，当印巴关系紧张之时，便能发挥调停作用，中国在国际舞台上的发言权也随之增大。此外，中国通过上海合作组织等国际性组织的力量积极参与到国际反恐事务中来。在一些涉及领土争端的国家关系中，中国都表现出尊重现实，搁置争议，加强合作的态度，这赢得了国际社会的赞赏。中美关系作为当今世界最重要的双边关系，从总体上说，发展趋好。2004 年年初，美国参议院与中国人民代表大会将设立代表双方首脑的联合组织，并定于同年夏天正式开展交流。美中在国家立法机构层次设立旨在加强交流的联系组织，对中国来说，将有利于在掌握条约批准权并在美国外交政策上拥有强有力发言权的美国参议院建立对话平台。中美关系的改善将对世界和平起着关键作用。

四、经济改革开放和强烈的国家振兴欲望

BRICs 四国在历史上都曾经是地区或世界大国，有着重新崛起或者说是"振兴"的强烈欲望。中国曾是封建时代世界经济的王者，俄罗斯曾是二战后能与美国平起平坐的国家，巴西和印度也都是南美和南亚地区最重要的国家。因此，一方面，目前四国都致力于经济改革，开放国内经济，平衡财政预算，并已经取得一定的成果；另一方面，在四国经济"起飞"的同时，都以谋求地区或世界大国地位作为自己的"政治理想"。

近年来，中国通过组织和参与朝核六方会谈、主持上海 APEC

领导人峰会、积极参与世界贸易组织多边谈判、倡议并加入上海合作组织等一系列的活动向世界宣布自己要做一个"负责任的大国";印度也通过谋求南亚自由贸易区的主导权、改善印中和印巴关系等方面努力实现自己的世界大国梦;俄罗斯则一方面与美欧建立合作伙伴关系,一方面发展与中国的战略伙伴关系,利用"资源外交"策略巧妙周旋于各大国之间,维系自己的大国地位;巴西虽然在经济上对美国依赖性较强,但它对美国从来都不是百依百顺,建立美洲自由贸易区谈判中与美国的针锋相对、世界贸易组织多边谈判坎昆中期评审会议上成为发展中国家"21国集团"的领导者等事件表明巴西一直都在谋求世界政治经济事务中的大国地位。

五、强劲而持续的经济增长态势

2003年,俄罗斯经济增长率达到7.3%,超过预期近1.5个百分点;中国人均国内生产总值2003年突破1000美元,国际社会认为中国已经摆脱了发展中国家的身份,进入中等发达国家行列[①];印度在2003年经济增长率突破7%,国民收入突破5000亿美元,外汇储备超过900亿美元,强劲的农业生产和坚实的宏观经济基础使印度经济发展迎来"黄金时代";巴西的对外贸易量过去10年已经翻了一番,其国民收入也突破5000亿美元[②]。

表1-2显示了1992~2002年十年间BRICs四国的GDP和人均GDP的年平均增长率。

表1-2　1992~2002年BRICs的GDP和人均GDP的年平均增长率　　　　(单位:%)

	巴西	俄罗斯	印度	中国
GDP年均增长率	2.7	−0.6	6.1	9.0
人均GDP年均增长率	1.4	−0.3	4.3	8.0

资料来源:World Bank Group Database。

从中我们可以看出,除了俄罗斯经济采用休克疗法导致经济大

---

① 但中国几乎没有报道称自己渡过了发展中国家阶段,主要原因是:1. 担心国外援助的减少;2. 担心国内由于贫富两极分化而带来的反对意见;3. 汇率带来的压力;4. 无法再代表发展中国家。

② The World Bank Group Database.

幅度滑坡以外，其他三国都保持了较好的经济发展态势，尤其是印度和中国，其经济增长势头极为强劲。即使是俄罗斯，自 1999 年摆脱长达 10 年的负增长以来，已经实现了 5 年的连续增长，预计俄罗斯 2004 年和 2005 年的经济增长率可分别达到 6.0% 和 5.3%[①]。

六、世界经济中新的上升力量

最后一个确定新兴大国的依据是该国必须是世界经济中的新的上升力量。根据高盛公司的预测，巴西将在今后 50 年内保持年均增长 3.6% 的增长速度，也就是说，巴西的人均收入将在 50 年后达到现在的 5 倍；俄罗斯比巴西发展得还要快；中国将保持现在每年 8% 左右的经济增长率，并逐渐降至 5%，直到 2050 年；印度将在今后 50 年中一直保持 5%～6% 的增长率，直到 2050 年，印度的人均收入到时将为目前的 35 倍。

当然，该报告指出这一切预测都是建立在这 4 个国家在今后数十年依然保持促进经济增长政策的基础之上，例如治理腐败、增加投资、改善基础设施、增加教育投入以及保持政治稳定等。在这样的前提下，如果这 4 国的经济增长趋势得以保持，那么 2050 年中国将超越美国成为世界经济第一强国，排名第二的是印度，巴西将在 2025 年超越意大利，2031 年超越法国。俄罗斯将在 2027 年超越英国，2028 年超越德国，到 2050 年，只有美国和日本能继续留在世界经济的前六强当中。尽管四国的发展之路仍然存在变数，但 BRICs 确是当之无愧的世界经济中新的上升力量。

第二节　初露峥嵘的四个新兴大国

依据高盛的预测，作为世界经济中新的上升力量，BRICs 将在未来 50 年获得令人羡慕的经济增长率并在 2050 年成功占据世界经济前六强之中的四席。这样的预测有多大的可能性会成为现实呢？

---

① World Economy Outlook 2004（IMF）.

半个世纪后这四国的经济成就，仍然有很大的不确定性。这些不确定性包括印巴是否会冲突、巴西如何避免环境的崩溃、台湾问题等①，但不可否认的是，这四个崛起中的大国正通过自身实力的不断增强拥有了改变全球力量对比的能力，因而得到了越来越多的关注。

一、BRICs 与 G6② 经济实力的对比

为了更好地把握四个新兴大国未来的发展趋势，先回顾一下过去10 年 BRICs 与西方六国 G6 的经济实力对比状况。使用的数据始于1992 年，这主要是因为在 1991 年底，《阿拉木图宣言》的签署标志着前苏联的正式解体，此时俄罗斯才以一个独立国家的身份出现在世界舞台上。对比主要包括个体比较和组间比较，选取的指标包括 GDP、人均 GDP、GDP 年增长率和人均 GDP 年增长率等经济指标。

表 1-3 和图 1-1、1-2 是 2002 年 BRICs 主要经济指标与 G6 的比较。

表 1-3   2002 年 BRICs 与 G6 的主要经济指标的比较

		GDP（十亿美元）	GDP 年平均增长率（%）	人均 GDP（美元）	人均 GDP 年平均增长率（%）
BRICs	巴西	494.5	1.5	2830	0.2
	俄罗斯	308.4	4.3	2140	4.8
	印度	480.8	5.5	470	3.7
	中国	1219.1	8.0	950	7.2
G6	美国	10110.2	2.3	35060	1.2
	日本	4265.7	−0.7	33550	−0.8
	德国	1870.2	0.2	22670	0.0
	英国	1486.2	1.5	25250	1.4
	法国	1342.8	1.0	22590	0.6
	意大利	1098.1	0.4	18960	0.4

资料来源：World Bank Group。

---

① Goldman Sachs：《与 BRICs 共同梦想——通往 2050 年之路》，Global Economics Paper No. 99。

② 所谓 G6，指的是美国、日本、英国、德国、法国和意大利，之所以选择 G6 而不是 G7，高盛的主要考虑是加拿大的 GDP 不足 1 万亿美元。

28

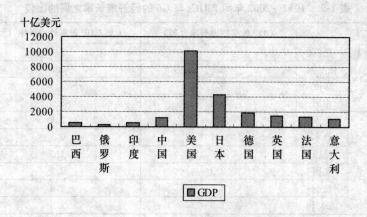

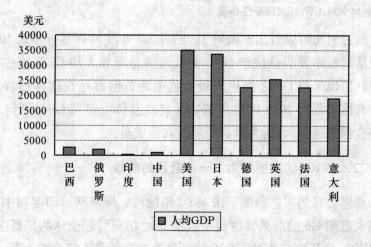

图 1-1 和图 1-2　2002 年 BRICs 与 G6 的主要经济指标的比较

资料来源：World Bank Group。

　　表 1-4 显示了 1992 年 BRICs 和 G6 作为两个组之间的经济实力对比，表 1-5 是 1992~2002 年间 BRICs 与 G6 的经济增长率之间的比较。

表 1-4　2002 年 BRICs 与 G6 两组的整体实力对比

	BRICs	G6
GDP 总量（十亿美元）	2502.8	20173.2

　　资料来源：由 World Bank Group 的 Database 计算所得。

表 1-5　1992～2002 年间 BRICs 与 G6 的经济增长率之间的比较

		GDP 年平均增长率（%）	人均 GDP 年平均增长率（%）
BRICs	巴西	2.7	1.4
	俄罗斯	−0.6	−0.3
	印度	6.1	4.3
	中国	9.0	8.0
G6	美国	3.5	2.2
	日本	1.1	0.8
	德国	1.5	1.3
	英国	2.9	2.7
	法国	2.2	1.8
	意大利	1.8	1.6

资料来源：World Bank Group。

通过对比可以看出，虽然 1992～2002 年间特别是近年来 BRICs 的经济增长率要明显快于 G6，但就经济总量和人均 GDP 这些指标来看，BRICs 与 G6 之间仍有较大的差距。但就是在这样的背景之下，高盛却预言 2038 年左右 BRICs 将在总体上超越 G6，而到 2050 年将全面超越 G6，成为世界经济新六强成员。

二、BRICs 的发展潜力：一种赶超的前景

高盛公司的报告预测了未来 50 年巴西、俄罗斯、印度和中国四个国家赶超 G6 的前景。这份报告的问世立刻引起全球的广泛关注，而 BRICs 也迅速成为达沃斯全球经济和政府领导人年会的主题。

表 1-6 和表 1-7 就是高盛公司对未来 50 年 BRICs 和 G6 的经济发展预测。其中，表 1-6 是对 GDP 的预测，表 1-7 是对人均 GDP 的预测。

根据高盛的预测，如果从 GDP 年均增长率的角度来看，中国发展最快的时期出现在 2005～2010 年，这一阶段其增长率可达到 11.2%，之后中国的经济增长率将放慢，到 2050 年将降至 5.4% 左右；印度发展最快的时期出现在 2030～2040 年，这一阶段其增长率可达到 8.9%，这一高增长可以维持 10 年左右，到 2050 年，印度经济的年增长率仍可维持在 7.5% 以上；俄罗斯和巴西与中国的情况相类似，其经济发展最快的时期都在 2010 年前后，前者可达 10.3%，后者在 6.5 左右，之后增长率都逐渐回落，到 2050 年，巴西的增长率将保持在 5% 左右，俄罗斯则降到 3.5% 左右。

表 1-6　2000～2050 年 BRICs 和 G6 的 GDP 预测　（单位：十亿美元）

	巴西	俄罗斯	印度	中国	美国	日本	德国	英国	法国	意大利
2000	762	391	469	1078	9825	4176	1875	1437	1311	1078
2005	468	534	604	1724	11697	4427	2011	1688	1489	1236
2010	662	847	929	2998	13271	4601	2212	1876	1622	1337
2015	952	1232	1411	4754	14786	4858	2386	2089	1767	1447
2020	1333	1741	2104	7070	16415	5221	2524	2285	1930	1553
2025	1695	2264	3174	10213	18340	5567	2604	2456	2095	1625
2030	2189	2980	4935	14312	20833	5810	2697	2649	2267	1671
2035	2871	3734	7854	19605	23828	5882	2903	2901	2445	1708
2040	3740	4467	12367	26439	27229	6039	3147	3201	2668	1788
2045	4794	5156	18847	34799	30956	6297	3381	3496	2898	1912
2050	6074	5870	27803	44453	35165	6673	3603	3782	3148	2061

资料来源："Dreaming with BRICs：the Path to 2050"，Goldman Sachs，Global Economics Paper No. 99。

31

表 1-7　2000～2050 年 BRICs 和 G6 的人均 GDP 预测　（单位：美元）

	巴西	俄罗斯	印度	中国	美国	日本	德国	英国	法国	意大利
2000	4338	2675	468	854	34797	32960	22814	24142	22078	18677
2005	2512	3718	559	1324	39552	34744	24402	27920	24547	21277
2010	3417	5948	804	2233	42926	36172	26877	30611	26314	23018
2015	4664	8736	1149	3428	45835	38626	29111	33594	28338	25086
2020	6302	12527	1622	4965	48849	42359	31000	36234	30723	27239
2025	7785	16652	2331	7051	52450	46391	32299	38479	33203	28894
2030	9823	22427	3473	9869	57263	49944	33898	41194	35876	30177
2035	12682	28749	5327	13434	63017	52313	37087	44985	38779	31402
2040	16370	35314	8124	18209	69431	55721	40966	49658	42601	33583
2045	20926	42081	12046	24192	76228	60454	44940	54386	46795	36859
2050	26592	49646	17366	31357	83710	66805	48952	59122	51594	40901

资料来源："Dreaming with BRICs：the Path to 2050"，Goldman Sachs，Global Economics Paper No. 99。

根据表 1-6 以及高盛对经济增长率的预测，中国将在 2005 年以前超过英国，2010 年以前超过德国，2020 年以前超过日本，2045 年以前超过美国，成为世界上经济总量最大的国家；印度将在 2015～2025 年之间连续超过意大利、法国和德国，2035 年以前超过日本，成为世界上第三个经济体；到 2030 年，俄罗斯将超过意大利、法国和德国，进入世界经济前六强；巴西则要到 2040 年左右超过德国进入世界经济前六强。若把 BRICs 四个新兴大国看成一个组，将 G6 看成另外一个组，则到 2040 年左右，BRICs 将以一个整体超过 G6。

但是根据高盛的观点，世界上经济总量最大的国家并非是世界上最"富裕"的国家，表 1-7 显示人均 GDP 水平发展趋势的预测，即使到 2050 年 BRICs 都已跃居世界经济前六强的时候，其人均 GDP 水平仍与 G6 有不小的差距。

高盛公司的观点并非一家之言。2000 年，美国情报委员会（CIA）就对 2015 年的全球形势做出过判断。报告名为《2015 年的全球趋势：与非政府专家关于未来的对话》（Global Trends 2015：A Dialogue About the Future With Non-government Experts），其中最引人注目的部分莫过

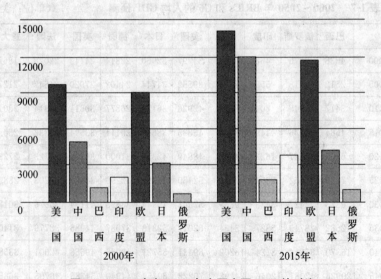

图 1-3 2000 年与 2015 年主要大国 GDP 的对比

（单位：十亿美元，以 1998 年的美元为准）

资料来源：美国情报委员会《2015 年的全球趋势：与非政府专家关于未来的对话》报告，第 37 页。

于对 2015 年主要大国经济情况的预测。图 1-3 就是作为现有大国或大国集团的美国、欧盟、日本与作为新兴大国的巴西、俄罗斯、印度、中国在 2000 年和 2015 的 GDP 对比。

根据美国情报委员会的预测，到 2015 年，四个新兴大国的 GDP 都将有一倍以上的增长幅度，其中中国和印度两国的表现将更加突出。2000 年，中国和印度两国的 GDP 总量已经达到世界 GDP 总量的 1/6，到 2015 年，这一比例将会继续得到扩大。到 2015 年，中国经济总量已经可以与美国、欧盟分庭抗礼；印度的经济总量已经与日本不相上下；巴西、俄罗斯的表现虽然不如中印两国那么耀眼，但与它们各自在 2000 年经济实力相比较，其增长幅度也是非常显著的。

无独有偶，日本东洋经济统计月报 2004 年 1 月也刊文分析 2050 年世界经济构图。文章认为，一个国家的经济不仅要依靠"人口"增长，还要通过"资本"和"技术"的积累来实现增长。这三种因素可以促进经济增长，使经济实力得到增强。据此，文章指出过去的 50 年是美欧日经济发展强劲的 50 年；今后 50 年，假设美国继续保持 20 世纪 90 年代的平均增长水平，日欧在今后 10 年左右的时间达到与美国同等的水平，并在此后能够保持这种水平，而中国和印度以 20 世纪 50～70 年代的速度追赶，那么 50 年后，中国和印度的经济规模将占世界国内生产总值的一半，美欧经济的相对地位下降，日本则无法避免小国化的命运。

第三节　新兴大国崛起的国际背景

——新世纪的国际战略机遇期

世界强国地位是一种最稀有的国际资源，竞争这种地位，其最终结果一般非此即彼，落选者将处于比先前更为被动、更受压制的境地。因此，敏锐地观察、准确地判断并且紧紧抓住有利于自己发展的国际战略机遇期，成为大国崛起的关键。

一、国际战略机遇期的界定

国际战略机遇期是指人类历史发展中的一些特定时期，与其他时期（可称做国际战略间歇期）相比，这些特定时期是有利于一些国家迅速崛起的多重机遇的重合期。概括地说，某个时期要成为所谓的国际战略机遇期，一般包括三个条件：

（一）较长时期的和平环境，主要国家之间没有爆发全面战争的可能性

战争与和平对于发展的意义显而易见。典型的是二战期间，欧洲列强的国力大大减弱，连拥有广大殖民地的英帝国也损失惨重，英国巨额的海外投资化为泡影。战后，由于欧洲列强忙于经济的恢复、重建，也就无力进行科技创新。而远离战场的美国则大发战争财，进一步巩固了其世界头号强国的地位。

（二）世界经济持续发展，或者说世界经济处于长周期的上升阶段

世界经济发展具有周期变动即繁荣与衰退相交替的特性。前苏联经济学家尼古拉·康德拉季耶夫在《经济生活中的长波》（1925年）、《大经济周期》（1928年）等论著中系统地提出了长周期理论。他认为，自1789年以来发达国家经历了三个长度为50年左右的长周期，前25年至30年为持续增长和长期繁荣的上升阶段；后25年至30年为增长减速或长期不景气的下降阶段。而长周期的上升段则构成一国发展振兴的战略机遇期。

（三）出现能够促发生产力跳跃发展的重大发现与发明

第一次科技革命发生于18世纪中期到19世纪初，第二次科技革命发生于19世纪末20世纪初，第三次科技革命始于20世纪40年代末。从时间上看，三次科技革命及由其推动的工业革命/经济革命时期，与世界经济长周期的上升段几乎重合。这种重合绝非偶然，它说明重大科技革命为各国政治经济实力"重排座次"提供了重要的机遇。

二、历史上的三次国际战略机遇期与强国崛起

对近现代发展史的分析表明，历史上一共出现过三次大的国际

战略机遇期，而每一次战略机遇期，都孕育了一个或几个强国，这是它们善于抓住和把握国际战略机遇期的结果。它们的崛起也印证了国际战略机遇期的历史意义。

（一）第一次国际战略机遇期和英国的崛起

在第一次科技革命导致的工业革命时期，以英国为代表的西欧迅速崛起，一跃而登上主宰整个世界的宝座。在这期间，英国借大规模的圈地运动、迅速扩张的海外贸易和第一次技术革命，率先完成了工业革命。在大约一代人的时间里，英国棉纺工业的产量增加了 10 倍，炼铁工业的产量增加了 4 倍，成为初具规模的"世界工厂"①。由于英国的崛起，西欧在历史上第一次确立了世界经济领跑者的地位。事实上，迟至 1819 年，一位法国学者仍然认为中国的国内贸易比整个欧洲的贸易量都要大，其劳动力受过更好的教育，而其城市也更大②。回顾这段历史，历史学家普遍将 1500 年当做分界线，认为在贸易暴利驱动下的哥伦布和麦哲伦"地理大发现"，为西欧的发展提供了强大动力③。

35

（二）第二次国际战略机遇期和美、德、日的崛起

19 世纪中后期，美、德、日三国抓住第二次科技革命的机遇先后崛起。19 世纪 70 年代兴起的世界第二次科技革命，起源于欧洲，完成在美国。美国是第二次科技革命的最大受益国。美国抓住第二次科技革命的机遇，通过大幅度提高生产率，缩小了其制造业与英国制造业的成本差距，从而在世界制造业中的比重由 1870 年的 23.3％提高到 1913 年的 35.8％④，一跃成为世界上最大的经济强国。在 1871 年以后 20 年左右时间里，德意志帝国的实际国民收入总值

① ［英］H·J·哈巴库克、M·M·波斯坦主编，王春法等译：《剑桥欧洲经济史（第 6 卷）》，经济科学出版社 2002 年 9 月第 1 版，第 11 页。

② H·J·哈巴库克、M·M·波斯坦主编：《剑桥欧洲经济史（第 6 卷）》，经济科学出版社 2002 年 9 月第 1 版，第 6 页。

③ ［美］L·S·斯塔夫里阿诺斯著，吴象婴、梁赤民译：《全球通史》，上海社会科学院出版社 1997 年 1 月第 1 版，第 331～335 页。

④ H·J·哈巴库克、M·M·波斯坦主编，王春法等译：《剑桥欧洲经济史（第 6 卷）》，经济科学出版社 2002 年 9 月第 1 版，第 631 页。

翻了一番①，并于 1914 年超过了英国。日本在 1867～1868 年明治维新之后的短短半个世纪内，抓住英国推行自由贸易政策的历史机遇，通过范围广泛的现代化政策，成为世界上除欧美以外的惟一工业强国。

（三）第三次国际战略机遇期和"日本奇迹"、"西德奇迹"

二战后美苏两霸的冷战对峙期间，日本和西德在战后的废墟上分别创造了"日本奇迹"和"西德奇迹"。1945 年 8 月 15 日，日本政府宣布无条件投降。在战争的破坏下，日本的国民经济已经陷入混乱与崩溃之中。战后的日本一方面大力推进经济体制改革，利用美国的经济援助积极恢复经济；另一方面，借助美苏对峙、朝鲜战争和越南战争等提供的有利的国际机遇，实施"贸易立国"；1955～1973 年，日本 GNP 实现了年均 10%的高速增长②。到 1968 年，日本的国民生产总值就上升为 1419 亿美元，超过了西德，成为仅次于美国的第二"经济大国"。二战结束后，德国分裂为德意志联邦共和国和德意志民主共和国。在接下来西欧出现的和平时期里，联邦德国抓住美国在西欧推行"马歇尔计划"和欧洲共同市场成立的契机，首创并大力推行社会市场经济模式，在 20 世纪 60 年代中期出现"经济奇迹"，其经济增长速度仅次于日本，成为西方第三大经济强国。

三、第四次国际战略机遇期的到来与 BRICs 的崛起

根据上文对国际战略机遇期的界定及其生成的三个条件，可以确定第四次国际战略机遇期已经到来。对于 BRICs 来说，是否能抓住这一次战略机遇期发展振兴，将直接关系到它们能否如高盛等所预言的那样实现对 G6 的赶超，并最终改变国际政治和经济格局。

（一）第四次国际战略机遇期的出现

首先，在国际环境方面，冷战结束后虽然各种局部战争和动乱

---

① H·J·哈巴库克、M·M·波斯坦主编，王春法等译：《剑桥欧洲经济史（第 6 卷）》，经济科学出版社 2002 年 9 月第 1 版，第 17 页。

② ［日］安场保吉、猪木武德著，厉以平译：《日本经济史（8）》，三联书店 1997 年 11 月第 1 版，第 297 页。

不断，但就总体而言，世界出现了一个可维持较长和平的时期。一般说来，世界和平只是就相对意义而言，主要指大国之间没有发生战争。从当前国际形势来看，美、欧、俄、日、印、中等重要力量中心之间，不存在爆发大规模战争的前景。美国舆论认为世界现在进入了一个战略间歇期，在 2015 年前世界不会出现有能力对美国形成真正挑战的战略对手。因此布什总统在 2002 年 6 月指出，美国出现了历史上最好的时期，其标志是美国第一次不面临一个敌对大国的挑战，世界不再被大国间竞争所困扰。"9·11"事件为各国关系的改善提供了一个新的共同利益基础。

其次，全球正处于以信息革命为代表的第四次科技革命时期，这为后发国家追赶先进创造了机会。印度软件业的迅猛发展体现了这种可能性；而中国能够在短短 10 年中就发展成为世界第一大个人电脑和手机拥有国，表明了中国发展信息技术的巨大潜力；中国政府对以 IPv6 为核心技术的下一代互联网的极大关注和先行投资建设举措，证明了中国捕获信息革命机遇的能力和在世界 IT 产业链中地位的上升[①]。世界银行统计数据显示，近年来 BRICs 在信息通讯技术（Information and Communication Technology，简称为 ICT）方面的各项指标都增长很快。这些指标包括每千人拥有的个人计算机（Personal Computer）数量、互联网用户（Internet User）数量、每千人使用的电话线（Telephone Mainline）数量、每千人拥有的手机（Mobile Phone）数量、信息通讯总消费量（Total ICT Expenditure）、信息通讯消费量占 GDP 的比例（ICT as ⅓ of GDP）以及人均信息通讯消费水平（ICT per capital）。从 1995 年到 2001 年，BRICs 四国在这些指标上的表现都异常抢眼。见表 1-8。

最后，自 20 世纪 90 年代中期开始，世界经济已经进入新一轮经济周期的扩张期。虽然此后国际经济出现了较严峻的形势，美国和欧洲先后进入了疲软阶段，增长乏力，日本经济持续停滞不前。但进入 2003 年，尤其是进入 2003 年下半年以来，主要经济体的经济都开始恢复。基于此，主要经济组织和研究机构都对 2004 年及未

---

① 杨阳："下一代互联网：中国不会错过这个机会"，《经济观察报》2004 年 4 月 19 日第 41 版。

表 1-8　1995 和 2001 年 BRICs 四国的信息通讯主要指标

	年份	每千人拥有的计算机数量（台）	互联网用户数量（千人）	每千人使用的电话线（条）	每千人拥有的手机数量（部）	信息通讯总消费量（百万美元）	信息通讯消费量占GDP的比例（％）	人均信息通讯消费水平（美元）
巴西	1995	17.3	170.0	85	8	18882.0	2.7	121.2
	2001	62.9	8000.0	218	167	50031.0	8.3	286.9
俄罗斯	1995	17.6	220.0	169	1	6188.0	1.8	41.8
	2001	49.7	4300.0	243	38	9908.0	3.3	68.2
印度	1995	1.3	250.0	13	0	7250.0	2.1	7.8
	2001	5.8	7000.0	38	6	19662.0	3.9	19.0
中国	1995	2.3	60.0	33	3	20401.0	2.9	16.6
	2001	19.0	33700.0	137	110	66612.0	5.7	52.7

资料来源：Development Data Group, World Bank。

来几年的世界经济形势看好。据国际货币基金组织（IMF）使用PPP（购买力平价）方法的最新估算，2004 年全球 GDP 增长率可达4.1％，为 2000 年以来最高的增幅。世界银行的最新报告，使用现行汇率法估算，2004 年全球 GDP 增长率为 3％；同时利用了 PPP 方法估算 2004 年增长率将是 3.9％。因此，两家权威机构的预测值极为接近。据此可以判断，2004 年世界经济增长率将在 4％左右，明显高于 2001～2003 年的增长率（1.2％、1.9％和 3.2％），并且高于1990～2000 年的平均增长率 2.7％。这一预测无疑宣布了全球经济已进入复苏。国际机构对经济增长态势的乐观估计，"源自地缘政治不确定性因素的相对减少，经济扩张政策的刺激作用开始显现，存货的增加，对油价走低的预期，以及证券市场泡沫破裂负面影响的逐渐消失"。高盛公司（Goodman-Sachs）调查结果显示，全球总裁信心指数从 75.6 上升到 80，表明全球复苏的希望增大。

（二）BRICs 在本次国际战略机遇期崛起的可能性

对各国而言，只有那些能够真正地抓住战略机遇的国家，这一时期才成为其真正的国际战略机遇期；而对那些抓不住战略机遇的国家来说，这一时期只能称为其战略间歇期①。一国能否成功地利用

---

① 《经济展望》福卡内部报告：《21 世纪国际关系的重大变局》。
http://finance.sina.com.cn。

国际战略机遇期是决定其能否成功地由世界经济的"外围"逐步走向"中心"的关键。

以劳尔·普雷维什、萨米尔·阿明等为代表的依附理论认为，世界经济体系由非对称的两部分——"中心"和"外围"组成。在市场经济条件下，拥有较高技术的国家能够在市场上实现自己的优势。中心国家通过不平等贸易以及跨国公司的对外直接投资，掠夺外围国家的"经济剩余"，并且控制外围国家的内部经济结构；结果，外围国家对中心国家高度依赖，只能实现依附性增长①。

那么，世界经济体系的"中心"和"外围"是恒定不变的吗？从现实看，后进国在战后的经济发展的确不容乐观。人均所得年平均成长率，非洲为零，拉丁美洲低于2％，只有东亚接近6％，是惟一成长率超过先进国的地区，也是惟一缩短了与先进国距离的地区②。

但如果从更长的历史和20世纪末以来世界经济的新变化来考察，"中心—外围"论就必须给予新的理解：其一，在当代技术革命和经济全球化迅速发展的条件下，所谓的"中心"、"外围"已不再是静态的概念，而处在动态变化过程之中。历史上，英国、西欧由"中心"转变为如今的"次中心"，美国也曾由"边缘"跃升到"次中心"直至二战后的"中心"。因此，中心—外围格局不是一成不变的，发展中国家的经济振兴有可能改变这一格局。其二，随着当代世界经济的多样化，世界经济发展的梯度日益多层次化，因此，"中心"、"外围"的划分过于绝对。20世纪70年代中期，世界体系论的代表人物伊曼纽尔·沃勒斯坦对此做出了修正。他将资本主义体系进一步划分为"中心—准边缘—边缘"三个层次结构，并认为中心和边缘处于动态的变化之中③。现实中，在"中心"与"外围"之间存在着许多"中间态"。从当前世界经济格局看，美国是当之无愧的

①　参见樊勇明：《西方国际政治经济学》，上海人民出版社2001年1月第1版，第68～79页。
②　转引自瞿宛文："全球化与后进国之经济发展"，《台湾社会研究季刊》2000年第37期。
③　参见樊勇明：《西方国际政治经济学》，上海人民出版社2001年1月第1版，第80～81页。

世界经济"中心";日本、欧盟是世界经济的"次中心";一些落后的发展中国家处于世界经济的准边缘甚至边缘;而从动态来看,BRICs 四国都正处于由外围向"次中心"转化的过程之中。而第四次国际战略机遇期的出现,正为这种转化提供了可能。

第四节　新兴大国崛起引发的国际反响

2004 年年初,在达沃斯全球经济和政府领导人年会上,"历史大国将重新崛起,BRICs 将成为新兴经济大国"成为贯穿会议的主题。

卡内基国际和平基金会的罗特科普夫说,认为美国是世界经济霸主的想法是冷战结束后一种头脑发热的想像。他说,我们已经看到一批新崛起的大国,它们在历史上都曾是地区和世界大国。

40

美国耶鲁大学教授保罗·肯尼迪也撰写题为《巴西和俄印中2050 年会成为光芒四射的国家吗?》的文章,评点新兴大国的崛起,指出国家的经济力量和军事力量是同步发展的,这种变化迟早要改变国家间相对的影响力。肯尼迪认为,巴俄印中四个领土广阔、资源丰富、人口众多的新兴经济大国将会改变世界力量对比;同时,肯尼迪也分析了 BRICs 崛起之路上存在的种种变数。文章指出,"如果巴基斯坦发生内乱,其影响超出了国界,印度经济会如何呢?将拥有 15 亿人口的印度国民如果到那时(2050 年)的收入是现在的35 倍,并达到相应的消费水平,印度将如何防止环境遭到严重破坏呢?巴西能避免民众造反及环境破坏吗?受国内问题困扰的中国能保证国家的统一吗?俄罗斯人口因非正常死亡及移居海外等,每年减少 75 万人。俄罗斯经济真的能发展吗?"对任何国家来说,即使在不发生大的混乱和后退的情况下要实现崛起,也是非常困难的。总之,肯尼迪认为四国的崛起之路将会困难重重。

如果说肯尼迪教授的文章重在分析新兴大国的国内因素对新兴大国崛起的影响,那么另一批学者则更加关注现有大国对新兴大国崛起的态度。如中国的国际问题专家阎学通指出:崛起中的新兴大国的综合国力提高速度快于其他强国,很容易引起其他强国特别是霸主国家的警觉。世界大国如何对待新兴大国的崛起，是根据自己的利益来决定的。由于各国的利益不同，与崛起国的关系不同，因此他们对新兴大国崛起的态度也不同。如果崛起国能与多数世界强国维持友好的关系，那么其崛起的政治环境就是有利的，否则是不利的。因为，如果较多世界强国共同遏制新兴大国的崛起，新兴大国的崛起目标就有可能被扼杀。即使不被扼杀，也会给新兴大国的崛起带来极大的困难和障碍。①

国际社会对中印崛起的关注显然要更多一些。日本经济学家稻谷润一认为：人口优势将成为中印经济发展的巨大动力。50年后日本在世界经济中的比重将类似于现在的英国，而中印的经济规模将逐渐与欧美相当，美中印成为世界经济核心。日本的主要贸易对象将逐渐向中印过渡，中印在制造业和服务业的竞争力将日益加强。英国《金融时报》2003年12月29日发表题为《领先者：亚洲加速崛起》的文章，指出"一个新的经济强国正在亚洲崛起，它有着强大的现在，而且有着更加重要的未来。适应中国的崛起很可能是我们这个时代最严峻的挑战之一。但是，中国并非独一无二，印度也在兴起。中国和印度的崛起预示着全球经济秩序和政治秩序将发生重大变化，其程度也不亚于工业革命或随后美国崛起所带来的变化"。

美国《国际金融》编辑切斯特·道森曾询问高盛经济学家多米尼克·威尔逊②，哪些有利的条件可以证明其对BRICs经济预测的正确性。他回答说："主要的条件是正确的经济政策、明智的开放贸易政策和国内政策；相对稳定的政治体系和在不破坏增长进程的前提下的政治变革。如果你将我们对BRICs的预测与'亚洲虎'的增长作一比较，就可以说明我们并不是要求出现经济奇迹。"③

---

① 阎学通，"中国GDP存在水分吗？中国座次排第几？"，http://www.china.org.cn。
② 《与BRICs共同梦想——通往2050之路》报告的作者。
③ "高盛专家预测四大发展中国家起飞"，http://finance.sina.com.cn。

参考文献

1. Robert Gilpin: *War and Change in World Politics*, Cambridge University Press.

2. Dominic Wilson & Roopa Purushothaman: *Dreaming with BRICs: the Path to 2050*, Goldman Sachs Global Economics Paper, No. 99.

3. ［英］H. J. 哈巴库克、M. M. 波斯坦主编，王春法等译：《剑桥欧洲经济史（第6卷）》，经济科学出版社2002年9月第1版。

4. ［美］约翰·米尔斯海默，王义桅、唐小松译：《大国政治的悲剧》，上海世纪出版集团2003年4月第1版。

5. ［日］安场保吉、猪木武德著，厉以平译：《日本经济史（8）》，三联书店1997年11月第1版。

6. ［美］L. S. 斯塔夫里阿诺斯著，吴象婴、梁赤民译：《全球通史》，上海社会科学院出版社1997年1月第1版。

7. 樊勇明：《西方国际政治经济学》，上海人民出版社2001年1月第1版。

8. 戎殿新、罗红波：《意大利工业化之路》，经济日报出版社1991年9月第1版。

9. 宋伟："国际政治经济学刍议"：《欧洲研究》2003年1月，第92~110页。

10. 瞿宛文："全球化与后进国之经济发展"，《台湾社会研究季刊》2000年第37期。

11. 牛军："'中国崛起'：梦想与现实之间的思考"，《国际经济评论》2003年11~12月，第45~47页。

42

12. 关志雄："中国作为经济大国的崛起及其对亚洲的影响"，《国际经济评论》2001年3～4月，第14～16页。

13. 杨阳："下一代互联网：中国不会错过这个机会"，《经济观察报》2004年4月19日第41版。

第二章　新兴大国崛起的
历史借鉴

倘若对过去的重大事件逐一寻根究底，过去的一切会使我们特别注意到将来。

—— ［古希腊］波里比阿

从某种程度上说，一部国际关系的历史就是强国不断更替的历史。在不同的历史时代一些强国曾相继崛起。在新兴大国崭露头角，逐渐崛起的今天，重温各强国崛起的历史，可以为我们提供一些传统的智慧。

第一节　霸权周期和历史上的强国更替

历史上各个强国的沉沉浮浮促使人们思索：强国的崛起及衰落是否存在某种规律？

1799 年，西班牙一位法学教授在一次嘲讽性演讲中，描述了这样一幅图景："世界上所有国家都遵循着自然的脚步，年幼时懦弱，青春期无知，年轻时好斗，成年时看破红尘，老年时如法学家一般，衰老时迷信而专横。"①

英国政治家卡德韦尔（1813～1886 年）认为，"技术史学家对特定发明家和技术员国籍的漠不关心往往掩盖了一个重要事实，即没有哪个国家能够在超过历史学意义上的一个短的时期内始终保持旺

---

① ［美］查尔斯·P金德尔伯格著，高祖贵译：《世界经济霸权 1500—1990》，商务印书馆 2003 年版，第 19 页。

盛的创造力。所幸的是，每当一个霸权国家衰落时，总有一国或数国接过霸权的火炬。"后来，有学者把他的观点进一步概括为卡德韦尔法则：没有任何一个国家能够一直保持技术创新的显著优势长达三代甚至更长的时间。

学术界当然不会满足于这些直白的描述。探讨国家兴衰规律有两种代表性的理论：

（1）国家生命周期理论。查尔斯·P·金德尔伯格认为存在着一种国家的生命周期，在任何特定时期世界似乎都在朝着形成一个等级秩序的方向运动。由于该秩序的领导者碰到困难并在相对衰落中地位降低，该秩序就可能解体。并且，如果该秩序的领导者是在战争时期遭受重大挑战，那么该秩序可能解体更快；如果一个新兴国家可能在和平间歇期发展成为领导者，那么该秩序的解体可能较慢。

（2）霸权周期理论。关于霸权周期有两个模型。一个是乔治·莫德尔斯基提出的，1978 年他在《社会与历史比较研究》杂志发表一篇重要文章《全球政治的长周期与民族国家》，提出全球权力长周期理论。根据这一理论，霸权周期一般为一百年左右。1987 年，莫德尔斯基在《世界政治的长周期》一书中进一步阐述了这一理论（见图 2-1）。在图中，我们看到，从 16 世纪开始，分别是葡萄牙、荷兰、英国、美国获得百年周期的霸权。乔治·莫德尔斯基认为历史上一场大的全球战争开始一个长周期即霸权周期。经过战争，一个国家取得霸权并利用战后的和平协议使其获得的优势合法化。这里的"霸权优势"是指至少拥有能够维持全球秩序所需资源的一半。新产生的霸权国家提供安全和国防秩序，而当这个国家失去了权力优势的合法性的时候，就导致了另一场全球战争；战争中产生一个新霸权者，但不一定是那个旧霸权的挑战者，而可能是旧霸权者联盟中的一员。

另一个霸权周期模型出自伊曼纽尔·沃勒斯坦。沃勒斯坦认为，全球霸权周期共经历了哈布斯堡王朝、荷兰联合省、英国、美国四个霸权周期，而且，每一个霸权周期又会顺次经过"崛起中的霸权"、"霸权的胜利"、"成熟的霸权"、"衰落的霸权"四个阶段（见表 2-1）。

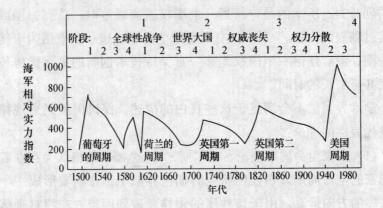

图 2-1　莫德尔斯基的全球权力长周期

资料来源：［美］查尔斯·P·金德尔伯格著，高祖贵译：《世界经济霸权1500—1990》，商务印书馆 2003 年版，第 76 页。

表 2-1　沃勒斯坦全球霸权周期（Ⅰ-Ⅳ）

霸权的权力	Ⅰ哈布斯堡王朝	Ⅱ荷兰（联合省）	Ⅲ英国	Ⅳ美国
崛起中的霸权	1450～	1575～1590	1789～1815	1897～1913/1920
霸权的胜利	……	1590～1620	1815～1850	1913/1920～1945
霸权的成熟	～1559	1620～1650	1850～1873	1945～1967
衰落的霸权	1559～1575	1650～1672	1873～1897	1967～（?）

资料来源：霍普金斯、沃勒斯坦等："资本主义世界经济的周期性变化和趋势"，《世界体系分析：理论和方法》，圣人出版社 1982 年版。

从上述论述可以看出，伊曼纽尔·沃勒斯斯坦与乔治·莫德尔斯基的分歧在于 16 世纪到底是葡萄牙世纪还是西班牙世纪？另外一个争议是：18 世纪法国是否曾经获得经济霸权？著名历史学家布罗代尔认为，法国一直在争夺这顶桂冠，但从未得到过。

综合两者观点，可以认为，意大利城邦、伊比利亚半岛（葡萄牙和西班牙）、荷兰联合省、法国、英国、美国分别享有 15 世纪、16 世纪、17 世纪、18 世纪、19 世纪、20 世纪的世界经济霸权。本书认为，在分析历史上的强国崛起时，应该从全球背景出发，联系资本主义的发展历程，西班牙、葡萄牙、荷兰无疑是商业资本主义时代的王者，而英国和美国则无疑是工业资本主义时代的霸主。

第二节 商业资本主义时代的王者

地理大发现是世界历史的分水岭。著名历史学家斯塔夫里阿诺斯认为，严格意义上的世界历史直到达·伽马、哥伦布和麦哲伦进行远航探险时才开始①。地理大发现导致了对外贸易、世界市场的初步形成和资本主义生产关系的出现。资本主义的初级阶段——商业资本的大发展在 16 世纪的西欧可谓占尽天时、地利、人和。

首先，商业资本在西欧有着良好的社会土壤。与中国明朝高度发展的封建农业经济相比，16 世纪整个西欧生产不足、金银匮乏，各国社会内部有一种强烈的与外界互通有无的冲动，再加上奥斯曼土耳其堵塞了通往东方的贸易航道，西欧迫切需要开辟新的贸易通道。由此，我们就不难理解达·伽马经由印度洋到达印度，哥伦布穿越大西洋发现美洲的壮举；也不难理解西欧殖民者在荒山野岭、豺狼出没的莽原之中寻找金矿的那股执着狂热的激情。当葡萄牙、西班牙从印度、美洲运回大量的黄金、宝石时，整个西欧为之亢奋，民间纷纷以股份集资形式组建大型的海外贸易公司，投身于"海外事业"。另外，西欧中世纪神权与王权的抗衡也为商业资本的发展提供了较为自由的空间，尤其是宗教改革进一步解除了对民众"牟利"的禁锢。中世纪晚期，新兴的市民阶级愈来愈成为一支不可忽视的力量。为了自己的经济利益，神权与王权双方不时地拉拢或在一定程度上支持资产阶级牟利的经济活动，特别是最初处于劣势的王权。从西欧历史来看，王权的上升，国家中央集权化与市民阶级力量的上升几乎是同步的。

其次，西欧商业资本的发展得到王权的全力支持。由于财政支出惊人，而国王的征税权又受到议会的制约，西欧王室迫切需要开辟新的财源。而"海外事业"正好满足了这一需求。所以，当马丁·费罗比歇第一次西北航行（1576 年）带回不少金砂矿石后，英国女王

47

---

① ［美］斯塔夫里阿诺斯著，吴象婴、梁赤民译：《全球通史—1500 年以后的世界》，上海社会科学出版社 1999 年 5 月版，第 3 页。

毫不犹豫地支持了他的第二次航行（1577年），投资1000英镑，成为最大股东；在马丁·费罗比歇带回更多财富之后，女王再次投资1350英镑，资助其第三次西北航行（1578年）。法国亨利四世、荷兰王室也都曾积极支持过"海外事业"。

最后，西欧商业资本的大发展受到重商主义政策的进一步推动。对于重商主义，理查德·高夫在《西方文明溯源》中曾有详细论述："……重商主义就是由国家直接对经济进行调节，其目的首先是扩大生产——农业的、矿业的、工商业的，而且生产必须大于消费……出口必须大于进口，这样国家就可以聚积起越来越多的金银通货，这就是重商主义的最终目的。……具体做法是：国家对新的行业提供补助以及其他支持，国家对一些行业的产品质量进行控制以提高其在国际上的竞争力，国家给予少数大公司在某行业中的垄断地位，国家设立高关税以保护一些国内企业免遭外国进口产品的竞争。"[1] 在利益驱动下，西欧各国一方面在美洲、大西洋、印度洋上展开激烈的争夺；另一方面在国内也积极鼓励工商业发展，并执行保护关税，限制进口，奖励出口，以获取更多金银。

商业资本主义时代的典型特征在于：一般的货币供给基本上依赖于金银的流通，社会财富很大一部分由流动资本组成，而固定资本处于相对次要的地位。劳动力在生产资本中占了很高的比例，对现金的需求也很大。国际间商品交换主要是由人口的上层阶级或欧洲城市化地区的边际需求所引起的，在需求的推动下，沿海贸易进一步发展到远洋贸易，一国的财富主要由对外贸易所决定。如何从规模有限的国际贸易中获得最大利益、实现贸易顺差成为政府的最大任务。为此，各国对制海权展开了激烈的争夺。近代初期，在引起欧洲爆发战争或冲突的种种因素中，贸易仅次于宗教与封建帝国主义而位居第三。

一、西班牙、葡萄牙崛起之路

16世纪初期，随着欧洲经济中心由地中海向西迁移，伊比利亚

---

① Richard D. Goff：*A Survey of Western Civilization* (Combined Edition)，West Publishing Company，1987，p384～385.

半岛由于幸运地兼备有利的地理位置、航海技术和宗教动力三大优势，在欧洲海外事业中遥遥领先。西班牙、葡萄牙一个向东、一个向西率先进行了探寻海外新航路的活动。两国从东方的香料贸易、美洲的银矿中获得了巨大的财富。

（一）哈布斯堡王朝的崛起

15世纪末、16世纪初的西班牙是当时欧洲王权形成较早且最为集中的君主国，国家的统一，君权的稳定，为其经济发展创造了良好的环境。作为欧洲文明向外扩张的"急先锋"，西班牙获得了巨大的成功。新航路的开通和"新世界"的发现，殖民掠夺和殖民贸易，一方面使西班牙获得了巨额资金和原料，另一方面也为西班牙开拓了新的商品市场。由此，西班牙在16世纪欧洲王朝的竞争中脱颖而出（见表2-2），迅速地崛起为16世纪最强大和最富有的国家，支配世界达一个多世纪之久。由于领土的急剧扩张，在短短的几十年间，哈布斯堡王朝建立起30倍于本土的"日不落"帝国。从历史角度看，西班牙的崛起方式较原始。首先，西班牙王室以联姻的方式建立了强大的哈布斯堡王朝。查理五世在19岁当上统治者时，一举打破15世纪以来强大的民族君主国之间的均势，统领的地区比查理曼帝国崩溃以来任何一位君主所拥有的地区还大。其次，西班牙的崛起是以其军事力量为支撑的。大将军科尔多瓦在16世纪初着手发展步兵编制，此后到30年战争中途时，西班牙步兵团成为欧洲战场上

49

表2-2　1600年主要国家经济情况

	GDP（百万1990国际元）	GDP占世界份额（%）	人均GDP（1990国际元）	人口（千人）	人口占世界比例（%）
西班牙	7416	2.1	773	8240	1.5
荷兰	2052	0.6	1368	1500	0.3
法国	15559	4.7	538	18500	3.3
英国	6007	1.8	947	6170	1.1
德国	12432	3.8	777	16000	2.9
美国	600	0.2	400	1500	0.3

资料来源：各列数据分别引自［英］安格斯·麦迪森著，伍晓鹰、许宪春等译：《世界经济千年史》，北京大学出版社2003年11月版，第259页、第261页、第262页、第238页、第240页。

战斗力最强的作战队伍。在海上，则发展装有火炮的大型战舰，组成庞大的"无敌舰队"，为海洋贸易鸣锣开道。此外，当时的国际环境也为它提供了难得的发展契机。英法两国百年战争结束后，重又陷入国内外战争和宗教斗争之中，还没有足够精力和能力进行大规模的海外扩张；德国和意大利两国国内分裂割据，新航路开辟后世界贸易中心的转移，使原来垄断欧洲贸易和东西方贸易的汉萨同盟及意大利地中海各城市面临困境；这使得西班牙的扩张在西欧没有强有力的对手。

至17世纪中叶，西班牙帝国盛极而衰。西班牙帝国的衰败提供了极为深刻的教训：（1）帝国过分扩张，追求海上、陆上的全面霸权。西班牙和法国一样，集中注意力于欧洲大陆，并不断卷入欧洲战争。（2）未能充分利用新建帝国所提供的经济良机。输出品几乎全是原料，大批金银财宝源源流入，引发急剧的通货膨胀，西班牙的物价大致为北欧的2倍，产品过于昂贵，无法在国际市场上竞争。（3）忽视了保持一个强大经济基础的重要性，一再采取错误的政策措施。先后驱逐犹太人和摩尔人，与国外的大学中断联系，政府指示比斯开的造船厂集中力量建造大型军舰，不让建造更有用的小商船，对出口羊毛制品征收重税，结果使西班牙在国外市场丧失竞争能力。（4）由于西班牙是各领地松散的联合体，各王国之间关税壁垒重重，使物价上涨的同时，也阻碍了商业的进一步发展。

（二）葡萄牙的崛起

15世纪上半叶，葡萄牙超越海岸线的限制向外扩张，开始了它致富的进程。葡萄牙人口略微超过200万，除里斯本面临特茹河之外，葡萄牙只有锡士巴尔和波尔图两个港口。凭借一个造船厂和一所航海学校的帮助，"航海家亨利"航行绕过西非博哈多尔角进行黄金和奴隶贸易，开创了"地理大发现时代"。1488年，巴塞洛缪·迪亚斯到达好望角。1497～1498年，达·伽马航行到印度西海岸的卡里卡特。哥伦布航海之后，巴西于1500年被誉为葡萄牙的"皇冠"，贸易"代理商行"也在亚洲、果阿和印度（1510年）、马六甲（1511年）、霍尔木兹和波斯（1515年）、澳门（1551年）逐步建立。1520年，麦哲伦向西航行，通过后来以其名字命名的海峡，并于1521年到达菲律宾（在那里他不幸遇难）。西班牙教皇亚历山大十六世，根据一条南北向的线，将海外世界分为两部分，把巴西和亚洲划给葡萄牙，把新大陆的其余部分划给西班牙。

　　葡萄牙在贸易上的成功，持续了几乎一个半世纪。16世纪初，葡萄牙的贸易开始繁荣起来。尤其在16世纪的头10年、20年，大批雄心勃勃、渴望致富的年轻人都被吸引到里斯本。西班牙历史学家贾米·维森斯·维维斯认为，直至1640年，"葡萄牙和西班牙的联合帝国"（1580年西班牙征服葡萄牙而建立）是世界贸易的中心；而里斯本和塞维利亚则是"殖民地世界和欧洲大陆的主要联系点"。

　　16世纪中叶，葡萄牙的经济发展第一次达到顶峰。1680年，在巴西发现金矿后，葡萄牙的经济发展再度达到顶峰。此后，它就在经济竞争中被淘汰出局了。人们把它的衰落归咎于许多因素——1625年未能将荷兰人赶出巴西；由于荷兰人、法国人、英国人在加勒比海地区大量增加糖料作物和烟草的种植，食糖和烟草价格随之下降；尤其是1703年葡萄牙和英国签署的《梅休因条约》，对葡萄牙人造成致命的打击。根据条约规定，葡萄牙人不能自己生产其殖民地所需要的英国货物，因此，葡萄牙在支付这些英国货物的费用时，要把巴西的黄金从里斯本转送到伦敦。

二、荷兰崛起之路

　　自16世纪90年代摆脱哈布斯堡王朝统治之后，荷兰在几乎一个世纪的时间内，成为欧洲内外的一个霸主。荷兰是一个具有寡头政治形式的共和国，拥有一支强大的海军力量。1590～1609年，荷兰在通往世界贸易领导地位的道路上实现了重大突破，于1590年同英国一起进入地中海地区，建立荷兰东印度公司，间接获取西班牙白银贸易的许可，建立阿姆斯特丹银行以加快贸易融资。1609年，荷兰与西班牙停战，对西班牙的禁运中止，荷兰的贸易进一步快速增长。运输规模达到每年400～500艘船。另外，荷兰还从丹麦和瑞典手中夺取了对波罗的海的控制权。此后，"海上马车夫"就迅速确立了其航运的霸权。到1700年联合省共和国的商船队已远远超过了50万吨，其吨位相当于竞争对手英国商船队的三倍，而且可能比其业实力上日益落后于新兴工业国家；而同时期的美国，则及时将先进的科学技术直接转化为本国强大的生产力，在不到两代人时间内，一跃成为世界工业化国家之冠。

一、英国崛起之路

19 世纪中期，英国凭借着自身的地理及社会、政治和科技上的优势，率先发起了"工业革命"。英国在国土和资源方面并不具有太多的优势。其本土面积为 24.4 万平方公里，不到法国或西班牙国土面积的一半；19 世纪初期英国人口只有 1600 万，而法国和哈布斯堡帝国以及俄国同期的人口为 2800 万、2800 万和 3700 万[①]；英国的矿产资源也不丰富，除了煤矿之外，其余的主要工业资源都不丰裕，仅就资源而言英国是一个纯粹的进口国。究竟是什么因素导致了英国在 19 世纪的崛起呢？综合有关分析，可以从地理优势、外交战略、贸易体制、政治制度、科技及产业革命等五个方面进行探讨。

（一）地理优势

英国作为一个岛国，相对孤立的地缘政治位置，为其崛起提供了相对安全的外部环境。对英国地理位置的优势，马汉作了如下的论述："如果一个国家的位置既不是被迫在陆地保卫本国，又不是被诱使利用陆地设法扩充领土，与以大陆作为部分边界的民族相比，这个国家可通过将其目标集中地指向海洋而取得优势。"[②] 马汉认为，影响海权的地理条件包括，能很方便地进入海洋，具有能控制重要国际海上航线的态势，有较长的海岸线和众多的天然港和海岸基地。[③] 显然，就发展海权而言，英国在地理上具备了极为优越的条件。英国作为一个四面环海的岛国，拥有漫长的海岸线；其地理位置非常有利于封锁波罗的海的出海口，从而控制波罗的海通向大西洋的航道，以及北欧、北海的航线，英国控制了直布罗陀海峡、马

---

① 保罗·肯尼迪：《大国的兴衰》，中国经济出版社 1989 年版，第 122 页。

② 马汉：《1660 年－1783 年间海上力量对历史的影响》，波斯顿利特尔与布朗出版社 1900 年版，第 28～89 页。

③ 马汉：《1660 年－1783 年间海上力量对历史的影响》，波斯顿利特尔与布朗出版社 1900 年版，第 28～89 页。

其顿和埃及运河之后，又控制了地中海的海上交通。上述优势为英国发展海权，获得海上霸主地位创造了良好条件。

（二）外交战略

英国在崛起之前的两个世纪中，其宏大的外交战略包含两大目标，一是保证通向大英帝国最遥远角落的航道畅通无阻，为此，英国要发展海军实力，实现海上霸主地位；另一目标是要防止主宰欧洲大陆、威胁英国安全和利益的大国崛起，为此，英国在 16 到 19 世纪一直扮演了欧洲大陆平衡者的角色，采用大陆外交均衡战略。

美洲大陆的发现和好望角新航道的开辟提供了全球大国崛起的机遇，也揭开了欧洲列强对世界性海洋控制权争夺的序幕。欧洲强国之间展开了极为激烈的海上角逐，海上霸权几度易主，最后，英国利用有利的地理位置和强大的舰队，通过一系列海战打败了西班牙、荷兰和法国，从 18 世纪中叶开始，成为世界第一海上强国。马汉在其著名的《海军战略》中，强调了海上力量对于国家的实力和繁荣的重要性，他将制海权作为衡量世界强国的标准。他指出，对于像英国这样具有良好地理条件的国家来说，要想成为大国就必须保持大规模的海军。因为在资本主义原始积累时期，海外贸易和殖民地对于早期资本主义国家的经济具有极重要的意义，然而无论是开展海外贸易还是占有和掠夺殖民地，都必须拥有一支强大的海上力量作为基本前提。[①] 正如马汉所强调的那样，商业、殖民、海军三者不可分割，而应视为统一的整体，正是富商与海军的结合，再加上殖民地的开拓，最终使英国成为历史上最强大的海权国家，并因此成为当时全球最强大的国家。[②]

伊丽莎白一世时期，英国外交政策做出了重大的调整，由此走出了一条全新的外交路线：放弃对大陆领地的觊觎，发展海军，维持欧洲大陆的势力均衡，实现不列颠的独立与稳定。这标志着英国外交政策新模式——均势外交的形成。这一政策维护了英国的独立与安全，为英国的发展和崛起赢得了时间、创造了条件。此后直到

---

① 马汉：《海军战略》，商务印书馆 1994 年版。

② 马汉：《1660 年－1783 年间海上力量对历史的影响》，波斯顿利特尔与布朗出版社 1900 年版。

英国崛起的数百年间，每当一国有可能成为欧洲大陆霸主的时候，英国就会联合其他大陆国家对欧洲大陆进行干预。其具体政策就是加入不那么强大的一方，打败大陆上的军事霸主，不管它所统治的是哪个国家。例如，16世纪和17世纪英国联合其他欧洲国家抗衡西班牙；18和19世纪初，英国又转而参加欧洲国家对抗法国的联盟。对此，丘吉尔后来总结，"英国400年来的对外政策，就是反对大陆上出现最强大、最富于侵略性和最霸道的国家，特别是防止低地国家落入这个国家的手中。"① 均势外交构成了英国近代以来一直恪守的外交传统，由此使欧洲大陆各个大国始终处于力量均衡或近于均衡的状态，以维持自己的霸权地位。

（三）贸易体制

英国在19世纪初崛起并保持近一个世纪辉煌的重要因素之一，是采用了适合其经济发展的贸易体制，在相对弱小的时候采用保护主义贸易政策，待强大之后转向自由贸易政策。英国在崛起之前是坚定的重商主义者，可以说，在所有经历过重商主义实践的国家中，最成功的当属英国。②

英国的重商主义作为另类的"重商主义"，"着重体现在为英国和殖民地商业利益而垄断帝国贸易的航海法；还意味着战争，战争使英国最终成功地扩大和保护了殖民地和商业"③。面对荷兰对国际贸易和国际金融的垄断，英国国会于1651年通过第一个航海条例，规定从殖民地输往英国的物品必须由英国船只运载。第二个航海条例于1660年通过，这个法案不仅规定殖民地的出口货物必须由英国船只装载，而且禁止把某些商品特别是烟草和白糖等，直接运往欧洲大陆口岸，也就是说这些商品只有在英国付了关税后才允许运往别处。航海条例沉重打击了荷兰的贸易利益，改变了英国在国际贸易中的不利地位。18世纪是英法竞争异常激烈的世纪，1689～1815年间，两国进行了七次重大战争。其中，西班牙王位继承战争削弱

① 丘吉尔：《第二次世界大战史》第一卷，伦敦1967年版，第186～187页，转引自叶自成：《地缘政治与中国外交》，北京出版社1997年版，第100页。

② 盛洪："英国的'自由贸易'——一个划时代的谎言"，http://www.xslx.com/htm/jjlc/jjzt/2003-1-29-12943.htm。

③ 卡洛·M·奇波拉：《欧洲经济史》（第三卷），商务印书馆1989年版，第255页。

了法国的海外殖民势力，初步确立了英国商业霸权的地位；七年战争中法国的殖民势力遭严重打击，英国从此树立起了世界殖民霸权及商业霸权。

　　保护主义贸易政策在特定的时期对特定国家的经济发展有着独特的不可替代的作用。就英国而言，保护主义贸易政策促使其18世纪对外贸易的飞速发展，对英国经济起了巨大拉动作用。[①] 18世纪前70年，英国海外贸易增长迅速，1700年英国出口量占国民产值的8.4%，1760年上升到14.6%，出口增长占国民产值增长的51%。[②] 保护主义贸易政策促进了资本的原始积累和外部市场的拓展。没有早期的贸易保护，就很难有英国资本主义经济和产业革命以及英国的最终崛起。

　　（四）政治制度

　　政治制度在国力竞争中发挥重要作用，"聪明而坚决的公共政策本身就能大大增进经济繁荣与社会效益"[③]。合理平衡的政策体制能给国力竞争带来巨大的优势，促进国力的发展和壮大，加快一国的发展崛起。这一点在英国的崛起中有着生动体现。

57

　　王权在欧洲历史上曾起过积极作用，它促使了民族国家的形成和统一，但在民族国家形成后，王权日益显示出对国家长远发展的危害性。专制王权由于缺乏制衡，使得一国的决策及其效率完全维系在君主的个人素质之上；同时，专制权力限制人民的自由，抑制了人的能力的充分发挥。因此，克服专制王权成了民族国家继续发展的条件，谁先克服专制王权，谁就先迈出现代化的第一步。这一关键性的一步是在1688年由英国首先迈出的。1688年的光荣革命确立了君主立宪制的政体，使得英国的实际权力格局发生了重大改变，议会代替王室成为新的权力中心，尽管议会的构成依然具有贵族的

---

　　① 当然，18世纪英国对外贸易的迅速发展还不能忽视另外一个原因，即英国商业共同体实行了商业技能和组织技术的创新，从而降低了不确定性及对外贸易的成本。船舶管理商人，船舶买卖代理商，保险商，专门代理商和批发商等新的商业形式和组织在英国的出现和不断专业化把对外市场生产的不确定性降低到可以计算的风险范围之内。18世纪中期，上述经济组织变革只有在英国而没有在任何其他国家发展这样的高度。

　　② 林秀玉："英国对外贸易现代化进程之探析"，《历史教学》2003年第6期，第40～44页。

　　③ 曼库尔·奥尔森：《国家兴衰探源》，商务印书馆1993年版，第259页。

性质，但个人的统治已让位给了一批人的统治，一个人决定民族和国家命运的时代在英国得以告终。光荣革命后，议会陆续颁布一系列法律来限制王权，王权的削弱和议会权力的增强成为此后一百多年里英国政治生活中的一个基本趋势。光荣革命后英国的政治发展进入了一个平稳发展的阶段，英国再也没有发生过激烈的、大规模的革命，一切政治变化和经济改革都是渐进而平稳的。在法国革命和拿破仑战争在欧洲大肆传播"暴力革命"和"激进主义"观念的时代，英国人通过立法手段，解决了国家政治现代化问题。

英国政治民主的最终落脚点是保护个人的基本权利，包括人身自由、言论自由、集会自由、财产自由，其中私有财产神圣不可侵犯已经成为社会公认的原则。有效的产权制度为英国的经济起飞创造了良好的条件。正如诺斯所言，具有现代意义的持久的经济增长在英国的首先产生，是"起因于一种适宜所有权演进的环境，这种环境促进了从继承权完全无限制的土地所有制、自由劳动力、保护私有财产、专利法和其他对知识财产所有制的鼓励措施，直到一套旨在减少产品和资本市场缺陷的制度安排"。[①] 早在 18 世纪初，英国的制度框架就为经济增长创造了适宜的环境。产业管制弱化和行会权利下降促进了劳动力流动和经济活动的创新；议会的最高权威和纳入共同法的财产权利，把政治权利赋予那些渴望开拓新机会的人，并且为保护和鼓励生产性活动的立法体系提供了基本框架。可见，在工业革命前夕，英国的政治制度创新为推动经济增长的直接因素——劳动力和资本提供了比较广阔的发展空间。

（五）科技及产业革命

英国资产阶级革命确立了资本主义制度，经济环境的资本主义化和思想领域的人文主义化，使英国率先成为近代科学的起源地。浓厚的科学传统和理性的社会文化氛围以及英国资产阶级革命后适宜的制度和社会环境促使了技术的迅速发展。18 世纪 60 年代开始的以科技与生产的广泛结合为特征的工业革命产生了巨大的经济效益，为英国的崛起创造了坚实的物质基础。

---

① 诺斯：《西方世界的兴起》，华夏出版社 1998 年版，第 19 页。

18世纪英国工场手工业的规模之大，分工之精细，位居西欧先进国家之前列。发达的手工工场与分工的专门化，为技术革新和创造发明的产生及其应用提供了现实可能性。此外，英国统治阶级很早就意识到科学技术对提高国家地位的重要性并采取多种措施鼓励科技创新。1624年英国诞生的《独占法》是世界上首部专利法，直接保护和激励了人们的技术发明和创新活动。正如诺斯所说，"改进技术的持续努力只有通过提高私人收益率才会出现。"[①]，有效的专利制度的建立使技术发明创新者的私人收益率不断地接近社会收益率，从而激发了创新的热情，加快了整个社会技术进步的步伐。专利法对科技创新的促进作用日益显现，17世纪60年代的专利只有36件，而到18世纪70年代专利数已近300件，到19世纪前十年达到910件之多。[②] 英国议会从1750年起先后颁布了多个嘉奖法令，奖赏发明创造者。政府还对重大发明创造给予特殊的鼓励政策，例如政府认为瓦特的蒸汽机专利对王国的制造业有重大促进作用，因此特意延长了蒸汽机的专利期限。

政府对专利的保护和对科技创新的奖励等举措成为极为有效的激励机制，促使了英国近代科技的迅猛发展，使英国在1650年成为世界技术中心，并将这一地位保持了近250年。

技术与生产的结合并不是到近代才出现的，但科学技术广泛地与生产结合，并产生巨大的经济效益是从工业革命开始的。一系列的技术发明和在工业上的运用是工业革命蓬勃发展的重要因素。技术进步加快了经济的发展，经济的发展反过来又促进了科学技术的进步，两者在工业革命期间形成了良性互动，英国的工业生产由此发生了质的飞跃。1760～1820年的60年间，英国的工业生产增长了23倍，到1820年英国占世界工业的比重已经达到50％[③]。商品出口额也遥遥领先于当时的主要国家（见表2-4）。1750～1800年间煤产量翻了一番，1788～1808年生铁产量增加了4倍，原棉进口在

59

---

① 诺斯：《经济史中的结构与变迁》，上海三联书店1991年版，第186页。

② 卡洛·M·奇波拉：《欧洲经济史》（第四卷，上册），商务印书馆1989年版，第143页。

③ 宋则行、樊亢：《世界经济史》，经济科学出版社1993年版，第230～231页。

1780~1800年间增加了5倍。[1] 与此同时，英国的经济结构发生了变化，工业代替农业，成为经济的主导部门。

表 2-4 1820 年主要国家经济情况

	GDP[1]	GDP 占世界份额（%）	人均GDP[2]	人口（千人）	人口占世界比例（%）	出口[3]
西班牙	12975	1.9	1063	12203	1.2	137
荷兰	4288	0.6	1821	2355	0.2	—
法国	38434	5.5	1230	31246	3.0	487
英国	36232	5.2	1707	21226	2.0	1125
德国	26349	3.8	1058	24905	2.4	—
美国	12548	1.8	1257	9981	1.0	251

注：1. 百万 1990 国际元；2. 1990 国际元；3. 百万 1990 国际元。

资料来源：各列数据分别引自［英］安格斯·麦迪森著，伍晓鹰、许宪春等译：《世界经济千年史》，北京大学出版社 2003 年 11 月版，第 259 页、第 261 页、第 262 页、第 238 页、第 240 页、第 358 页。

二、美国崛起之路

在 19 世纪末到 20 世纪初，在全球力量对比方面发生的具有决定性的变化无疑是美国的崛起。经过 19 世纪近百年的发展，美国从一个落后的农业国一跃成为世界工业强国。一战前夕，美国在国民收入、人均收入、工业产出等主要的经济指标上都超过了英国等先发工业国（详见表 2-5）。虽然当时美国的国际影响力还不足以和英国相抗衡，但不可否认的是美国已经崛起并已跻身世界强国之林。对此，列宁就曾不无感慨地说："无论就十九世纪末二十世纪初资本主义的发展速度，或就已达到的资本主义的高度……就人民群众政治文化水平，美国都是举世无双的，它是资本主义文明的榜样和理想。"[2]

---

① Arthur Bimie：*An Economic History of the British Leles*，Methuem&Co. Ltd.，London，1959，p186.

② 列宁：《列宁全集》（第 22 卷），人民出版社 1963 年版，第 1 页。

表 2-5 1913 年主要国家经济情况

	GDP 占世界的比例（%）	人均GDP¹	人口（千人）	人口占世界的比例（%）	出口²	劳动生产率³	净移民⁴（千人）
西班牙	1.7	2255	20263	1.1	3697	—	—
荷兰	0.9	4049	6164	0.3	4329	4.11	—
法国	5.3	3485	41463	2.3	11292	2.88	890
英国	8.3	4921	45649	2.5	39348	4.31	−6415
德国	8.8	3648	65058	3.6	38200	3.03	−2598
美国	19.1	5301	97606	5.4	19196	5.12	15820

注：1. 1990 国际元；2. 百万 1990 国际元；3. 1990 国际元/小时；4. 1870～1913 年。

资料来源：各列数据分别引自［英］安格斯·麦迪森著，伍晓鹰，许宪春等译：《世界经济千年史》，北京大学出版社 2003 年 11 月版，第 259 页、第 261 页、第 262 页、第 238 页、第 240 页、第 358 页、第 348 页、第 119 页。

美国成功崛起的因素主要包括：

（一）自然地理及资源条件

与英国一样，得天独厚的自然地理位置为美国的崛起提供了十分有利的条件。正如阿伦·米利特和彼得·马斯洛斯金所指出的那样，"在美国历史上的大部分时间里，……美国远离危险对手的地理位置、欧洲大陆上的均势以及日益增强的物力和人力的动员潜力，都是美国雄厚的力量"[1]。

"领土广阔是巨大力量的永久源泉"[2]，广阔的领土为美国的发展提供了丰富的资源和巨大的市场，从而为其经济的起飞奠定了坚实的国内基础。美国在建国之后持续对外扩张，其国土从建国之初的 83 万平方公里扩大到 19 世纪中期的 930 万平方公里，相当于英国的 38.3 倍，法国的 17.1 倍，前西德的 37.6 倍，日本的 24.8 倍[3]。

---

① 阿伦·米利特、彼得·马斯洛斯金：《美国军事史》，军事科学出版社 1989 年版，第 2 页。

② 汉斯·J·摩根索：《国家间政治》，中国人民公安大学出版社 1990 年版，第 153 页。

③ 隋启炎："美日欧经济实力比较分析"，《经济评论》1994 年第 4 期，第 82 页。

美国自然资源种类、储量令西欧和日本相形见绌。美国土地、森林、草原资源都居世界前列，气候类型多种多样，为农业生产的发展创造了有利的自然条件。美国的矿产资源种类齐全，使得美国不缺少各个时期发展不同重要工业所需要的关键原材料。密西西比河、俄亥俄河等河流不仅为美国提供了丰富的水资源，还有利于内河运输的发展；两面临海，拥有长达 22680 公里的海岸线和众多的优良海港，为美国发展渔业和海运提供了有利的条件[①]。

南北战争结束了南北部的经济分裂，使美国成为名副其实的统一民族国家，形成了统一的国内大市场。美国庞大的国内市场为制造业提供了广阔的发展空间。美国的经济主要依赖国内市场，即使在 1913 年出口大规模增长之后，美国的对外贸易也仅占了国民生产总值的 8%[②]，和其他主要的发达国家相比，美国是惟一由国内市场支撑实现工业化的经济体。

（二）移民的贡献

美国独立后至 20 世纪初崛起为工业强国的发展历程中，移民所发挥的作用非同一般。他们不仅为美国带去了廉价的劳动力，还带去了先进的科学技术。马克思和恩格斯在《共产党宣言》1882 年俄文版序言中就曾指出，"欧洲的移民使美国能够以这样一种力量与规模开发自己巨大的工业资源，这种力量与规模必然在短期内打破西欧的、特别是英国的工业垄断。这种情况又反过来对美国本身起着革命性的作用"。[③]

美国建国之初发展经济面临的最大难题是劳动力的极端缺乏。根据 1790 年美国人口普查统计，全国人口为 393 万，每平方公里仅 0.6 人，至 19 世纪初也仅有 1.6 人。[④] 随着美国独立后领土的扩张和工业化的开始，劳动力缺乏的问题更加突出。为缓解劳动力缺乏，美国政府采取了多种措施吸引新移民。1785 年，美国国会通过了第

① 钱乘旦：《发展与争霸——现代资本主义与世界霸权》，江苏人民出版社 2003 年版，第 256 页。

② 法力德·扎卡利亚：《从财富到权力》，新华出版社 2001 年 5 月，第 199 页。

③ 潘相阳："美国经济生活中'移民效应'"，《北方经济》2001 年第 10 期，第 31~32 页。

④ 福克讷：《美国经济史》（上），商务印书馆 1964 年版，第 373 页。

一部土地法令，规定每英亩土地的最低价格为 1 美元，凡在一个月内交足 640 美元就可获得 640 英亩土地。该法令经过 1800 年、1804 年以及 1820 年的多次改革，购买土地的底线下降到了 80 英亩，价格为 1.25 美元。特别是 1862 年林肯政府颁布的《宅地法》对于鼓励移民进入具有决定性的意义。《宅地法》规定，任何年满 21 岁的美国公民或申请成为美国公民，只须付 10 美元的备案费就能免费获得 160 英亩土地，惟一的要求是移居者应在分得的土地上至少居住 5 年，并耕种一部分土地。[①] 1864 年美国政府成立了移民局，通过了《鼓励移民法》。

美国政府日益优厚的鼓励移民措施、经济发展和劳动力不足导致的高工资率以及相对稳定和民主的社会环境吸引了大批的新移民。1820 年至 1860 年，移居美国的人数达 500 万人[②]，1861 年至 1870 年为 213.5 万人，1871 年至 1880 年为 281.2 万人，1881 年至 1900 年为 368.8 万人，1901 年至 1910 年为 879.5 万人[③]。大量移民的涌入成为美国经济迅速发展的强大动力。

63

（三）孤立主义外交战略

从建国到 19 世纪末、20 世纪初，美国对外战略基本上是以孤立主义为指导思想的。孤立主义是与美国的现代化相伴而生的，它为美国的现代化提供了前提和基础，它引导美国由弱到强，在欧洲列强统治的时代站稳了脚跟，为其崛起和成为全球霸主奠定了基础。

美国早期孤立主义主张在处理美国与欧洲国家关系时，保持一种不偏不倚的状态，不与任何国家结成永久性同盟，竭力避免卷入欧洲的政治与战争，在此前提下加强与欧洲的经济、技术、文化等方面的交流，并注重发展本国的政治经济。

在拿破仑战争结束和维也纳会议之后直至美西战争爆发前夕，早期孤立主义发展成为门罗主义。门罗主义要求欧洲列强对美洲大陆实行非殖民原则，不许欧洲列强在美洲扩大其领地和势力，反对

① 吉尔伯特·C·菲特等：《美国经济史》，辽宁人民出版社 1981 年版，第 187~191 页、第 588~589 页、第 678 页。

② 田方等：《国外人口迁移》，知识出版社 1986 年版，第 150 页、第 153 页。

③ 宫崎犀一等：《近代国际经济要览·十六世纪以来》，中国财政经济出版社 1990 年版，第 10~13 页。

及将知识转化为经济、军事力量上拥有欧洲各国不可企及的优势。随着这种优势的加强，美国逐渐拥有了在经济与科技方面对欧洲的领先地位发起挑战的实力。

（五）高关税的保护主义贸易政策

在赶超英国的进程中，美国作为后发国，其刚建立起来的制造业受到了来自英国等国的强有力竞争。为了扶植本国工业，美国政府在独立之初就开始采取措施干涉对外贸易。正如李斯特所指出的那样，"在与先进国家进行完全自由竞争的制度下，一个在工业上落后的国家，即使极有资格发展工业，如果没有保护关税，就绝不能使自己的工业力量获得充分发展，也不能争得圆满无缺的独立地位"，[①] 推行高关税的保护主义贸易政策对近代美国实现经济上的独立和工业体系的建立具有重要的意义。

66

独立战争结束后，英国利用自身在制造业和商业上的强大优势，一方面对美国的出口实行严厉的限制，另一方面又不计成本地向美国倾销英国产品，试图用经济殖民来代替原有的政治军事殖民。此时，美国国内保护贸易的思潮开始兴起。1791 年美国第一任财长汉密尔顿在其著名的《论制造业的报告》中指出制造业是强国的根本，一个国家如果没有适当的工业基础，在经济上和政治上都无法强大起来，因此作为新兴国家的美国必须重视制造业的发展，并对其进行保护。汉密尔顿还首次提出把保护性关税作为鼓励美国制造业的主要手段之一，[②] 其思想基本贯穿了美国工业化的始终。

近代美国所推行的高关税政策，挡住了英国廉价工业品对美国制造业的冲击，使美国从一个农业国迅速成长并建成了强大的工业体系。1850～1900 年间美国制造业的产值从 10.191 亿美元增加到114.692 亿美元，增加了 11 倍[③]。1879～1884 年间，美国工业产值超过农业产值；到 1890 年，美国已成为世界头号工业强国，其工业产值约为英、德、法三国的总和。[④]

---

①　李斯特：《政治经济学的国民体系》，商务印书馆 1961 年版，第 156 页。

②　布鲁姆等：《美国的历程》（上），商务印书馆 1988 年版，第 232 页。

③　福克讷：《美国经济史》（下），商务印书馆 1989 年版，第 38 页。

④　韩德强："美国崛起之路对中国的启示——对美国历史上贸易保护和自由贸易之争的思考"，《经济纵横》1999 年第 8 期，第 51 页。

第四节　强国崛起的启示

历史上不同时期新兴大国崛起的策略有着许多共性。比如在崛起的时机上，不直接挑战最强国，保持一定独立，不卷入大国纷争，待两败俱伤再坐收渔翁之利；抓住不同时代的历史性机遇，发展自己的超强实力；例如葡、西、荷三国的海军和贸易，英国的工业和海军，美国的工业和高科技。纵览上述强国的崛起，在当前新兴大国崛起过程中，尤其要把握好以下几点。

1. 充分发挥市场经济的积极作用

英国著名科学史学家李约瑟博士在其巨著《中国科学技术史》中介绍了中国古代的发明和发现后说，"可以毫不费力地证明，中国的这些发明和发现远远超过同时代的欧洲，特别是 15 世纪之前更是如此"。但他感到奇怪的是，中国在科学理论方面的成就却少之又少，甚至没有发现逻辑学上的三段论，"为什么资本主义没有最先在中国产生"这一令人费解的问题被人们称为"李约瑟之谜"。对李约瑟之谜的解答固然重要，然而本书更为关心的是，资本主义市场经济发展阶段能否超越？资本主义的历史局限性无需赘述。关于历史上强国崛起的经验多强调重商主义、工业革命的重要贡献，然而，重商主义、工业革命只是资本主义发展的不同阶段。新兴大国在崛起过程中必须全面透视资本主义。

何为资本主义？除了我们熟知的马克思主义观点外，西方学者的有代表性的观点大体有如下几种：

德国经济学家桑巴特认为，现代资本主义不仅是一种技术或组织形式，它还具有一种资本主义精神。它包括"新的'企业精神'和'平民精神'两个方面。前者表现在支配人的生活的一切方面，在国家中它的目的是征服和支配。它在宗教中从事解放，在科学中从事阐扬，在技术中从事发明，在地球上则从事发现。而后者即市民精神在资本主义经济的范围以外有很大活力，它在城市经济主体——专业商人和手工业者——的下层中已经活动了几百年之久了"①。

西方现代社会学之父马克斯·韦伯把现代资本主义包含的内容概括为六个方面：理性化的账务、自由市场、理性化的技术工艺、所依赖的法律、自由劳动力和经济生活的商业化。韦伯还对近代资本主义出现的原因做出解释，认为它包括六个方面：一是使生产经营从家族和血缘关系中解脱出来；二是对罗马法原则的继承；三是西方城市的发展；四是出现了由官僚治理的理性化的国家行政；五是新教伦理；六是把直接生产者从土地上分离出来，创造了自由工资劳动者②。

西方著名的自由主义大师哈耶克认为，资本主义是自发的社会秩序或者人类合作的扩展秩序。社会秩序分两种类型，一种是为了某一种目的而人为地创造出来的"外部秩序"，计划经济秩序即是一种外部秩序；一种是人们在长期的历史演化过程中行为相互适应自发产生出来的"内部秩序"，语言、文化、道德、法律和市场经济均为"自发秩序"。前者遵循人为制定的具体组织目标，后者遵循自然演化的抽象规则。哈耶克认为西方资本主义文明的自发秩序有别于其他文明，在于前者是不断扩展的，从家庭之间的合作到部落之间的合作再到民族之间的合作，把人类联成一个合作的文明统一体。

法国年鉴学派著名的历史学家布罗代尔认为资本主义是一种长时段的历史现象，是市场经济的上层建筑。他通过对西欧社会经济史的大量实证研究，发现人类社会经济可分为三层结构：底层是人们衣食住行的无意识的习惯的日常生活深层结构，布罗代尔称之为"物质生活"；在物质生活基础上，是联系生产和消费的交换网络，即"市场经济"；在"市场经济"之上寄生着"资本主义"的"上层建筑"。按照布罗代尔的观点，"市场经济"与"资本主义"的区别在于前者是按照公开的自由竞争的公平交换原则进行交换；后者是少数资本家依靠雄厚的资本和独占的信息私下里欺骗性的不公平交换，以攫取巨额垄断利润的谋利行为。布罗代尔认为这是两种不同

---

① 桑巴特：《现代资本主义》，商务印书馆1958年版，第1卷，第212～215页。
② 马克斯·韦伯：《新教伦理与资本主义精神》，四川人民出版社1986年版，第66页。

的游戏规则很像打牌。前者是普通人凭运气玩，从长远来看胜负的机会是公平的；后者则是少数有高度技巧的人作弊玩必然赢的游戏。

著名学者黄仁宇认为，诸子百家对于资本主义的解释一般注意力只及局部，针对20世纪的世界，尤其要附带解决中国组织上的问题，首先必须承认它有超越国界的"技术性格"。这些技术性格主要包括：资金广泛的流通，剩余之资本透过私人贷款方式彼此往来；经理人才不顾人身关系的雇佣，因而企业扩大超过所有者本人耳目能监视之程度；技术上之支持因素通盘使用，如交通通信、律师事务及保险业务等，因此，各企业活动范围超过本身力之能及；信用及法治。①

总之，资本主义可谓一个复杂的多面体。以上学者的论述可谓见仁见智。这些学者关于中国未能产生资本主义的解释也很值得关注。黄仁宇认为，中国历史上之所以未能产生资本主义，是因为她志不在此，她不仅不能产生，而且一向无意于产生。布罗代尔认为中国资本主义之所以不发达，其原因有三：一是中国传统社会的市场经济一直处于集市贸易低级发展阶段，缺乏交易会等高级市场交换形式，缺乏远距离的贸易形式；二是国家太强，不利于资本主义的发展；三是缺乏稳定的社会环境，难以形成数百年长期积累资本的资本主义大家族。布罗代尔还剖析了中国历史的特征。中国社会的纵向流动性似乎比欧洲大，但稳定性比欧洲小得多。科举制度意味着人人都有当官和升官的门路。虽然考试并非绝对没有舞弊，但它在原则上对社会各阶层都开放，其开放程度远比19世纪的西方大学高。但是，新登高位的官吏所获利益仅仅及于自身，他们在职期间积聚的产业不足以构成欧洲那样的大家族。财势过大的家族又常常受到国家的严密监视，每当资本主义利用机遇有所发展时，总要被集权主义国家拉回原地。

2. 在发展的维度上，要注重内向发展与外向开放的联动

历史上各强国的崛起既与其内向的整合、成长密切相关，更与其外向的开放和拓展密不可分。在某种程度上，与外部世界联系的

---

① 黄仁宇：《资本主义与二十一世纪》，三联出版社2004年版，第31～32页。

速度、广度和深度，既决定着一国国内发展的水平，也决定着该国在世界整体中的地位。历史上强国发展的内向、外向之间往往相互联系、渗透。历史上强国的成功崛起，主要取决于它们对世界大潮的反应力和对世界事务的参与力。这种反应力、参与力的强弱或有无，正是各国、各民族发展水平表现各异的重要原因之一。按不同的情况，大体上可将各国、各民族分为三类：第一类具有强劲或较强劲的参与力，像历史上的荷兰、英国等强国。这类国家由于能够顺应时势，调正发展方向，增强了国力，因而在世界上居于先进的地位，在不同程度上主导着世界历史的发展。第二类只有疲软的参与力，其范围包括先后沦落为殖民地半殖民地的国家和地区。尽管其中一些国家曾做过靠拢历史潮流的尝试，但由于内部阻力尤其是外部压力过大，故成效并不显著，在世界舞台上也就只能屈居次要的、附从的地位。第三类是基本上还没有参与力，如 18 世纪 70、80 年代前的大洋洲和 19 世纪 70 年代前的非洲内陆，由于它们一时还未被卷进世界整体性发展的轨道，依然生存在与世隔绝的闭塞环境中，因而在世界舞台上不得不暂时处于无所作为的地位。

3. 注重制度创新和发展自己的软权力

美国著名经济学家诺思和托马斯在研究西方资本主义世界兴起的原因时，强调制度因素对资本主义发展的重要作用，认为经济增长是由有效的所有权发展所决定的，没有制度的保证和对个人经营的激励，近代工业就发展不起来。他们较详细地研究了 16～18 世纪欧洲各专制主义国家的经济活动，认为贸易的发展向国家提出了在更加广大的地区规定、保护和实施所有权的要求，制度环境的改善会鼓励创新，而政府的保护使经济能够在不多增加成本的基础上得到很大的发展。①

上文已详细列举了西、葡、荷、英、美等强国的一系列创新，值得关注的是这些国家重大创新的与时俱进性。在不同的时代，这些国家在发展了当时的主导经济的同时，都开拓了"经济新边疆"。纵观人类历史，那些最有效最成功地从人类活动的一个领域转入另

---

① 诺思和托马斯：《西方世界的兴起》，华夏出版社 1989 年中译本，第 112 页。

一个领域的民族或国家，总能获得巨大的战略优势。当人类的活动范围从陆地转移到近海时，中世纪时期的欧人因擅长航海而建立了当时的霸权；当人类活动从近海进入公海，西、葡、荷、英等国先后通过开拓性创新建立霸权；当宇宙的"近岸海域"——天空成为人类活动的新领域时，美国因在航空方面拥有最有效的军用和民用能力而取得了巨大的、至今仍在发挥无尽作用的战略优势。[①] 可以说，占领"新的制高点"，并进行持续的创新，是强国兴衰最根本的决定性因素。21 世纪，新兴大国能否成功地发现创新的"新边疆"？

从各强国崛起的经验看，制度创新的积极意义更表现在先进的制度（包括文化）对世界各国的吸引力上。先进的、经得起考验的政治经济制度不但能激发国民蓬勃向上的朝气，还会为外交提供适宜和有效率的决策体制。先进制度的吸引力本身就是外交的巨大优势，其产生的作用是物质力量无法替代的。相反，一个落后的政治制度将制约外交发挥主动性。一方面，落后的政治制度决定了外交决策体制的落后和行政效率的低下；另一方面，落后的国内政治制度在外交上往往成为别国的攻击目标，外交人员的很大精力将被牵制在解释制度的合理性上，外交的战略决策不可避免受到影响。可以断言的是，不具备制度吸引力的国家，其实力发挥将受到极大制约，将难以成长为一个经久的大国。[②]

美国著名国际关系学家小约瑟夫·奈认为同化式的软实力与命令式的硬实力同样重要。在《注定领导：美国力量变化了的特性》一书中，他是这样界定软实力的：一个国家在国际事务中通过吸引而非强制就能达到自己的目的的能力，即罗致行为能力。一般来讲，软实力发挥作用依靠的是说服别人跟进、效仿或者使其同意遵守由拥有巨大软实力的国家主导下的国际规则、国际制度和国际体系。他认为美国的软实力来自其文化、知识体系、意识形态和社会制度的长处，包括的范围十分广泛，而且在不断增加新成分，例如在收集、处理、执行和传播信息方面的优势。如果一国能使其力量在别国看来很合法，那么将减少抵制其意志的力量。如果它的意识形态

---

① 王逸舟：《当代国际政治析论》，上海人民出版社 1995 年版，第 348 页。
② 屈从文：《门罗主义的国际战略启示》，2003 年 6 月 27 日，http：//www.cc.org.cn。

和文化更有吸引力,那么其他国家将更愿意跟随它。如果它能建立与其国内社会相一致的国际规则,那么它所需要做出的体制上的改变将更少。如果它能够建立一种机制,并且其他国家愿意按照它希望的方式限制自己的行为,那么将减少使用硬实力遭致的代价。李光耀也曾指出,在当今时代,软功夫即文化影响力,在国际事务中变得与硬功夫同等重要。由此可见,软实力(或曰软力量、软功夫)已经成为世界大国综合国力愈来愈重要的评价尺度。

参考文献

1. ［英］安格斯·麦迪森著，伍晓鹰、许宪春等译：《世界经济千年史》，北京大学出版社 2003 年 11 月版。

2. ［美］保罗·肯尼迪著，蒋葆英等译：《大国的兴衰》，中国经济出版社 1992 年版。

3. ［美］斯塔夫里阿诺斯著：《全球通史—1500 年以后的世界》，上海社会科学院出版社 1992 年版。

4. ［美］查尔斯·P金德尔伯格著，高祖贵译：y《世界经济霸权 1500—1990》，商务印书馆 2003 年版。

5. ［美］曼库尔·奥尔森著，吕应中、陈槐庆等译：《国家兴衰探源》，商务印书馆 2001 年版。

6. ［美］伊曼纽尔·沃勒斯坦著，尤来寅、宠卓恒等译：《现代世界体系》（第1、2、3卷），高等教育出版社 1998 年版。

7. ［法］阿兰·佩雷菲特著，朱秋卓、杨祖功译：《论经济“奇迹”》，中国发展出版社 2001 年版。

8. 王绳祖主编：《国际关系史》，世界知识出版社 1995～1996 年出版。

9. ［美］托马斯K·麦克劳著，韩冰译：《资本主义世纪》，内蒙古文化出版社 1998 年版。

10. ［美］亨利·基辛格著，顾淑馨等译：《大外交》，海南出版社 1997 年版。

11. 王逸舟：《当代国际政治析论》，上海人民出版社 1995 年版。

12. ［美］伊曼努尔·华勒斯坦著，路爱国译：《历史资本主义》，社会科学文献出版社 1993 年版。

13. ［英］亚诺尔德·汤因比著，曹未风等译：《历史研究》（上、中、下），上海人民出版社 1997 年版。

14. 黄仁宇：《资本主义与二十一世纪》，生活·读书·新知三联出版社 2004 年版。

15. ［美］莱斯特·瑟罗著，周晓钟译：《资本主义的未来》，中国社会科学出版社 1998 年 2 月版。

16. 沈汉："国外对欧洲从封建社会向资本主义社会过渡研究之评述"，《史学月刊》1995 年第 2 期，第 102～109 页。

17. 张连国："透视资本主义"，《理论与现代化》1999 年第 4 期，第 21～23 页。

18. 周友光："论近代世界历史上的内向发展"，《武汉大学学报：哲社版》1997 年第 2 期，第 71～75 页。

19. 刘金源："论英国工业化模式及其弊端"，《湘潭师范学院学报》1998 年第 4 期，第 74～77 页。

第三章　新兴大国崛起的
博弈分析

自 Von Neumann 和 Morgenstern 1944 年发表《博弈论与经济行为》以来，博弈理论与国际关系理论就相互影响，不可分割。

——Poundstone·William

75

通过经济往来互相获益历来是各个国家乐于国际经济活动的根本原因，与此同时，为了攫取更大的经济利益，获得更强的控制地位，各国之间的斗争也从未停止。事实上，大国之间、大国与小国之间的关系，他们所采取的国策以及决策的过程，就是一个复杂无比的博弈过程。只要仍存在地区利益的分割，存在国家的界限，这个包括了全球所有国家的博弈不会停止。新兴大国的崛起无疑给这个无限重复的博弈带来了新的变数：新兴大国带来的全球力量布局变化会给其他国家尤其是现有大国什么样的影响？现有大国会做出怎样的反应？新兴大国该如何选择最佳的崛起战略？本章将建立一个大国博弈分析框架来初步考察这些问题，借助博弈分析工具来得出一些结论。

将博弈论分析工具应用于国际关系研究的历史由来已久。博弈理论与国际关系理论的紧密相关是由国家行为的理性特征决定的。众所周知，任何国家的决策前提仅仅是本国的国家利益，只有当别国有能力侵害或威胁本国利益时，才会在行动前考虑别国的利益。这种一国行为与另一国行为之间天然的相互依存关系，决定了博弈论在国际关系研究领域的重要地位。

用博弈论工具分析国际关系的文献，可分为安全问题和经济问题两大类。如 Gardner（1995，第 401 页）对国际同盟形成的研究，Intriligator and Brito（1990，第 58 页）对军备竞赛的研究，Evans 和 Newnham（1998，第 101 页）对国际危机的研究，O'Neil（1994，第 995 页）对战争与和平的研究等都属于安全问题的研究范围；而 Jepma，Jager and Kamphuis（1996，第 62 页）对国际贸易关系的研究，Hamada（1996，第 34 页）对国际货币体系和汇率问题的研究等则属于经济问题的研究范围。

事实上，安全问题与经济问题是密不可分的。一国对安全的关注，必然导致其寻求政治上与军事上的力量增长，也必然导致其对国际事务的积极参与，而关注国家安全的根本原因正是为保证国家长远利益不受损害。由此可见，安全问题、经济问题、政治军事力量三者高度统一，最终可归结为国家利益这一根本问题。采用博弈论工具分析国际关系的文献，普遍地把三者割裂开来，从局部研究和比较静态分析的角度来看，这种研究方法是无可厚非的。然而一旦我们考察国际关系的动态变化、全局变化时，统一安全（政治）问题和经济问题就成为必然。尤其在新兴大国崛起的国际背景下，大国之间的博弈不可能局限在某个或某些领域，只有在一个统一的框架内把握大国之间的经济博弈关系与政治博弈关系，才能更深刻地揭露崛起与遏制、竞争与合作的当代大国国际关系的本质。

除了局部研究的特点外，大多数分析国际关系的文献（尤其对安全问题的分析）一般采用最基本的博弈分析方法：完全信息静态一次博弈，以囚徒困境模型为主要分析框架。本章建立的分析框架将扩展这一传统的分析范式，从完全信息扩展至不完全信息，从一次博弈扩展至重复博弈。这种扩展能够有效地分析国际关系的动态变化，对大国崛起中的国际关系问题具有较强的解释力。

本章将首先建立简单的大国无限重复博弈模型，该模型具有完全信息静态的阶段博弈 G，完全信息假设在信息技术发达的今天具有充足的理由，不难想像一国采取的行动及其后果很容易被其他国家所获知。但在第二节中我们放宽这一假设，允许某种程度的不完全信息：我们假定一国必须通过自己的收益变化来判断对方的行动，但是双方的收益和所采取的全局战略依然是完全信息。第二节中我们同时加入了各国在决策时出于对政治军事力量的考虑而引起的决策变化，使得我们的模型更接近现实。为了把博弈双方之外的因素考虑进来，第二节的最后部分考察了外部扰动对博弈均衡的影响。

第一节　简单的大国无限重复博弈模型

简单无限重复博弈模型以完全信息静态的两参与人博弈模型为阶段博弈，令参与人 1 为大国 1，参与人 2 为大国 2，用标准式表示为：

$G= \{A_1, A_2; u_1, u_2\}$，其中 $A_1=A_2= \{合作，对抗\}$，u_i（$i=1, 2$），则：

表 3-1　简单博弈的收益矩阵

		大国 2	
		合作	对抗
大国 1	合作	u_{11}, u_{11}^*	u_{12}, u_{12}^*
	对抗	u_{21}, u_{21}^*	u_{22}, u_{22}^*

假设阶段博弈的纳什均衡是（对抗，对抗）。这一假设是有现实意义的，设想国家之间关系如果是一次性的，野蛮人式的掠夺很可能就是占优选择。在这一前提下，我们可得到如下关于两国收益的一组关系：

$u_{21}>u_{11}$，$u_{22}>u_{12}$，$u_{12}^*>u_{11}^*$，$u_{22}^*>u_{21}^*$

在两国国力相差悬殊时，两边都采取"对抗"战略，一方的收益很可能是正的。但鉴于我们讨论的对象主要是新兴大国与现有大国，可以相信在当期，由两个"大国""对抗"而给双方带来的收益肯定是负的，即 $u_{22}<0$，$u_{22}^*<0$。此外，一方合作一方对抗的情况下，合作方的收益一定是负的，即 $u_{12}<0$，$u_{21}^*<0$。

　　根据以上的定义，由无名氏定理[①]可知，对参与人的任意可行收益[②]组合 (x, x^*)，只要 $x > u_{22}$，$x^* > u_{22}^*$，且双方重复博弈的耐心因子 δ 足够大（$0 < \delta < 1$），双方都采取触发战略（冷酷战略）是 $G(\infty, \delta)$ 的一个子博弈精炼纳什均衡，其平均收益[③]为 (x, x^*)。

　　也就是说，无论是通过事前约定还是通过随机产生的方式确定收益 (x, x^*)，只要双方约定一旦发现某阶段博弈结果偏离 (x, x^*)，其中 $x > u_{22}$，$x^* > u_{22}^*$，就采取对抗策略，那么这种战略就将导致每一阶段博弈都稳定在 (x, x^*) 的可行收益上，并且该战略是子博弈精炼纳什均衡。显然，如果双方约定的可行收益是 (u_{11}, u_{11}^*)，并采用触发战略，且有足够的耐心，无限重复博弈将在该点均衡，如图 3-1 所示。

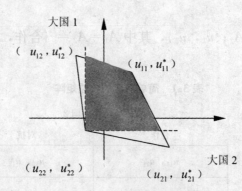

图 3-1　简单无限重复博弈的均衡

　　图 3-1 中的阴影部分都可以成为一个子博弈精炼纳什均衡下的

---

　　① 无名氏定理（Friedman, J. 1971）：令 G 为一个 n 人阶段博弈，$G(\infty, \delta)$ 为阶段博弈的无限次重复博弈，a^* 是 G 的一个纳什均衡（纯战略或混合战略），$e = (e_1, e_2, \cdots\cdots, e_n)$ 是 a^* 决定的支付向量，$v = (v_1, v_2, \cdots\cdots, v_n)$ 是一个任意可行的支付向量，V 是可行支付向量集合。那么，对于任何满足 $v_i > e_i$ 的 $v \in V$（对于任意的 i），存在一个贴现因子 $\delta^* < 1$ 使得对于所有的 $\delta \geqslant \delta^*$，$v = (v_1, v_2, \cdots\cdots, v_n)$ 是一个特定的子博弈精炼纳什均衡结果。该定理的证明参阅 Friedman, J. 1971。

　　② 可行收益指 G 的纯战略收益的凸组合，即纯战略收益的加权平均，权重非负且和为1。

　　③ 平均收益指无限博弈的总收益平均分配到每阶段所获得的阶段平均收益，利用这一概念可简化最大化的求解过程，因为最大化每阶段的平均收益就是最大化总收益。具体描述可参见 Friedman, J. 1971。

平均收益，只要足够大。

这一经典的无限重复博弈模型为国际经济、政治的广泛合作提供了解释，该模型说明在一定的条件下，纯粹的合作策略与混合的合作－对抗策略都可能形成一种稳定的国际经济政治合作状态。

我们也注意到，在每个阶段各国选择对抗也是一个子博弈精炼纳什均衡，并且是惟一一个当期行动独立于过去行动历史的均衡。在一定的历史时期，这种国与国之间的长期对抗曾经存在，当代也有类似的例子。当然我们不能就此判断这些国家将永远处于对抗状态，因为重新谈判的可能性、第三国的协调、参与国家战略的调整（如政权更替）、国际大环境的变化都会影响均衡的稳定。不仅如此，触发战略的子博弈精炼均衡的多重性也显现了该模型的局限性，多重性给出了太多的可能性而使解释力大打折扣。

因此，有必要增加一些新的条件，对大国之间的博弈做更深入的讨论。在本章的第二节和第三节，将对本节的简单无限重复博弈模型进行扩展，以期得到更有意义的结论。

第二节　扩展的大国无限重复博弈模型

国家的政治与经济是两个不可分割的部分，政治上的优势能够改善经济上的收益，经济上的收益也能促进政治力量的增强。第一节的博弈模型仅仅考虑了大国博弈中的经济因素，而对政治力量未加考虑，这显然是不够的。在本节中，我们将考虑以下情况：大国不仅能在国际经济领域的合作中受益，其政治（军事）力量能保证甚至加强这种经济收益，如冷战时期的美苏争霸，双方都利用其政治军事力量建立符合自身利益的经济秩序，来扩大经济利益的获取。因此，模型应引入政治（军事）力量这一重要因素。

在简单无限重复模型中，每一阶段的博弈收益不变，这是一个很强的假设，从而使模型不能分析由于增长带来的动态变化。任何一个国家都不是出于静态之中，都在发展，但又不是同步发展，这在经济上就表现为增长速度的区别，而这种区别将导致未来大国力量对比的变化，扩展的模型应反映出这种变化，分析博弈双方在力量对比变化中的战略选择。

本节第一部分引入政治力量因素，第二部分则分析经济增长及其导致的政治力量演变对均衡的影响。

一、政治（军事）力量与战略选择

假设政治力量使各国的合作收益按一定的比例扩大，同时使对方的对抗损失也按相同的比例扩大。设 p_1 为大国 1 的政治（军事）力量，p_2 为大国 2 的政治（军事）力量，并假设 $p_2 > p_1$，那么表 3-1 中的收益将变为：

表 3-2 引入政治力量的博弈收益矩阵

		大国 2 合作	大国 2 对抗
大国 1	合作	$p_1 u_{11}$, $p_2 u_{11}^*$	$p_2 u_{12}$, $p_2 u_{12}^*$
	对抗	$p_1 u_{21}$, $p_2 u_{21}^*$	$p_1 u_{22}$, $p_1 u_{22}^*$

该收益表显示，一国政治（军事）力量越大，给自己带来的合作收益越大，给对方带来的对抗损失也越大。由于仍然有：

$$p_1 u_{21} > p_1 u_{11}, \quad p_2 u_{22} > p_2 u_{12}, \quad p_2 u_{12}^* > p_2 u_{11}^*, \quad p_1 u_{22}^* > p_1 u_{21}^*$$

因此，（对抗，对抗）仍然是阶段博弈的纳什均衡。采用触发战略的子博弈精炼均衡也与图 3-1 所示类似，只是四个端点的数值有

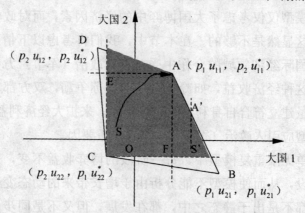

图 3-2 引入政治力量的博弈均衡轨迹

所变化，如图 3-2。

进一步考虑，双方采用触发战略可以保证存在子博弈精炼均衡，但不能确定到底在哪一点均衡，只能断定可均衡在约定的可行收益上。这一结论并不能令人信服地解释大国之间的博弈关系。更换双方的战略则可以改变这种情况。在信息充分的前提下，新兴大国与现有大国都能意识到获取较低的均衡平均收益并不是最优的，只要自己的利益不受到侵害，通过逐步增加的合作倾向（即在各领域内增加合作的可能性）可引导双方获取更高的平均收益。基于以上基本分析，我们引入一种新战略：两面调整战略[①]。

定义：两面调整战略。定义双方纯合作时的收益为 (E_1, E_2)，如果 t 阶段参与人 i 的收益不小于上一阶段，那么：（1）当参与人 j 的收益水平小于 E_j，则参与人 i 在 $t+1$ 阶段将选取可增进对方可行收益的行动，但不使其大于 E_j；（2）当 t 阶段参与人 j 的收益水平等于 E_j，参与人 i 将在 $t+1$ 阶段保持 t 阶段的行动不变；如果 t 阶段参与人 i 的收益低于上一阶段，则他在 $t+1$ 阶段将采取惩罚性的纯对抗行动。由于（对抗，对抗）本身是一个子博弈精炼纳什均衡，因此，这一惩罚是可信的。

81

将这一战略命名为两面调整战略，是因为该战略既带有惩罚，又带有奖励，同时均衡点并不是一步到位的，而是通过重复博弈已逐渐调整到位，(E_1, E_2) 为调整的终止点。从该战略的特点可看出，此时我们已经把完全信息放宽到了部分的不完全信息，至少双方只能通过收益来判断对方所采取的行动。

如果双方都采取两面调整战略，可以证明，只要双方具有适当的耐心，且端点收益满足一定的关系，此战略是该重复博弈的子博弈精炼纳什均衡，经过足够多的重复次数，双方的阶段收益可稳定在 $(p_1 u_{11}, p_2 u_{11}^*)$。严格证明将在本章附录中给出，这里通过图 3-2 来简单说明。

假设双方最初约定（或随机发生）的平均收益是 S 点，如果双方都采取触发战略，则子博弈精炼均衡将在 S 点取得平均收益。现

---

①　该战略的效果类似重新谈判，区别是调整战略是观察上一阶段博弈结果自动调整的，不需要谈判决定。同时该战略又具有两面（two-phase）战略的典型特征。

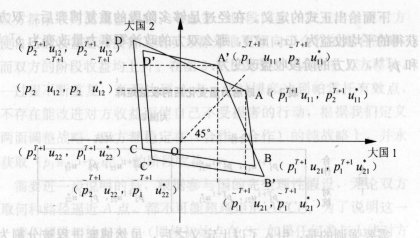

图 3-3 第 $T+1$ 部分博弈两种可能的可行收益

四边形 $ABCD$ 和 $A'B'C'D'$ 分别代表了两种可能的第 $T+1$ 部分博弈的可行收益。$ABCD$ 代表的可行收益由前一部分博弈在 $(p_1^T u_{11},\ p_2^T u_{11}^*)$ 点取得均衡后所导致，$A'B'C'D'$ 代表的可行收益由前一部分博弈在其他平均收益点取得均衡后所导致。由于双方都有充分的机会获取正的收益，我们将主要考察第一象限。从大国 2 的角度考虑，必然倾向于 A'，因为 A' 代表的大国 2 可能获得的最高均衡可行收益大于 A，同样的原因，大国 1 更倾向于 A。因此，一个显而易见的结论是，双方都会在前一部分博弈中采取某种战略使下一部分博弈的可行收益向有利于自身方向移动。

显然，只要满足以下关系，双方对下一部分博弈的可行收益集都没有不满意，从而不会转向"对抗"：

$$\frac{p_1^{T+1}}{p_2^{T+1}} = \frac{p_1^T}{p_2^T} \qquad\qquad ①$$

也就是说，虽然政治力量会发生变化，只要下一部分博弈的政治（军事）力量对比与本部分博弈的政治（军事）力量对比保持一致，双方都没有动力在本部分博弈中寻求更佳的均衡点了。要找到这个最佳的均衡点，我们还必须讨论政治力量演变的方式。

现在让我们来考虑经济对（政治）军事力量的影响，显而易见，经济与政治（军事）的关系是正向的，也就是经济（GDP）[①] 的增长或多或少都会增强一国的政治（军事）力量（$\frac{dp}{dGDP}>0$）。但由于不同的国家在同一时期以及一个国家在不同时期对经济和政治（军事）上的侧重都各有不同，导致经济实力变化量和政治（军事）实力变化量的关系并不一定（严格地说肯定不会）是简单的线性关系（$\frac{\partial^2 p}{\partial GDP^2}=0$），因此我们引入变量

$$\frac{\partial^2 p_i}{\partial GDP_i^2} \triangleq \varphi_i \qquad (i=1,2) \qquad ②$$

其中 φ_i 是不等于 0 的常数，可理解为一国经济增长速度变化率对政治（军事）力量增加变化率的影响因子，该因子随各国的民族风俗、宗教信仰、历史文化传统的不同而不同，在我们的完全信息假设前提下，该因子是能被对方所观察并确定的。φ_i 以下称为边际政治力量演变倾向。φ_i 为正，说明一国经济增长后对政治军事力量的投入边际递增，可视为该国偏好扩张，为负则说明军政力量的增加边际递减，可视为该国偏好防御。

由②式可得 $dp_i = \varphi_i dGDP_i + c_i \qquad (i=1, 2) \qquad ③$

任何国家的 GDP 增长都是由诸多因素所导致的，如果从国际经济关系角度考察，可知本国与任何一个外国的国际经济来往都能产生对增长率的影响，而本国自身的市场发展对增长率的拉动更是占据了主要部分，对一个大国而言尤其如此。考虑某个特定的国家对本国经济增长的拉动作用，我们可以定义该国对本国经济增长的贡献率 s_{ij}，用来描述 j 国与 i 国经济来往对 i 国经济增长的重要性，从而在本模型中就有：

$$s_{ij} = \frac{\sum_{t=1}^{n \to \infty} \delta^t x_t}{dGDP_i}$$

x_t 为 i 国的 t 阶段博弈收益，贴现率为 δ。由于两面调整战略代

---

① 一国的经济量有很多不同的指标可以来表达。我们在这里用 GDP 来表示，并没有特殊的含义，只是为了表示这是"经济量"而已。

表的部分博弈总收益在进入均衡点之前是不确定的（连分布信息都没有），而①式代表政治力量对比的决策过程，在我们的理性前提下大国无法对不确定的收益进行比较，因此只能考虑最大的部分博弈总收益，即有：

$$\sum_{t=1}^{n \to \infty} \delta^t x_t \leqslant \frac{x}{1-\delta}$$

x 为部分博弈的均衡收益，由两面调整战略可知，右边代表从博弈一开始双方就处于均衡点，此后不再移动，因此上式必然成立。根据以上原因，我们给 s_{ij} 一个新的定义：

$$s_{ij} \triangleq \frac{\dfrac{x}{1-\delta}}{dGDP_i} \qquad \text{④}$$

把④式变换并代入③式，得

$$dp_i = \varphi_i \frac{x}{(1-\delta)s_{ij}} + c_i (i=1,2) \qquad \text{⑤}$$

由于前面假设了政治（军事）力量的变化是不连续的，所以上述关系式可转变为：

$$\Delta p_i = \varphi_i \frac{x}{(1-\delta)s_{ij}} + c_i (i=1,2)$$

改写式①为：

$$\frac{p_1^{T+1}}{p_2^{T+1}} = \frac{p_1^T}{p_2^T} = \frac{p_1^{T+1}-p_1^T}{p_2^{T+1}-p_2^T} = \frac{\Delta p_1}{\Delta p_2} = \frac{\varphi_1 \dfrac{x}{(1-\delta)s_{12}} + c_1}{\varphi_2 \dfrac{x^*}{(1-\delta)s_{21}} + c_2}$$

$$= \frac{\varphi_1 s_{21} x + c_1 s_{12} s_{21}(1-\delta)}{\varphi_2 s_{12} x^* + c_2 s_{12} s_{21}(1-\delta)} \qquad \text{⑥}$$

给定 p_1^T，p_2^T，φ，s，δ 这些变量，我们可得到如下 x 和 x^* 的关系

$$x^* = \frac{\varphi_1 s_{21} p_2^T}{\varphi_2 s_{12} p_1^T} x + \frac{s_{21}(1-\delta)(c_1 p_2^T - c_2 p_1^T)}{\varphi_2 p_1^T}$$

$$(p_2^T u_{22} \leqslant x \leqslant p_1^T u_{11}, p_1^T u_{22}^* \leqslant x^* \leqslant p_2^T u_{11}^*) \qquad \text{⑦}$$

我们把由⑦式给出的曲线（集合）称为等政治力量收益曲线（集合），其含义是只要部分博弈的均衡收益组合 (x, x^*) 落在该

曲线（集合）上，则双方都没有动力寻求更佳的均衡点了。如果 $\varphi_1/\varphi_2>0$，那么在定义域内均衡收益组合 $(x,\ x^*)$ 能取到最大值，只要该最大均衡收益组合满足附录命题一证明过程给出的条件，两面调整战略可保证双方最终的阶段收益稳定在 $(x,\ x^*)$；如果 $\varphi_1/\varphi_2<0$，那么不存在惟一的最优均衡收益组合，从而部分博弈具有多重均衡的特点（除非引入新的条件）。

现在我们用比较静态方法详细分析⑦式解的性质。

(1) φ_i

从⑦式中可知，φ_i 的符号决定了 x 和 x^* 是否正相关，为使结论比较简洁，不妨设 $c_1p_2^T-c_2p_1^T>0$。

情形一：$\varphi_1>0$，$\varphi_2>0$，那么 x^* 和 x 同时取到最大值，截距为正；

情形二：$\varphi_1<0$，$\varphi_2<0$，x^* 和 x 同时取到最大值，截距为负；

情形三：$\varphi_1<0$，$\varphi_2>0$，x^* 和 x 负相关，截距为正；

情形四：$\varphi_1>0$，$\varphi_2<0$，x^* 和 x 负相关，截距为负。

情形一和情形二都有无限重复博弈的均衡解，即最大的 $(x,\ x^*)$，截距的正负显示了均衡点的相对偏向，$\dfrac{\varphi_1}{\varphi_2}$ 越大，则均衡点越偏向纵轴，即大国 2 越可能采取偏向对抗（即对抗行动概率相对较高）的混合战略，反之则大国 1 采取偏向对抗的混合战略。而情形三和情形四则再次显示了多个均衡存在的可能性，根据前面的分析可知，双方采用两面调整战略，那么调整战略的均衡路径与上述关系隐含的曲线有一个交点，该交点既满足无限重复博弈在两面调整战略下的均衡要求，又满足双方基于下一阶段力量对比考虑的决策，因此是一个稳定的均衡点。但是由于调整战略的均衡路径具有多重性，从而我们引入军政力量变化后得到的均衡点依然是多重的，事实上所有可能的均衡点相连接后正是⑦式给出的曲线。情形三和情形四表明了当两国对扩张政治军事力量偏好存在完全相反的态度时，双方博弈均衡具有多重性特点的事实，换句话说，如果一国偏好扩张，另一国偏好防御，则两国在相互往来时双方采取的策略具有不确定性，但是一旦某种最优策略组合（在⑦式给出的曲线上）能够达成，那么这一次策略组合是稳定的。

87

（2）s_{ij}

s_{ij} 代表了 i 国与 j 国的经济往来对 i 国经济增长的贡献度，s_{ij} 越大说明与 j 国的经济往来对 i 国越重要。根据⑦式，s_{21} 越大或者 s_{12} 越小，均衡点越偏向纵轴，从而大国 2 越有可能采取偏向对抗（对抗行动概率较高）的混合战略，反之则大国 1 采取偏向对抗的混合战略。这一结果与常识恰好相反，其关键原因就在于，⑦式给出的是一个战略决策关系，当某国对本国具有极大的重要性时，如果仅仅考虑当前阶段，当然应该加强与其合作，但当我们把眼光投向更远的将来，我国对该国的依赖性不得不令我们担忧该国政治势力的强大是否会威胁到我国未来的利益，因此在当前采取抑制该国（偏于对抗）的策略是符合战略决策需要的。s_{21} 对截距则起到了放大作用，如在 φ_i 的情形一中，较大的 s_{21} 会导致大国 2 以更大的概率采取对抗。

88

（3）p_1^T，p_2^T

⑦式表明，p_2^T 越大或者 p_1^T 越小，均衡点越偏向纵轴，即大国 2 越有可能采取偏向对抗（对抗行动概率较高）的混合战略，反之则大国 1 采取偏向对抗的混合战略。p_i^T 对截距起到缩小作用，如在 φ_i 的情形一中，较大的 p_i^T 会导致大国 2 以相对减少的概率采取对抗。

（4）$(x，x^*)$

如果 $(x，x^*)$ 不能满足附录命题一证明过程给出的条件（$x > \dfrac{D_1 + e_1}{2}$ 和 $x^* > \dfrac{D_2 + e_2}{2}$），合适的贴现因子 δ 不存在，这就意味着两面调整战略不是子博弈精炼纳什均衡，甚至连纳什均衡都不是。例如当一国具有强烈的政治军事扩张倾向或者其政治力量事实上扩大非常迅速时，将导致等政治力量收益曲线向该国大幅倾斜，从而由⑦式决定的、该国在本部分博弈中可获得的均衡收益偏小，不满足附录命题一证明过程给出的条件，从而双方最终将选择完全的对抗。

至此，引入政治力量演变后的大国博弈均衡解可归纳为表 3-5 的情况：

表 3-5 大国博弈均衡解

条　件	均衡收益
$x<\dfrac{D_1+e_1}{2}$ 或 $x^*<\dfrac{D_2+e_2}{2}$ ①	至少有一方采取偏离行动，双方最终均衡在（对抗，对抗）
$\varphi_1/\varphi_2>0$	存在一个最大的 (x, x^*)，双方将在该点达到均衡
$\varphi_1/\varphi_2<0$	存在一条斜率为负的曲线，双方可在该曲线上满足第一个条件的任意点上达到均衡

以上分析表明，如果引入大国军事政治力量演变，使得双方采用两面调整战略的最终均衡变得复杂起来，至少我们可以确定在任何一个部分博弈中，纯战略（合作，合作）都不一定会成为稳定的阶段收益。在某些情况下，引入政治力量的变化使得在两面调整战略下原本惟一的均衡点成为多重均衡点的集合，甚至有可能除了（对抗，对抗）外根本就不存在均衡。这一结论很好地解释了现实中鲜有完全合作的国家这一现象，而合作程度依各国当前的政治（军事）力量对比、外国对本国经济的重要性、边际政治力量演变倾向的不同而不同，在某些极端的情况下也可能出现两国的长期对抗。

同时我们也可以发现，如果博弈双方一方为新兴大国，一方为现有大国，那么现有大国对新兴大国的崛起态度同样取决于这样一些因素：双方当前政治力量对比、新兴大国的政治军事力量扩展偏好、新兴大国对现有大国经济的重要性等等。如果现有大国经过综合权衡发现新兴大国在未来对自身的势力威胁不大时，现有大国将采取较为合作的态度，反之则反之，这一结论可从均衡点的位置直接得出。

三、外部扰动与大国博弈

至此我们通过引入政治力量演变分析了两国无限重复博弈的各种可能结果，并指出了各种影响博弈均衡的因素及其影响模式。但是新兴大国崛起中的博弈是相互影响、错综复杂的，并不是简单的

---

① 该条件的含义见附录命题一证明过程，其中 D_i 为 i 国在以对抗策略对应对方合作策略时的收益，e_i 为 i 国在双方采取纯对抗战略时的收益。

双边关系。对这个问题的一种处理方法是把模型扩展到多国模型，但很可能导致无限重复博弈的精炼均衡解变得非常复杂，甚至无法找到可达到精炼纳什均衡的战略；另一种处理方法是，把双边关系之外的因素视为扰动，在两国模型的基础上引入外部扰动，然后观察均衡解的性状。

导致外部扰动的因素很多，扰动最终对博弈双方行动选择的影响方式也有所不同，各个大国之间、新兴大国与其周边国家之间均可能发生各种事前无法预料的事件，从而对博弈双方产生影响。我们把所有可能发生扰动的因素归结为两国模型的博弈环境，如包括自然环境、周边国家环境、其他大国环境等。

要说明的是，引入扰动因素，其实就放宽了完全信息。由于双方未能及时察觉来自于随机扰动影响的收益或政治力量演变，从而根据战略及时调整行动，这就是一种不完全信息，当然这一不完全信息仅限于对扰动信息的不了解，对一个确定的扰动所带来的收益或政治力量演变的影响却又是了解的。

从扰动的性质来看，有暂时性扰动和永久性扰动，从扰动对大国行动影响的方式来看，主要有以下两种模式：一是通过直接影响阶段博弈实际收益来影响均衡点，二是通过影响政治力量的决定来影响均衡点。下面将讨论在暂时性扰动前提下两种扰动影响模式对均衡的影响，并通过对暂时性扰动和永久性扰动的讨论来处理战略选择的问题。

（一）实际收益扰动模式

如果扰动是随机暂时的，直接使本阶段收益偏离上一阶段收益 x_i^{t-1}，令 X_i^t 为受到扰动后的 t 阶段收益，那么根据我们对两面调整战略可知：

1. 若 $X_i^t > x_i^{t-1}$，则 i 国将在 $t+1$ 阶段采取更大概率合作的混合战略以提高对方收益，另一国则将在随后的阶段也采取战略提高 i 国收益，当扰动作用消失后，如果 i 国收益不低于上阶段收益，则下一阶段的博弈就能正常化，如果低于上阶段收益，则进入下面一种情形。两面调整战略能够保证最终均衡的阶段收益不受影响。

2. 若 $X_i^t < x_i^{t-1}$，则 i 国将在 $t+1$ 阶段采取纯对抗战略降低对方

收益，另一国则将在随后的阶段也采取纯对抗战略，双方获得惩罚性收益，本部分博弈重新开始。

无论是哪种情况，只要扰动是暂时的，博弈最终都可以正常化，两面调整战略能够保证本部分博弈最终均衡的阶段收益不受影响，受影响的只是达到这一均衡需要的博弈次数。

注意到，以上分析隐含假设了收益偏移量足够小，至少不使实际收益大于最大可能的收益。如果放宽这一假设，双方采用两面调整战略，当扰动使阶段收益小于惩罚性收益（图 3-2 中的点 C）时，该国在下一阶段将采取纯对抗行动，从而另一国也在随后的阶段采取纯对抗，于是回到了出发点 C，博弈将重新开始；当扰动使阶段收益高于图 3-2 A 点代表的最高均衡收益时，该国将采取纯合作行动，另一国在随后的阶段采取纯合作行动，但当扰动失效后，该国收益回落至 A 点，此时该国将在下一阶段纯对抗战略，另一国也在随后的阶段采取相同的战略，最后双方获取惩罚性收益，本部分博弈重新开始。

91

（二）政治力量扰动模式

从⑥、⑦式可看出，如果有某种外部因素扰动两国的政治力量演变，则该部分的无限博弈最终的稳定阶段收益有可能偏移。⑦式的求解是以给定 p_1^T，p_2^T，φ，s，δ 为条件的，这些外生变量中，p_1^T，p_2^T 在当期是固定不变的，贴现率 δ 也可认为在相当长一段时期内保持不变，可能受到暂时外部扰动的变量是 φ_i 和 s_{ij}。

先考虑 φ_i。φ_i 的扰动表现为一国对提高军事政治力量偏好的变化，这可能是由于新一届政府执政方针变化导致，也可能是由于历史遗留问题重新激化，也可能是由于某些突发的敏感国际事件等等。如果扰动是暂时的，那么双方对政治力量对比变化的估计将在随后的阶段博弈中重新回到最初状态，从而⑦式决定的最优均衡解将保持不变。如果 φ_i 受到的扰动是永久性的，φ_i 取值的变化对⑦式决定的最优均衡解的影响如第二部分所分析，如果 φ_i 符号发生变化，那么博弈将可能从惟一的均衡点转为多重均衡，也可能反之。

再考虑 s_{ij}。s_{ij} 的扰动表现为 j 国对 i 国经济贡献度的变化，这可以是由 i 国参加（退出）某区域组织而导致加强（减少）与组织内国家经济来往引致，也可能是由于 i 国与周边国家经济往来增多（减少），或者是由于 i 国国内经济迅速发展（衰退），也可能是 j 国经济发展（衰退）等等原因导致。同样，只要经过足够多次的博弈，暂时的扰动不会影响最终的均衡结果，永久的扰动则会改变双方对政治力量的估计，从而影响双方的行动，即改变最终均衡的取值。

（三）暂时性扰动、永久性扰动和均衡战略选择

从上文的分析可知，双方在采用两面调整战略的前提下，如果来自周边环境的扰动是暂时的，无论是否引入政治力量变动，每个部分博弈最终的均衡不会因扰动而改变。

如果扰动是永久性的（即博弈参数根本性改变），在实际收益扰动模式中，相当于调整纯战略收益表中的收益值，因此博弈的均衡点将发生改变，但是两面调整战略仍然是子博弈精炼的；在政治力量扰动模式中，不改变符号的 φ_i 永久性变化和 s_{ij} 的永久性变化，将导致博弈均衡点的移动，两面调整战略仍然是子博弈精炼的；φ_i 的永久性变化如果改变了符号，则博弈均衡模式将发生重大变化，或者从原来的稳定均衡点转变为多重均衡，或者从原来的多重均衡转变为稳定均衡点，不过无论是哪种变化，两面调整战略仍然是子博弈精炼的。

综合以上分析，我们把扰动的后果分成了四种情形，第一种是全部参数所受扰动都是暂时性的，第二种是永久的阶段收益扰动，第三种是永久的 s_{ij} 变化和不改变符号的 φ_i 变化，第四种是永久的改变符号的 φ_i 变化。第一种情形对博弈的最终均衡没有影响，只是博弈次数不同；第二种和第三种情形影响博弈的均衡点，即影响最终的均衡收益，但能够取得惟一的均衡这一结论也没有变化；第四种情形则可能导致最终均衡模式发生变化，从惟一转为多重，或者反之。

在四种情形下，两面调整战略都是子博弈精炼的，即使是第四种情形中 φ_i 符号相异的情况下，该战略只是不能保证最终均衡的惟一性，但能保证最终达到某个均衡，具体是哪个均衡可由双方约定或者随机决定。

引入环境扰动后，我们发现两面调整战略虽然是子博弈精炼的，

但在扰动出现时，很可能导致博弈次数的增加（双方进入惩罚均衡后博弈重新开始，而这一结果并不是任何参与国的偏离行动所导致），这种情况在现实中是任何国家都希望避免的。我们需要找到一个战略使遭遇扰动后的均衡结果得到进一步精炼（除了第四种情形），该战略必须能够使参与国从对方蓄意降低本国收益、永久性扰动、暂时性扰动三种情况中甄别出暂时性扰动，并使其对博弈的影响尽量减少。引入如下战略：

定义：两面缓慢调整战略。定义双方由正文⑦式给出的阶段最优收益为 (x_i, x_j)，如果 t 阶段参与人 i 的收益不小于上一阶段，那么：（1）当参与人 j 的收益水平小于 x_j，则参与人 i 在 $t+1$ 阶段将选取可增进对方可行收益的行动，但不使其大于 E_j；（2）当 t 阶段参与人 j 的收益水平等于 E_j，参与人 i 将在 $t+1$ 阶段保持 t 阶段的行动不变；如果 t 阶段参与人 i 的收益低于上一阶段，且直至 $t+N$ 阶段该情况没有得到改善，则他在 $t+N+1$ 阶段将采取惩罚性的纯对抗行动，而在 $t+1$ 至 $t+N$ 阶段内保持 t 阶段行动不变。由于（对抗，对抗）本身是一个子博弈精炼纳什均衡，因此，这一惩罚是可信的。

93

从该战略的定义可看出，如果扰动是非蓄意的，那么在事先约定的次数 N（我们称之为观察期）的约束下，暂时性的扰动可以被排除影响，从而降低博弈次数。前提是 N 符合暂时扰动持续时间的一般规律，至少 N 是双方都能接受的。对该战略的进一步引申是探讨当扰动出现时，如果一方预测该扰动很可能持续时间大于等于 N，那么该方应采取措施增进对方收益以抵消扰动影响，减少博弈次数。本章不打算讨论这一点。

分析缓慢调整战略可以发现，该战略允许博弈双方利用约定观察期采取机会主义行动，如一方有意采取行动使自己的收益增加，损害对方利益，只要这一行动持续的次数不大于 N 次，就能够博取更多的收益而不引发一轮惩罚。这一潜在的机会主义风险给双方收益带来的损失，在满足一定条件的前提下（限定扰动出现的概率范围和 N），将少于不选用缓慢调整而选用调整战略的收益损失。这一结论将在附录中得到证明。

第三节　模型解释与应用

在第二节中我们给出了各种条件下的模型均衡收益，这些收益所代表的两国行动大多不是纯对抗或纯合作，而是以一定概率采取对抗与合作，即混合战略。因此，模型均衡的含义就是两国各自以一定的概率采取合作与对抗行动，从而获得双方在长期都能接受的期望收益。现实中，这种混合战略可解释为在某些领域内合作，某些领域内对抗，或者是在某些时期合作，某些时期对抗。这种模棱两可的行动方式可保证当有需要时，各国都能通过调节各种行动的概率来达到自己预期的结果。

模型结论应用到新兴大国崛起的现实中来，很自然地可以得出结论：新兴大国崛起的最优战略是"和平崛起"，即无论是新兴大国还是现有大国都采取一种"合作"概率较大的态度，新兴大国在"和平"的时代背景下和在"和平"的目标下，实现"崛起"和"赶超"。但是当现有大国觉得新兴大国的崛起对其是一种挑战，甚至于这种挑战会动摇它的地位时，现有大国就会采取一定程度的"对抗"态度，即使没有战争，新兴大国也要面对新一轮的冷战，或者说经济上的遏制。扩展后的模型表明，出于对政治力量对比的担忧，现有大国完全有可能采取比不考虑政治力量更倾向于对抗的混合战略，并在该处达到均衡。

本节对第二节所建立的模型及其结论进行解释，将引用一些案例来佐证我们的结论。需要注意的是，模型隐含的基本假设是"国家作为一个整体是一个参与人"、国内有一个稳定的政治经济环境、各国具有良好的国内发展战略等，所有结论的成立依赖于这些假设，也就是说，我们的分析聚焦在于：在新兴大国国内发展良好的前提下，如何根据其所面临的国际政治经济形势选择合适的崛起战略。

一、新兴大国崛起的最优战略——"和平崛起"

在大国博弈模型中，两面缓慢调整战略是一种最优战略。在此战略下，无论是与现有大国的博弈，还是与其他新兴大国或者是其他小国博弈，在"和平"的时代背景下，新兴大国的最优战略是"和平崛起"，实现"友好赶超"。

"和平崛起"是由中国领导人和学者在面对国际社会的担忧和质疑，结合国情和所处的国际环境首创的一个概念，对于 $BRICs$ 的其他三个国家或者是更多亟待发展的国家而言，和平崛起都是一个最优的选择。

纵观历史，每一个强国的崛起都经历了扩张过程。但是，越到近代，这种扩张越显得平和。例如在美国崛起的过程中，孤立主义和特殊的地理位置使得美国远离欧洲霸权斗争、殖民地争夺和世界大战战场，避免了战争带来的毁灭性伤害，当时的霸主英国的外交重点也始终放在争夺欧洲霸权及殖民地的斗争中，最终导致世界霸权在二战后"和平"地移交给了美国。

事实上，和平崛起与其说是新兴大国的最优崛起战略，不如说是其迫于形势的惟一崛起战略。对现有大国—新兴大国博弈的等政治力量收益曲线斜率的讨论即可得出以上结论。

影响博弈均衡的因素主要有以下几个：边际政治力量演变倾向 φ_i、i 国与 j 国的经济往来对 i 国经济增长的贡献度 s_{ij} 以及双方的政治力量 p_i，p_j。近代和现代最大的区别就在于贡献度 s_{ij} 上。近代受国际分工水平、交通工具的限制，经济往来较少，从而 $\sum_{j\neq i} s_{ij}$ 很小，对其他国家资源的掠夺，比如殖民和战争，比与其他国家的经贸往来的收益大得多。一个国家的崛起更多的是靠自身的经济发展和对其他国家的资源掠夺。对英国的崛起来说，与任何国家的合作都是相对次要的。同时代的西班牙、葡萄牙等国意识到英国的发展对其构成巨大威胁，也展开了一系列的贸易和军事上的斗争，但均未能止住英国崛起的进程。相反，在与这些国家的战争中，胜利的英国获得了更多的殖民地、更多的资源，崛起的步伐反而加快。

随着技术的日新月异，各国之间的经贸往来突破了空间的限制而日益密切，s_{ij} 得到了空前的提高，一个闭关锁国的国家是无论如何也发展不起来的。二战后随着殖民时代的结束，虽然不公平贸易依然存在，但纯粹依靠掠夺的发展已不再可能。一个国家的任何战

95

略选择都必须考虑与其他国家的博弈，这就使问题回到了上述博弈模型的结论。

s_{ij} 在本模型对博弈双方均衡格局的解释中承担了重要角色，结论也与一般的常识有所区别。s_{ij} 对均衡格局的影响在大多数情况下是与其他参数共同作用的结果。在第二节的比较静态分析已经指出，从战略决策的高度来考虑，当某国对本国的经济贡献率很大（即对本国经济具有举足轻重的影响）时，应有意识地在当前抑制该国的发展，以避免未来遭受其强大势力的左右。这一结论是比较静态分析的结果，当用来解释现有大国对新兴大国的态度时，由于现有大国的政治力量 p_i^T 较大，现有大国只需把注意力放在 s_{ij} 上，从而该结论是正确的。如果考虑新兴大国，分析就需要结合政治力量 p^T 来进行。下面以中印、中美关系为例来解释这一区别。

当代"一超多强"格局在短期内不会有大的变化。这个格局对BRICs的崛起将产生重大影响。BRICs在分析世界形势和确定自己的战略时都不得不把美国作为最重要的博弈对象，即各国都认为在所有的 s_{ij} 中，$s_{i美}$ 是最大的，但与此同时 p_i^T 与美国政治力量相比却很小，于是，⑦式给出的关系清楚地告诉我们，$p_i^T s_{i美}$ 并没有因为 $s_{i美}$ 较大而变得很大，从而与某水平的本国均衡收益相对应的美国均衡收益并不会很小，也意味着本国不会采取较高水平的对抗策略。可见，各国都不希望在崛起的过程中跟美国发生冲突，都希望能跟美国形成各种形式的"伙伴"关系，从而为自己的发展带来有利的外部环境。

各国对美国的态度甚至能影响到对其他国家的态度。中印关系就是明显的例子，中国经济腾飞比印度早十多年，综合国力等经济指标以及政治（军事）实力都比印度出色，因此中印博弈是不对称的。如果不考虑其他因素，单阶段博弈下"不合作"时，相对小的国家损失更大，从而相对小的印度应该主动示好，更不会向中国发起直接挑战。但事实上，改革开放以来，中国在中印问题上退让较多，很难说这是最优的均衡解。这样的均衡结构部分可归结为受历史、宗教等因素的影响，但更重要的是美国因素。

首先，由于地缘政治关系，美国尤其看重印度对中国的牵制甚至是抗衡作用。这意味着印度可从美方获取军事技术和其他支持，因此印度有理由认为美印合作所得远比中印合作所得重要得多。其次，从双边贸易上看，中印之间的贸易额相比较美印之间小得多，因此就有 $\dfrac{S_{印美}}{S_{美印}} > \dfrac{S_{印中}}{S_{中印}}$，从战略决策角度考虑印度似乎应该更倾向于和中国合作，因为美国对印度的潜在威胁更大。可是一旦考虑政治力量对比情况就发生变化了，因为 $\dfrac{p^T_{印}}{p^T_{美}} < \dfrac{p^T_{印}}{p^T_{中}}$，从而有

$$\frac{p^T_{印}}{p^T_{美}} \frac{S_{印美}}{S_{美印}} < \frac{p^T_{印}}{p^T_{中}} \frac{S_{印中}}{S_{中印}} \qquad ⑧$$

所以在印度既定的均衡收益水平上，印美博弈中的美国均衡收益要大于印中博弈中的中国均衡收益，这就导致上述的现象。

但是，随着中国崛起步伐的加快，$p^T_{中}$ 越来越大，⑧中的右端逐渐变小，因此中印博弈的中国均衡收益正在逐渐上升，表现为印度对华政策的逐渐调整，这就很好地解释了 2003 年以来印中关系的改善。

以上分析表明，在 BRICs 之间、BRICs 与现有大国博弈关系是不稳定的，无时无刻不受到美国因素的影响，也无时无刻不受到博弈双方力量动态变化的影响。事实上，考虑了美国因素，博弈已不是双方博弈，而是三方或者是更多方的博弈。因此，本书的博弈模型只是提供了一种看待国与国之间关系和战略选择的视角，到底如何博弈以及最终的均衡在哪里，则远比模型描述得复杂。和平崛起是新兴大国崛起的最优战略，但和平崛起并不是惟一的均衡，是否能达到这个均衡还需要考虑现有大国尤其是美国对新兴大国的态度等因素。

二、新兴大国崛起的国际风险——"新的冷战"、"恶性竞争"

引入政治（军事）力量的博弈模型描述了这样一种情况：如果双方或者是一方认为对方是偏好扩张的，会对自身的发展带来威胁，则双方或者是一方会采取"不合作"的策略，抑制对方在经济上的收益，从而抑制对方在政治（军事）力量上的增强，这将导致"新的冷战"。同时，在博弈的过程中，如果双方都认为这是一个零和博

弈，或者对方的收益会在一定程度上降低自身的收益，则可能进入"囚徒困境"，或者说"恶性竞争"。

新兴大国崛起过程中"新的冷战"发生的原因有三种：一是新兴大国本身偏好扩张；二是现有大国认为新兴大国偏好扩张；三是扰动的影响。

在现实的博弈中，即使新兴大国是偏好扩张的，它也会认识到"刻意地误导其他国家，降低对其 φ_i 的估计是有利可图的"这个事实，从而故意隐瞒其偏好，导致信息不完全。所以更多情况下 φ_i 是一个主观信念，即其他国家对 i 国的边际政治力量演变倾向 φ_i 的估计。这个估计一方面受到博弈过程中 i 国所传递信息的影响，另一方面也受到历史、意识形态以及宗教等因素的影响。美苏冷战的根本原因正是意识形态的截然对立，双方都认为对方是偏好扩张的，即 $\varphi_美$、$\varphi_苏$ 或者是 $\varphi_资$、$\varphi_社$ 都超过了合理的可接受范围，双方都认为对方的发展会给自身带来威胁，这一范围的含义在附录命题二的证明过程中进行了较详细的讨论。在新兴大国崛起的过程中，这种情况也是可能发生的，即新兴大国的崛起可能会面对"新的冷战"。

以中美博弈和印美博弈为例。由于中美之间的历史因素以及意识形态的影响，美国认为相对于印度的崛起，中国的崛起对其威胁更大。即 $\varphi_中$ 大于 $\varphi_印$。所以在中美博弈中，美国更趋向于遏制中国的发展，即使这样的遏制对美国利益也有损害。而在美印博弈中，美国则趋向于扶持印度的发展，不仅双方的经济收益都达到了最优点，还使得印度在中印博弈中也趋向于"不合作"，更进一步地遏制了中国的发展，达到双重效果。

此外，如果参与博弈的国家没有采取缓慢的调整战略，对任何一次的"扰动"都立刻采取惩罚，这将大大增加"新冷战"发生的可能性。在一般的调整战略下，如果某新兴大国 i 在某一个博弈或者某一次博弈中显得十分不友好，或者是由于一些偶然因素的影响，使得其他所有的博弈对象都认为该国是偏好扩张的，即都认为 φ_i 超出了可接受的范围，则不论是现有大国，还是 BRICs 中的其他新兴大国，都会对其保持一种审慎的态度，宁愿适当牺牲当前合作所带来的利益，尽量压低其经济增长，以保证自身的安全和长远利益。

恶性竞争的例子更是比比皆是。经济的发展一方面解决了产品稀缺问题，另一方面导致要素稀缺和市场稀缺，所以各国对要素和市场的争夺越来越成为其战略发展重点。以石油为例，作为最重要的能源，石油不仅是最终消费品也是生产要素，石油紧缺将严重影响经济发展，因此面对石油稀缺的现实，各国都试图占有尽可能多的石油资源；又如资本要素，如何吸引尽可能多的外资也是 BRICs 未来发展应重点考虑的问题，由于经济条件和市场结构比较接近，外资争夺战很可能由各国政策主导，而非市场主导；而频频发生的贸易争端本质上都是对稀缺市场的争夺战。

综上所述，在新兴大国的崛起过程中，新兴大国将面临"新的冷战"和"恶性竞争"的国际风险。新兴大国一方面应尽量避免与其他国家的冲突，保持适当的低调；另一方面在发生意外扰动时，应该立即对其做出合理的解释，以避免其他国家的误解，"开明外交"才能为自身的发展带来有利的外部环境和有利的博弈均衡。

99

三、新兴大国崛起的国内风险和国内战略

本章的模型假设国家作为一个整体是一个参与人，同时还假定有国内稳定的政治经济环境和恰当的发展战略，这样的假定是为了模型分析的简化，并不是国内情况不重要，相反，这些假定是上述模型结论成立的前提。

首先，国家作为一个整体的假设意味着抽象了国内的政治问题。现实中，由于党派的对立，一个国家的战略选择是党派或利益集团出于自身利益考虑的选择。此时的两国博弈，双方的收益函数应当是党派或利益集团的收益函数。假设"合作"给利益集团 A 带来了正的收益，给利益集团 B 却带来了负的收益，到底是否采用"合作"，则取决于利益集团 A 和 B 的力量对比，如经济实力对比或政治影响力对比等等。总之，最后"国家"选择的行动是各利益集团之间博弈的结果。这种分析就是"双层次博弈"[①]。本文的研究立足于国际环境和世界格局，因此并没有引入双层次博弈的概念。我们

---

① 对双层次博弈的研究，最早见诸于美国学者罗伯特·D·普特南 1988 年发表的文章《外交和国内政治：双层次博弈的逻辑》，旨在分析国际政治和国内政治何时和如何发生互动。

这样的简化是可取的，在必要的时候，可以把各个党派或利益集团的利益函数的加权平均当做模型中的利益函数，转化后就可以进行相同的分析。

考虑极端的情况：一国内部各党派或利益集团的收益函数的加权平均在行动点上都为0。此时的博弈如何进行？显然，这是一个国内党派或利益集团完全对立的情况，即在国内是一个零和博弈，那么在与其他国家博弈的过程中，该国采取何种行动完全是一个随机事件，博弈也就没有固定的均衡点。但更现实的情况是，各个党派和利益集团之间总是有某些共同利益，只是多少的问题，所以总能找到一个均衡点。在这个点上，双方都得到了满足，从而在与其他国家的博弈中，该国以一个整体的形象出现，作为前后一致的参与人，博弈对方可以观察并预测其战略，从而找到一个均衡点。

其次是稳定的政治经济环境、良好的国内发展战略的假设。模型假设了每个国家都具有一定的增长率，如果新兴大国想要赶超现有大国，显然要具有较高的增长率。现实中，要达到较高的增长率，国内稳定的政治经济环境、恰当的发展战略显然是必须的。当然，这个"稳定"和"恰当"都是相对的概念，并没有确切的量化指标来衡量，本书只能定性地给出一些条件：(1) 没有战争①。战争对经济和环境的破坏是巨大的。(2) 稳定的宏观经济环境，主要以通货膨胀率来衡量。通货膨胀将影响储蓄、投资和消费，而投资和消费是经济发展的关键动力。(3) 对外开放。全球化是不可逆转的趋势，闭关自守的国家在当今时代是无法发展甚至是无法生存的。贸易和投资的开放可以提供经济发展所必需的"投入"，新技术的引进可提高生产率，全球市场可提供充足的需求。

当然，阻碍新兴大国崛起的其他国内因素还有很多，如2003年爆发的 SARS 对中国经济形成了巨大冲击。只有成熟高效的政府才能化解或者缓和这些冲击。总之，新兴大国的崛起必须立足于良好的国内政治、经济和社会环境。

---

① 这里的战争概念是指发生在本土的破坏性战争。比如 A 国攻打 B 国，对 B 国而言是一场战争，而对 A 国而言，很可能只是"军事消费"，即除了军事上的投资外，对 A 国不构成任何损失。如海湾战争、科索沃战争、伊拉克战争对美国而言就不在此列。

附　录

命题一 两面调整战略是引入政治力量后完全信息重复博弈的子博弈精炼纳什均衡，经过足够多的重复次数，只要 δ 在合适的范围内取值，双方的阶段收益可稳定在 $(p_1 u_{11}, p_2 u_{11}^*)$。

证明：

令 e_i 和 E_i 分别代表 i 国在双方纯对抗战略时和纯合作战略时的收益，其中 (e_1, e_2) 是阶段博弈 G 的纳什均衡，代表了图 3-2 的点 C $(p_2 u_{22}, p_1 u_{22}^*)$，$(E_1, E_2)$ 则代表了图 3-2 的点 A $(p_1 u_{11}, p_2 u_{11}^*)$。令 e_{ti} 代表 i 国在 t 阶段的收益，(e_{t1}, e_{t2}) 对应的行动为 (a_{t1}, a_{t2})，每一阶段的行动允许是混合战略，δ 为收益贴现因子。双方采用两面调整战略，战略如正文所定义。

首先证明当 δ 取到合适的值时，两面调整战略是无限重复博弈的纳什均衡。

考虑在 t 阶段 i 国的选择。由于 j 国采取两面调整战略，那么只要 t 阶段 j 国的收益低于 $t-1$ 阶段，j 国就将在 $t+1$ 阶段选取纯对抗战略，此时 i 国的最优反应是在 $t+1$ 阶段也选择纯对抗，因为（对抗，对抗）是 G 的纳什均衡。如果 t 阶段 j 国收益不小于 $t-1$ 阶段，我们就需要确定 i 国的最优反应。令 a_{di} 为 $t+1$ 阶段 i 国在 j 国收益 $e_{tj} \geqslant e_{(t-1)j}$ 情况下的最优偏离行动，且 i 国的这一最优偏离行动导致 j 国收益在 $t+1$ 阶段小于 t 阶段（否则不可称之为偏离），d_i 为 i 国的最优偏离行动在 $t+1$ 阶段为其所带来的偏离收益（我们只要考虑能给 $t+1$ 阶段带来最大阶段偏离收益的行动即可）。显然我们有 $e_i < d_i < E_i$，$e_i \leqslant e_{ti} \leqslant E_i$。

根据两面战略的定义可知，i 国的这一行动将导致 j 国在 $t+2$ 阶段采取报复，i 国知道这一点，在 $t+2$ 阶段也会选择对抗，从而博弈将从（对抗，对抗）开始。只有当 i 国确信偏离带来的最大收益不大于不偏离带来的最小收益时，i 国才会选择继续增加合作倾向。

$$V_{di} = d_i + \delta e_i + \frac{\delta^2 E_i}{1-\delta} \qquad \textcircled{1}$$

①代表了 i 国最优偏离收益。所谓最优偏离收益，首先指该偏离能带来本阶段的最大偏离收益，同时还能在 $t+2$ 阶段就跳到 (E_1, E_2)（虽然这未必一定能实现，但确实是可能的最大收益）。

$$V_{ti} = \frac{e_{ti}}{1-\delta} < e_{ti} + \delta e_{t+1,i} + \delta^2 e_{t+2,i} + \cdots + \delta^{m-1} e_{t+m-1,i} + \frac{\delta^m E_i}{1-\delta} \qquad ②$$

②式的右边是 i 国从 $t+1$ 阶段开始继续增加合作倾向直至到达 (E_1, E_2) 所获得的总收益，m 为从 e_{ti} 开始逐渐向 E_i 靠拢所需的阶段数。左边则代表 i 国从 $t+1$ 阶段开始始终把收益稳定在 t 阶段的总收益。显然不等式是成立的。该不等式表明，左边是 i 国选择不偏离的最小收益。只要满足①<②，即：

$$d_i + \delta e_i + \frac{\delta^2 E_i}{1-\delta} < \frac{e_{ti}}{1-\delta} \qquad ③$$

i 国将选择继续增加合作倾向，而不会选取偏离行动。

整理不等式③可得：

$$\delta^2 + \frac{e_i - d_i}{E_i - e_i}\delta + \frac{d_i - e_{ti}}{E_i - e_i} < 0$$

配方可得：

$$\left(\delta - \frac{d_i - e_i}{2(E_i - e_i)}\right)^2 < \frac{(d_i + e_i)^2 + 4e_{ti}(E_i - e_i) - 4d_i E_i}{4(E_i - e_i)^2} \qquad ④$$

我们定义 $\omega \triangleq (d_i + e_i)^2 + 4e_{ti}(E_i - e_i) - 4d_i E_i \geqslant 0$，从而使不等式④成立的 δ 应在下列范围取值：

$$\frac{d_i - e_i - \sqrt{\omega}}{2(E_i - e_i)} < \delta < \frac{d_i - e_I + \sqrt{\omega}}{2(E_i - e_i)} \qquad ⑤$$

由于

$$\omega = (d_i + e_i)^2 + 4e_{ti}(E_i - e_i) - 4d_i E_i$$
$$\leqslant (d_i + e_i)^2 - 4d_i E_i + 4E_i^2 - 4E_i e_i$$
$$= (d_i + e_i - 2E_i)^2$$

等号在 $e_{ti} = E_i$ 时取到，如果 $d_i + e_i - 2E_i < 0$ 即 $E_i > \frac{d_i + e_i}{2}$，则：

$$0 \leqslant \sqrt{\omega} \leqslant 2E_i - d_i - e_i \qquad ⑥$$

把⑥带入⑤的两端，有：

$$0 \leqslant \frac{d_i - E_i}{E_i - e_i} \leqslant \frac{d_i - e_i - \sqrt{\omega}}{2(E_i - e_i)} \leqslant \frac{d_i - e_i}{2(E_i - e_i)}$$

$$\frac{d_i - e_i}{2(E_i - e_i)} \leqslant \frac{d_i - e_i - \sqrt{\omega}}{2(E_i - e_i)} \leqslant 1$$

δ 的取值范围如图 3-4 所示：

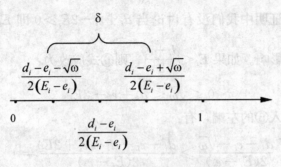

图 3-4　贴现因子 δ 的取值范围

只要 δ 处于如上的取值范围，当 t 阶段 j 国收益不小于 $t-1$ 阶段时，i 国的最优反应是增加合作倾向，在 $t+1$ 阶段采取能增进 j 国收益的行动。

以上决策过程对任意 $t \geqslant 1$ 均成立，从而根据两面调整战略，双方收益将随着博弈阶段的重复而逐渐提高，直至达到（E_1，E_2），并稳定在该点重复进行。

以上结论对 j 国也成立。同时考虑两个国家，可得 δ 的取值范围

令：
$$\delta_l = \max \left\{ \frac{d_i - e_i - \sqrt{\omega}}{2(E_i - e_i)}, i = 1, 2 \right\},$$

$$\delta_r = \min \left\{ \frac{d_i - e_i + \sqrt{\omega}}{2(E_i - e_i)}, i = 1, 2 \right\}$$

则：
$$\delta \in \{\delta_l < \delta < \delta_r\}$$

从而两国均采用两面调整战略是该无限重复博弈的纳什均衡。

现在证明这一纳什均衡是子博弈精炼的，即两面调整战略在每一个子博弈都是纳什均衡。在两面调整战略纳什均衡中，所有的子博弈可分为两类：一类是前面的各阶段双方都没有发生偏离，那么我们已经证明了两面调整战略是纳什均衡；一类是在前面的某一阶段有一方发生偏离，在两面调整战略下，双方的博弈将从（对抗，对抗）重新开始，此时，任何一方面临的决策与上面所证明的过程还是一样，因此两面调整战略也是纳什均衡。因此，两面调整战略

在无限重复博弈中所达到的均衡是整个无限重复博弈的子博弈精炼纳什均衡。

接下来我们继续考察 δ 取值的问题。δ 取值范围如图 3-4 所示，但在以上的证明中我们没有讨论当 $d_i + e_i - 2E_i > 0$ 即 $E_i < \dfrac{d_i + e_i}{2}$ 时对 δ 取值的影响。如果 $E_i < \dfrac{d_i + e_i}{2}$，则⑥式应改为：

$$0 \leqslant \sqrt{\omega} \leqslant d_i + e_i - 2E_i \qquad\qquad ⑦$$

把⑦代入⑤的左端，有：

$$\frac{d_i - e_i - \sqrt{\omega}}{2(E_i - e_i)} \geqslant \frac{d_i - e_i - d_i - e_i + 2E_i}{2(E_i - e_i)} = 1$$

这直接导致 $\delta > 1$，不符合最初的假设。从另一个角度来看，如果 $E_i < \dfrac{d_i + e_i}{2}$，那么只有 $\delta > 1$ 才能使两面调整战略成为纳什均衡。

104 因此，为了保证 $E_i < \dfrac{d_i + e_i}{2}$，需要限定图 3-2 中四个端点的相互关系。令 D_i 为 i 国在以对抗策略对应对方合作策略时的收益，在图3-2中为第二象限或第四象限的端点值，可知任何 $d_i < D_i$。两面调整战略在无限重复博弈中要成为子博弈精炼纳什均衡战略，博弈双方的收益函数均需满足以下条件：

$$E_i > \frac{D_i + e_i}{2}, (i = 1, 2)$$

该条件说明并非任意的国家在与别国博弈时能够达到非对抗的均衡，或者我们可以认为，不满足以上条件的国家是非正常国家。

证毕。

命题二 引入可预见的政治力量演变后，只要最优阶段收益和贴现率满足一定的条件，两面调整战略仍然是每一个部分博弈的子博弈精炼纳什均衡，经过足够多的重复次数，每部分博弈的阶段收益可稳定在由等政治力量收益曲线（集合）给出的最大收益。

证明：

由正文⑦式给出的满足政治力量演变条件的部分博弈均衡收益曲线为

$$x^* = \frac{\varphi_1 s_{21} p_2^T}{\varphi_2 s_{12} p_1^T} x + \frac{s_{21}(1-\delta)(c_1 p_2^T - c_2 p_1^T)}{\varphi_2 p_1^T}$$

$$(p_2^T u_{22} \leqslant x \leqslant p_1^T u_{11}, p_1^T u_{22} \leqslant x^* \leqslant p_2^T u_{11}^*)$$

正文中已经给出了该式的推导。

(1) 当 $\varphi_1/\varphi_2 > 0$ 时

令

$$(x_i, x_j) = \max\{(x, x^*) \mid x^*$$

$$= \frac{\varphi_1 s_{21} p_2^T}{\varphi_2 s_{12} p_1^T} x + \frac{s_{21}(1-\delta)(c_1 p_2^T - c_2 p_1^T)}{\varphi_2 p_1^T},$$

$$(p_2^T u_{22} \leqslant x \leqslant p_1^T u_{11}, p_1^T u_{22} \leqslant x^* \leqslant p_2^T u_{11}^*)\}$$

且 $x_i > \dfrac{D_i + e_i}{2}$，$x_j > \dfrac{D_i + e_i}{2}$，那么只需用 (x_i, x_j) 取代 $(E_i,$

$E_j)$，那么采用与命题一相同的方法即可证明两面调整战略均衡在每个部分博弈中仍然是子博弈精炼纳什均衡，且 δ 的取值范围是 $\delta \in \{\delta_l < \delta < \delta_r\}$，其中：

$$\delta_l = \max\left\{\frac{d_i - e_i - \sqrt{\omega}}{2(x_i - e_i)}, (i = 1, 2)\right\},$$

$$\delta_r = \min\left\{\frac{d_i - e_i + \sqrt{\omega}}{2(x_i - e_i)}, (i = 1, 2)\right\}$$

两个端点的范围分别是：

$$0 \leqslant \frac{d_i - x_i}{x_i - e_i} \leqslant \frac{d_i - e_i - \sqrt{\omega}}{2(x_i - e_i)} \leqslant \frac{d_i - e_i}{2(x_i - e_i)}$$

$$\frac{d_i - e_i}{2(x_i - e_i)} \leqslant \frac{d_i - e_i + \sqrt{\omega}}{2(x_i - e_i)} \leqslant 1, 其中 i = 1, 2$$

(2) 当 $\varphi_1/\varphi_2 < 0$ 时

正文的⑦式是一条斜率为负的直线，x_i 和 x_j 不能同时取到定义域内的最大值，但却存在各自的、满足 $x_i > \dfrac{D_i + e_i}{2}$ 和 $x_j > \dfrac{D_j + e_j}{2}$ 的最大值，令它们为 x_i^* 和 x_j^*，我们考虑 i 国的决策，如果不选择偏离，必须有：

$$d_i + \delta e_i + \frac{\delta^2 x_i^*}{1-\delta} < \frac{e_{ti}}{1-\delta}$$

两面调整战略使双方的阶段收益逐渐上升，但必须注意到这一结果是双方都把 x_i^*（x_j^*）作为其最终"均衡收益"并进行决策的结果，在双方的收益组合满足正文⑦式之前，这一趋势不会有变化。最终双方将在正文⑦式决定的直线获得一个收益组合，但这一收益组合不是惟一的，所有满足正文⑦式以及 $x_i > \dfrac{D_i + e_i}{2}$ 和 $x_j > \dfrac{D_j + e_j}{2}$ 的 (x_i, x_j) 都是可能的均衡收益组合，从而两面调整战略仍然是子博弈精炼纳什均衡。此时相应地有 $\delta \in \{\delta_l < \delta < \delta_r\}$，其中 $\delta_l = \max$ $\left\{ \dfrac{d_i - e_i - \sqrt{\omega}}{2 \, (x_i^* - e_i)}, \ (i=1, \ 2) \right\}$，$\delta_r = \min\left\{ \dfrac{d_i - e_i + \sqrt{\omega}}{2 \, (x_i^* - e_i)}, \ (i=1, \ 2) \right\}$，两个端点的范围分别是：

$$0 \leqslant \frac{d_i - x_i}{x_i^* - e_i} \leqslant \frac{d_i - e_i - \sqrt{\omega}}{2(x_i^* - e_i)} \leqslant \frac{d_i - e_i}{2(x_i^* - e_i)}$$

$$\frac{d_i - e_i}{2(x_i^* - e_i)} \leqslant \frac{d_i - e_i + \sqrt{\omega}}{2(x_i^* - e_i)} \leqslant 1$$

$$其中 \ i = 1, 2$$

证毕。

命题三 博弈双方采用两面缓慢调整战略，只要观察期 N 足够小，该战略能保证对方潜在的机会主义给己方带来的收益损失少于选用两面调整战略的收益损失。

证明：

考虑 i 国的收益情况。

如果在 t 至 $t + N - 1$ 阶段 j 国采取了机会主义的行动，即蓄意偏离，每阶段都给 i 国带来了损失，我们定义这些损失中最大的为 L_i，j 国在 $t + N$ 阶段恢复正常行动，那么这 N 阶段中 i 国最多共损失了 NL_i。由于 $L_i \leqslant D_i - e_i$，D_i 为 i 国在以对抗策略对应对方合作策略时的收益，从而有 $NL_i \leqslant N \, (D_i - e_i)$。

如果 i 国采用两面调整战略，那么当 t 阶段 j 国行动发生偏离时，i 国在 $t + 1$ 阶段立刻采取纯对抗行动，j 国知道 i 国的必然反映，在 $t + 1$ 阶段也采取纯对抗，从而双方从（对抗，对抗）开始继续博弈。因此两面调整战略在遇到偏离行为时给 i 国带来的收益损失是：

$$\left(e_t + \delta e_{t+1} + \cdots + \delta^{m-1} e_{t+m-1} + \frac{\delta^m x_i}{1 - \delta} \right) -$$

$$\left(e_t + \delta e_i + \delta^2 e_{i+1} + \cdots + \delta^n e_{i+n-1} + \frac{\delta^{n+1} x_i}{1-\delta} \right)$$

其中 x_i 表示正文⑦式决定的 i 国可获得的最高收益，m 代表从 e_t 到 x_i 所需的博弈阶段数，n 代表从 e_i 到 x_i 所需的博弈阶段数。该损失最小的时候为以下的情况：如果 j 国行动不偏离，i 国永远获取 e_t，如果 j 国偏离，i 国的收益到 e_i 后直接跃至 x_i 并永远获得该收益，从而有：

$$\frac{e_t}{1-\delta} - \left(e_t + \delta e_i + \frac{\delta^2 x_i}{1-\delta} \right)$$

要使 j 国潜在的机会主义给 i 国带来的收益损失少于选用两面调整战略的收益损失，应保证最大的机会主义损失小于等于最小的两面调整战略收益损失。设 p 为暂时性扰动出现的概率，e_s 为本部分博弈 i 国的起始收益，那么最小的两面调整战略收益损失为：

$$\frac{\delta e_s}{1-\delta} - \left(\delta e_i + \frac{\delta^2 x_i}{1-\delta} \right) \leqslant \frac{e_t}{1-\delta} - \left(e_t + \delta e_i + \frac{\delta^2 x_i}{1-\delta} \right)$$

于是有：

$$N(D_i - e_i) \leqslant p \left[\frac{\delta e_s}{1-\delta} - \left(\delta e_i + \frac{\delta^2 x_i}{1-\delta} \right) \right] + (1-p) \cdot 0$$

$$N \leqslant \frac{p \left[\frac{\delta e_s}{1-\delta} - \left(\delta e_i + \frac{\delta^2 x_i}{1-\delta} \right) \right]}{(D_i - e_i)}$$

上式表明 N 与扰动概率成正比，较高的初始博弈收益可采取较长的观察期，较小的最大、最小收益差距可采取较长的观察期。

令 N^* 为满足上式的最大正整数，则任取 $N < N^*$ 为观察期，双方采用两面缓慢调整战略，可保证对方潜在的机会主义给己方带来的收益损失少于选用两面调整战略的收益损失。

证毕。

参考文献

1. Abreu, D. 1986: "Extremal Equilibria of Oligopolistic Supergames", *Journal of Economic Theory* 39: 191~225.

2. Evans, Graham and Newnham, Jeffrey 1998: *Dictionary of International Relations*, Penguin Putnam Inc.: New York, NY.

3. Friedman, J. 1971: "A Non-cooperative Equilibrium for Supergames", *Review of Economic Studies* 38: 1~12.

4. Gardner, Roy 1995: *Games for Economics and Business*, John Wiley & Sons, Inc.: New York, NY.

5. Hector Correa: "Game Theory as an Instrument for the Analysis of International Relations",《立命馆国际研究》14~2, October 2001: 187~208.

6. Intriligator, Michael D. and Brito, Dogobert L. 1990: "Arms Race Modeling: A Reconsideration", in Gleditsch, Nils P. and Njolstad, Olav (eds.), *Arms Races: Technological and Political Dynamics*, Sage Publications: Newbury Part, CA.

7. Jepma, Catrinus J., Jager, Henk and Kamhuis, Elise 1996: *Introduction to International Economics*, Longman Publishing: New York, NY.

8. O'Neil, Barry 1994: "Game Theory Models of Peace and War", *Handbook of Game Theory*, Vol 2, Aumann, Robert and Hart, Sergiu, Springer-Verlag: New York, NY.

9. 张维迎:《博弈论与信息经济学》，上海人民出版社、三联出版社 1996 年第 1 版。

10. 罗伯特·吉本斯:《博弈论基础》,中国社会科学出版社1999年第1版。

11. 朱·弗登博格、让·梯若尔:《博弈论》,中国人民大学出版社2002年10月第1版。

12. 塞缪尔·亨廷顿:《文明的冲突与世界秩序的重建》,新华出版社1998年3月第1版。

13. 刘剑平:《当代国际经济关系政治化问题研究》,人民出版社2002年12月第1版。

14. 俞正梁等:《大国战略研究:未来世界的美、俄、日、欧和中国》,中央编译出版社1998年10月第1版。

15. 薄燕:"双层次博弈理论:内在逻辑及其评价",《国际政治》2003年第10期,第33~40页。

16. 王传兴:"'双层次博弈'理论的兴起和发展",《世界经济与政治》2001年第5期,第36~39页。

17. 唐世平:"中国——印度关系的博弈和中国的南亚战略",《世界经济与政治》2000年第9期,第24~29页。

18. 彼得·卡赞斯坦、罗伯特·O·基欧汉、斯蒂芬·克莱斯勒:"IPE的发展历程",《世界经济与政治》2002年第1期,第5~10页。

19. 阎学通:"和平的性质",《世界经济与政治》2002年第8期,第4~9页。

20. 苏长和:"即将到来的大国冲突?",《世界经济与政治》2003年第4期,第73~76页。

21. 孙哲:"结构性导航:中国'和平崛起'的外交新方略",《世界经济与政治》2003年第12期,第58~63页。

第四章 新兴大国崛起的
国际政治经济学分析

目前的国际格局是在军事上只有美国一极，经济上是美、日、欧三强鼎立，在全球问题上则是所有国家和一些非政府组织都在发挥作用，有大量问题都不是美国一家能够应付的，美国不得不寻求国际合作来确保安全。美国力量的前景既取决于美国的政策走向和内部发展，又取决于外部事态的发展。对于美国而言，国际层面的近忧主要是恐怖幽灵的威胁，远虑则主要是如何应对新兴大国的崛起。

——［美］小约瑟夫·奈

冷战结束以后，世界的力量结构经历了大约 10 年的动荡、重组之后，新世纪的国际格局已露出水面。如何认识目前国际格局的特点及其实质，如何判断在较长历史时期内国际格局的走向？判断的标准和依据是什么？是当前各界讨论的热点。世界的基本力量正在迅速发展之中，而新兴大国的崛起是又一支不可忽视的力量，它必将对现有的国际格局和国际秩序带来冲击和挑战。如何分析这种冲击和挑战，国际政治经济学的"自由主义"、"现实主义"和"马克思主义"流派提供了三种思路，在此基础上，本书形成了"第四种视角"。

第一节　现有国际格局的特点、
实质和发展趋势

尽管现有的国际格局表现为"一超多强"，但由于"多强"中无论是现有大国日本、欧盟还是新兴大国中国和俄罗斯，短期内其力量都不足以与美国这个惟一的超级大国相提并论，因此现有国际格局的实质是单极格局。但是，由于世界经济政治不平衡发展规律的作用，大国的力量对比迟早会发生变化，美国的相对地位将逐步衰落，"多强"的力量将继续增长，世界格局必将走向多极化。

一、对现有国际格局的几种认识

（一）后冷战时期的世界格局

战后世界格局是在 1945 年 2 月雅尔塔会议上确定的。当时罗斯福、斯大林、丘吉尔三位领导人在重大问题上达成一致，通过建立雅尔塔体系来规范战后的世界秩序。冷战爆发以后，美苏两国战时形成的合作同盟关系宣告破裂，从此世界进入了美苏两大军事集团对峙和争夺势力范围的两极体系。

东欧剧变后，1991 年华沙条约组织宣告解散，两大军事政治集团对抗的局面结束。两极格局解体后，世界格局和国际关系进入了剧烈动荡的时期，各种基本力量处于急剧的重组与整合之中。利益主体的多元化和主体利益的强化给世界带来了极大的不确定性。因此，西方国际关系学者常把这一时期称为"后冷战时期"（Post-Cold War），这是一个从战后的冷战世界格局向新的世界格局过渡的时期。基于不同的分析思路和框架，对后冷战时期世界力量对比及世界格局特点和性质的认识存在多种看法，主要有：

1. 冷战结束标志着世界格局将发生历史性的转变，新格局尚未形成，世界格局正在从两极向多极化过渡。

2. 认为世界格局不会有真空时期，两极格局结束之后，世界就已经进入了多极化格局。

3. 认为冷战后美国成为独一无二的超级大国，其他力量均不能与其相比，因此世界格局呈"一超多强"的特征①。

此外，也有一些人对"多极化"或"一超多强"格局表示质疑，认为冷战后的世界正处于单极格局的状态，即只剩下了美国一家为

---

① 宋玉华："评新世纪美国政府的全球战略"，《世界经济与政治》1999 年第 9 期，第 44～49 页。

世界霸主。如美国的威廉·C·沃尔佛斯（William C. Wohlforth）认为，后冷战时期基本上是单极世界，由于苏联解体留下了权力真空，这个真空只能由实力最强的美国来填补。沃尔佛斯指出，单极是这样一种结构，在这个结构中某个国家的能力是如此巨大，以至于无法被抵消。一旦实力如此集中，一个在本质上既有别于多极又有别于两极的结构就会出现。① 更多的学者如庞中英等则认为后冷战时期的世界格局处于新旧格局变换交替的过渡时期，即是一超（美国）多强（欧、日、中、俄等）为特征的多元化格局，并正在向多极化格局发展，认为各种力量正在进行分化和重新组合，国际多极化格局的形成最终将取决于多种力量的较量和对比，因此是长期、复杂、曲折的过程。②

（二）后冷战结束以来的世界格局

然而，世界的发展速度是如此迅速，仅仅经过了约 10 年的动荡时期，后冷战这个特定的历史时期就已经结束了，即所谓的后冷战时代的终结（the end of the post-cold war）③。对于后冷战结束后的世界格局的基本认识有：

1. 认为后冷战时期的结束标志着世界已经进入了"一超多强"的多极格局时期；④

2. 认为世界格局仍处在多极化的初级阶段，但是"9·11"等事件已经强化了世界格局的多极化趋势；⑤

3. 认为后冷战结束后的世界基本上处于无序状态，各种力量需要重新组合。⑥

综上所述，当前世界格局正处于多极化的初级阶段，其表现形

---

① 王帆："《稳定的单极世界》评价"，《美国研究》2000 年第 1 期，第 133~146 页。

② 庞中英："国际关系中的软力量及其他"，《战略与管理》1997 年第 2 期，第 49~51页。

③ 庞中英："冷战后的终结和中国的回应"，《世界经济与政治》1999 年第 9 期，第 5~10 页。

④ 陈廷根："21 世纪世界格局发展趋势与中国战略选择"，《广东商学院学报》2000 年第 1 期，第 10~16 页。

⑤ 陈匡时："'9·11'事件后的世界格局和中国"，《湖北教育学院学报》2002 年第 2期，第 63~67 页。

⑥ 庞中英："为新世纪开太平"，《国际经济评论》2001 年第 11 期，第 29~31 页。

式是"一超多强"。所谓"一超"不言而喻是指美国,"多强"则是指欧盟、日本、俄罗斯、中国、印度等地区性大国。对于这"一超多强"的实力,有人用了一种形象的说法,即美国是"全能冠军",其他多强有的是"单项冠军"如欧盟国家的国内生产总值和进出口总额;有的在单项上与美国不相上下,如俄罗斯的核力量。但从总体实力上说,其他多强都明显弱于美国。美国的"一超"地位,既表现在它的经济和军事实力上,同时也表现在它的政治能力上。在诸如中东问题、反恐等国际事务中,美国事实上起着主导作用。

二、现有国际格局的实质

世界格局从根本上说是世界上各种基本力量的对比、配置及相互制衡而形成的国际关系总体框架或结构。因此判断当今世界是多极还是单极格局的主要依据是当今世界是否已经形成了一种相对平衡发展又相互制约的力量结构。这种结构是否形成又具体地表现为当今的世界事务是由几种基本力量共同主导还是由一种力量单独主导的;当今的世界事务和国际间矛盾是由几种基本力量的意志和愿望相互制约、协调解决的,还是主要服从于一种基本力量的意志和愿望,甚至这一种基本力量可以否决其他几种基本力量或力量组合的意志和愿望。前者可称为多极世界格局,后者只能是单极世界格局。

经过十余年来力量对比的消长变化,世纪之交的世界格局已逐渐成型。这一世界格局表现为"一超多强",其实质是美国主导的单极世界①。许多著名美国学者也做出了同样的判断。如亨廷顿所说,当代国际政治是一种奇特的混合体系,即一个超级大国与若干大国并存的"单极＋多极"体系,但这一体系的实质是美国主宰的单极世界②。沃尔佛斯也认为,苏联解体后,美国在数量和质量上的优势组合是史无前例的,而且转化成了独一无二的地缘政治地位,所以美国是惟一一个具有全球行动能力的大国,因此世界格局的实质是

---

① 宋玉华:"评新世纪美国政府的全球战略",《世界经济与政治》1999年第9期,第44～49页。

② 萨缪尔·亨廷顿:《文明的冲突与世界秩序的重建》,新华出版社1998年3月第1版。

美国领导下的单极世界①。

美国主导的单极格局是系统因素和个体因素共同造就的。前者主要是指当今世界"体系性均势"的崩溃，后者则包括美国人所宣称的"跨国自由主义"、美国霸权的"粘性实力"、美国霸权的"体系资本"等。

1. "体系性均势"的崩溃。所谓体系性均势，是指体系内所有权力主体之间形成互相牵制的力量而使整个体系呈现出均衡状态。19世纪的欧洲大陆就处于体系性均势状态。中国国际关系专家朱锋曾经通过对华尔兹、米尔斯海默等人的观点汇总得出"体系性均势"形成的四个原则。② 第一，当某一个大国准备发动可能破坏其他大国利益的军事行动时，其他的大国可能将单方面或者联合通过包括军事手段在内的方式进行遏止。第二，违背其他大国利益的单边行动应该受到惩罚，不顾其他大国反应的行为应该让风险远远大于收益。第三，导致力量变更迅速、因而破坏稳定的国际战略平衡的行动无法得逞，已有的国际战略秩序可以产生一种有压制力的稳定效应。没有国家可以依靠单方面的力量谋求改变秩序。第四，在重大的国际问题上，建立制度化的大国一致。

如果用以上四个标准来衡量当今世界体系，可以得出以下结论，即：自冷战结束以来，涵盖所有权力主体的体系性均势已经崩溃，美国正处在一种"非均势"（imbalance of power）的、几乎不受实质性挑战的权力关系之中。

2. "跨国自由主义"的发展。一个国家抗衡美国的程度取决于这个国家政治自由的程度，取决于它的内部制度、做法、自由程度及自由派影响对外政策的程度；政治自由成为一种跨国运动，这种运动至少在一定程度上会触及大多数潜在的挑战国的利益，因此抗衡美国的联盟迄今还没有形成。③ 对此，罗伯特·库珀进一步宣

---

① William C. Wohlforth, "Power, Globalization, and the End of Cold War", International Security, Vol. 25, Issue 3, Winter 2001, p21~24.

② 朱锋："伊拉克战争与国际格局的新态势"，《世界经济与政治》2003年第11期，第33页。

③ 转引自阮宗泽：《新帝国论与美国的整合外交》，中国国际问题研究所 http://www.ciis. org. cn。

称："国际秩序曾经要么是基于霸权，要么是基于平衡。霸权最先出现。在古代世界里，秩序意味着帝国。帝国之内享有秩序、文化与文明，在帝国之外则是野蛮、混乱和无序。通过单一的霸权大国中心而产生的和平与秩序的形象显示着从未有过的强大……保持帝国的统治通常需要一个独裁的政治形态，创新特别是社会的和政治上的创新将导致不稳定。从历史上看，诸帝国往往是处于静态之中。"①

如果说经济和军事实力的增强为美国建立单极格局奠定了物质基础，那么"跨国自由主义"的发展则为这一过程提供了"软性"支持。"跨国自由主义"的形成根源于美国的软实力；"跨国自由主义"的全球发展，对美国的霸权性质产生了更大的"容忍力"，也使得"美国式"的单极霸权被称做是所谓的"良性霸权"或者"柔性霸权"。

3. "粘性实力"的魔力。美国外交政策问题高级研究员沃尔特·拉塞尔·米德认为粘性实力是美国霸权的另一支柱。粘性实力，既不同于硬实力，又不同于软实力。它既不是以军事强制力为基础的，又不是以简单的意愿一致为基础的。

"粘性实力"由来已久。早在 19 世纪，英国就吸引美国参加了其主导的贸易和投资体系。伦敦金融市场提供了使得美国企业成长的投资资本，美国人还从大英帝国的自由贸易中获得了好处。今天，美国在两个基础上增强了它的粘性实力：国际货币体系和自由贸易。美国的全球经济实力，不只是强制其他国家的硬实力和吸引世界其余国家的软实力。毫无疑问，美国的经济体系为美国提供了制定其安全战略所需要的繁荣，但是它也鼓励其他国家接受美国的领导。美国的经济政策和经济制度这种"粘性实力"，正在把其他国家吸引到美国的体系中来，然后使它们陷入其中。

4. "体系资本"的优势。网络作为一种组织形式，具有自身的优势，这种优势突出地表现在网络创建了"社会资本"。国际体系是全球最宏大的"网络"，因此在国际体系中，必然也存在着相应的

---

① 罗伯特·库珀：《我们为什么仍然需要帝国主义》，英国《观察家报》2002 年 4 月 7 日。

"社会资本"，这里可以称之为"体系资本"。在国际体系中，不同的国家所拥有的"体系资本"在质和量上都是有差别的，霸权国家主导国际体系，因此必然拥有其他国家所无法比拟的"体系资本"。它突出表现在美国所具有的组织和主导国际网络的能力、或者以"极"为首的国际阵营的紧密程度。

美国是今天世界上最广泛地建立和利用各种国际制度来形成有利的权力优势的国家。[1] 在 2002 年 5 月，北约开始接纳 7 个中东欧的新成员国加入北约之后，美国与世界上 60 个国家签署了双边或者多边的军事同盟条约，与 7 个国家签署了利用军事基地或者派兵的协议。这样一个最为广泛的军事同盟体系，大大增强了美国"单极霸权"的行动能力，也进一步削弱了世界力量对美国的制衡实力。因为从一个单一国家所具有的这种与其他国家关系的紧密程度来看，没有一个国家超过美国。美国的"单极霸权"由于美国所主导的联盟体系的发展而得到了进一步的增强。

所以，虽然从表面上看，世界格局表现为"一超多强"，但无可奈何的现实是：所谓"一超多强"中的"多强"无论就单个力量来说还是就多个力量的组合来说都不足以牵制"一超"主宰和领导世界的意志，因此当代世界"一超多强"格局的实质是单极世界格局的判断就是顺理成章的了。如果说 1991 年发生的海湾战争突出表明了全球政治从冷战时期的两极体系开始向一个单极体系发展，那么 20 世纪末发生的科索沃战争则标志着美国这个单极体系已经形成[2]，而 21 世纪初的伊拉克战争加强了美国的"单极霸权"，是布什政府单边主义政策迄今为止的最高代表。

需要指出的是，揭示当前世界"一超多强"格局的实质是单极格局，可以使我们清醒地认识目前国际力量的对比，美国的强大以及我们与美国的差距，增强我们的危机感；同时使更多的国家或国家集团认清美国极力维护单极格局、称霸世界的图谋，增强自己的

---

① 朱锋："伊拉克战争与国际格局的新态势"，《世界经济与政治》2003 年第 11 期，第 34 页。

② 宋玉华："评新世纪美国政府的全球战略"，《世界经济与政治》1999 年第 9 期，第 44~49 页。

实力，积极地参与和推动多极化进程，早日实现有利于世界和平与稳定的多极格局；同时我们也要看到这种单极格局的阶段性和暂时性，从而增强我们推动世界格局多极化的信心。

三、新世纪世界格局的发展趋势

（一）世界格局多极化趋势的理论分析

美国国家安全事务助理赖斯于2003年提出"多极不稳定论"，试图从理论上为美国主导下的单极格局辩护。赖斯所使用的世界格局分析方法是西方经典现实主义思想方法的力量结构论，即认为国际力量结构是决定世界格局的惟一因素。"多极不稳定论"假设各个国家可以在国际上不受任何约束地随意运用自己的力量。如果这一假设能够成立，多极所带来的大国力量相互制衡确实必然导致国际格局的不稳定。问题在于，这一假设在当今国际社会是否能够无条件地成立？如果不能成立，又该如何判断多极格局的稳定性？

117

因此，判断多极格局的稳定性及新世纪世界格局的发展趋势必须超越力量结构论的分析方法。中国国际问题研究所副所长徐坚认为，分析世界格局还有另一种方法，可以被称为法权关系论。法权关系论认为国际关系的本质和基础是法权关系而不是强权关系，因为任何国家都不可能完全按照自己的意愿而必须遵照一定的游戏规则将其力量转化为国际影响力，这就推翻了力量结构论隐含的前提。国际法权关系体现着国际秩序，表现形式是国际法律和道义规范体系，而强权关系则仅仅反映国际力量结构。

用法权关系论分析世界格局可以发现，所谓的"多极不稳定论"是力量结构论下的多极世界的极端状态，即任何国家都不受任何约束地滥用自身权力，从而导致世界的不稳定；与此相对应，法权关系论可以从理论上推导出多极世界的另一种极端状态，即世界各国完全按照公正合理的游戏规则行事，国际关系围绕世界各国的共同利益稳定运行，这是多极化的最高境界。当然这也需要两个前提：一是体现于国际游戏规则的国际秩序公正合理，二是世界各国都遵守游戏规则，国际力量因素只被用于正常竞争而不用来推行强权。[①]由此可见，多极格局究竟稳定与否并没有定论，而是取决于一定的条件。

法权关系论认为法权和强权是相互影响的，强权盛行时代的国际法体系往往具有浓厚的强权色彩。但随着国际秩序逐渐走向合理，披着合法外衣推行强权政治的困难越来越大，法权与强权彼此分离、相互制衡的趋势也越来越明显。因此，符合"多极不稳定论"的条件在弱化，而符合"多级稳定论"的条件却在不断强化。多极力量的上升，不断推动国际秩序向公平、公正方向发展，而国际秩序的进步则在保证多极格局稳定性的同时，也有助于多极力量的上升，这就形成了一种良性循环。

综上所述，从理论上可以推断，新世纪世界格局的发展趋势是多极化，这将有利于世界保持长期的和平与稳定。

118

（二）世界格局多极化趋势的实证分析

近半个世纪的冷战使美国元气大伤，但相比之下，无论是经济、科技实力还是军事实力和对外影响力，美国仍然是当今世界上惟一的"超级强国"。而且多极化的格局尚未形成，因为"多强"中无论是现有大国的欧盟、日本，还是新兴大国的巴西、俄罗斯、印度和中国等都尚未能作为独立的一"极"同美国相抗衡。欧洲联盟是一个超经济大国集团，但其内部存在着各种矛盾，要真正联合起来还需要一个过程，并且不会在短期内完成；日本正在从经济大国向政治大国迈进，但是日本在国际舞台上的作用还有限，它要成为政治大国还受多种因素的制约；俄罗斯作为新兴大国之一，仍拥有强大的重工业特别是军事工业基础，但其治乱兴衰的政治、经济还存在许多未定的因素，仍处于调整时期；中国始终是维护世界和平和地区稳定的重要力量，改革开放后其经济高速发展，但综合国力尚待提高；而其他新兴大国如印度、巴西等，也不具有向美国挑战的实力。由此可见，"一超多强"的态势短期内不会有大的变化，当前世界格局正处于向多极格局转换的过渡时期。

---

① 徐坚："和平崛起是中国的战略选择"，《国际问题研究》2004年第2期，第1～8页。

另一方面，尽管美国在国际经济格局中具有优势，美元也具有超强地位，但是如果综合美国的地理、人口、资源、经济，美国大约拥有世界实际财富和力量的 16%～18%，要想在世界事务中谋求80%～100%的发言权是不现实的。因为，"多强"从来没有停止自己发展的脚步。

其一，"普京主义"强化俄罗斯在全球体系中的独立元素地位。早在 1996 年，俄外长普里马科夫就宣布，俄外交政策的两个主要原则是：第一，不再向进一步削弱俄罗斯的力量和影响让步；第二，俄罗斯将更加谨慎地从事有风险的事。这第一条是明显地指向美国及其盟友的诸如北约东扩之类的行为。在 1997 年秋冬之交的伊拉克武器核查危机中，俄罗斯不仅没有配合美国对伊拉克的政策，反而乘机发挥独立作用，扩大其在中东地区的影响。普京当政后，大幅度进行现实主义色彩浓重的战略调整。俄美关系在有所恢复和发展的同时，它们之间的深层次矛盾和斗争并未减弱，有时甚至呈加剧之势。俄罗斯坚决反对北约东扩，反对美国企图修改反导条约，反对美国部署国家导弹防御系统和地区导弹防御系统。俄罗斯还频频展开外交出击，普京访问朝鲜、古巴，发展了一度冷淡的俄朝、俄古关系，并且积极介入中东，以恢复和加强它在国际上的大国地位。

119

其二，中国的崛起无法阻挡，其国际地位日益提高。中国在同美国发展关系的同时，坚决反对美国继续出售武器给台湾，反对美国借人权等问题干涉中国内政。针对美国修改反导条约的企图，中、俄和其他国家连续两年在联合国大会提出继续遵守反导条约的提案，因获得世界上绝大多数国家的支持而得到通过。中国也反对美国部署国家导弹防御系统和地区导弹防御系统，特别反对美国企图把台湾地区纳入后一个系统的阴谋。面对美国的挤压，中国与俄罗斯在战略安全领域继续加强合作，在台湾和车臣问题上相互支持，战略协作的基础得到巩固，对美国形成了有力的牵制；中国与欧盟形成战略性伙伴关系，2004 年 4、5 月间，欧盟主席普罗迪和中国国家总理温家宝进行了互访，中欧全方位合作关系在普罗迪的演讲和温家宝的微笑中得到进一步的增强。

其三，欧盟是牵制美国单极霸权的重要力量。西欧曾是美国的冷战盟友，但是现在双方最初结盟的基础——苏联的威胁已经不存在。对欧盟来说，美国的军事保护伞的意义大不如从前，它不再甘心当美国的"小伙计"。欧盟明确反对美国部署国家导弹防御系统，并启动欧盟防务一体化进程，因而自主倾向明显增强，美欧深层次矛盾有所发展。随着欧盟实力的上升，双方围绕欧洲安全主导权的斗争将更加激烈。美国则担心欧洲建立起独立的防务，将导致北约在欧洲的作用被削弱，从而使欧洲逐渐摆脱自己的控制。美国国防部长科恩就此警告说，拟议中的欧盟快速反应部队若不正确处理与北约的关系，北约将有可能成为"过去的遗迹"。

其四，美日同盟关系并非像看上去那么完美。日本曾是美国的重要冷战盟友，但它正借助美国的保护伞集中了人力、物力发展本国经济，使自己成为了经济大国和美国的主要经济竞争对手。现在日本正日益寻求由经济大国走向政治、军事大国。它一方面继续利用美国的安全保护伞，为本国的经济发展创造有利条件，另一方面又不断试图摆脱美国的控制和影响，"脱欧入亚"，积极开展自主外交。然而日本小泉内阁执政三年来，强化日美同盟，处心积虑地在政治、经济和军事等方面实现日美一体化，使日美关系变为一种从属关系，被日本政治评论家称做"日本战后历史的、革命性的变化"，并担忧这种革命性的变化将给日本国民的未来带来严重的恶果①。自然，日本不会一味地追随美国，而只是想搭美国的"便车"。日本的国民性决定它不会甘心成为美国的附庸。维持地区大国地位并谋求在全球政治舞台上的发言权是日本长久以来的梦想。

此外，还有制约美国实行单极战略的其他一些因素。古巴、北朝鲜、伊朗等国已成了美国啃不动、感不化的"石头"。新加坡前总理李光耀所倡导的"亚洲价值观"对美国所推广的价值观念构成了挑战，等等。所有这些都是与美国外交政策目标相背离的，无疑会分散美国的注意力，影响美国单极战略的实施。非常值得注意的是，美国的后院——拉美近些年也出现了与美国闹独立的倾向。1997年8月，在亚松森召开的第11次里约集团首脑会议上，拉美决定加强

---

① ［日］森田实：在政治经济军事各方面实现日美一体化——小泉政治评析，日本《时事解说》周刊 2004 年 4 月 6 日。

与欧盟的关系，并谴责了美国，会议还邀请古巴参加了 1999 年拉美与欧盟的对话。另一个值得注意的现象是，在东南亚地区，美国的外交政策也屡屡受挫。进入 1997 年夏以来，发生了一系列违背美国意志的事情。柬埔寨第二首相洪森发动了政变，破坏了经美国斡旋达成的和平协议；马来西亚总理把东南亚的货币问题归咎于美国的货币商；印度尼西亚总统苏哈托取消了向美国订购 F—16 战斗机的计划和美国军事教育计划，并且出人意外地将美国的"预算问题"作为取消这些计划的一个原因。东盟顶住美国的压力，决定让美国不喜欢的、军人统治的缅甸加入这个重要的国际组织，这些行为实际上都是对美国不满的一种表示。

　　此外，美国的霸权地位也不可避免其衰落的趋势。即使在经济异常繁荣的 20 世纪 90 年代，对美国未来持怀疑态度的观点也是很普遍的。持这类观点的人认为：无论美国实行的是哪种倾向的路线政策，某种离心力都在从内部削弱美国的实力和美国的价值观。而"9·11"事件则是美国帝国衰落的重要标志，构成了对认为美国的优势地位能够一直维持下去的新保守主义观点最标准的挑战。伊拉克战争及其后事态的发展使人们进一步思考美国霸权地位的命运。前克林顿总统国家安全事务顾问、国际关系问题专家查尔斯·库普钱在 2002 年 10 月出版的《美国时代的终结》一书中指出，他不相信一个单极体系能够长久维持下去，一些与美国对立的大国将不可避免地对美国的统治地位进行制衡。而世界体系理论的创立者伊曼纽尔·沃勒斯坦在 2003 年 7 月出版的《美国强力的衰落》一书中写道，美国"是一个缺乏真正强力的惟一超级大国，一个没有人听从和几乎没有人尊敬的世界领导者，是一个在它自己无法控制的混乱局面中危险飘荡的国家"。小约瑟夫·奈在 2004 年 5 月 18 日美国《国际先驱论坛报》撰文指出，由虐囚事件导致的伊拉克局面失控使美国软实力"被猛击一拳"，因而呼吁美国必须重新获得软实力。

　　大量的事实表明，美国现在虽然是世界惟一超级大国，拥有"世界霸权"，但是维持这种霸权将是异常困难的，而且要付出沉重的代价。正如一家美国刊物所说的："当自由世界的领袖现在也许要比过去任何时候支付更多的钱。"而且美国越来越"发现自己是顶着一股国际抵制之风在唱独角戏"。[①] 所以，美国的单极霸权势必受到挑战，世界格局必将走向多极化。当然，多极化是一个长期的过程，不可能一蹴而就。

第二节　新兴大国崛起对国际格局的影响

尽管现有国际格局实质上是美国主导下的单极格局，但是美国的单极霸权已经受到了越来越多的挑战，其中巴西、俄罗斯、印度和中国四个新兴大国的崛起将对现有国际格局带来强有力的冲击。结果如何，国际政治经济学的三大流派（自由主义、民族主义和马克思主义）都给出了自己确定的或不确定的答案。借鉴国际政治经济学的基本原理，本书将就新兴大国的崛起对国际格局的影响做出自己的判断。

122

一、"自由主义"与新兴大国的崛起

自由主义政治经济学产生以来，一直是西方文明的重要思想支柱和学术意识形态支柱。进入 20 世纪，自由主义又成为国际关系理论以及后来的国际政治经济学的主流。[②] 反对国家干预，主张以自由贸易为基础的国际体系成为当代自由主义国际政治经济学的理论基石。自由主义分析范式最早可见亚当·斯密的《国民财富的性质和原因的研究》和李嘉图的《政治经济学及赋税原理》，而今天小约瑟夫·奈和罗伯特·基欧汉提出的"相互依存论"，正是古典自由主义政治经济学思想在当代的延续。

（一）相互依存论的主要思想

相互依存论思想的发展经历了三个阶段，即"相互依存论"、

---

① 刘建飞："冷战后美国的霸权战略及其制约因素"，《中共中央党校学报》1998 年第 2 期，第 122～125 页。

② 王正毅、张岩贵：《国际政治经济学——理论范式与现实经验研究》，商务印书馆 2003 年 11 月第 1 版，第 91 页。

"复合相互依存论"和"国际制度主义论"。这反映了相互依存论者根据现实情况和其他理论派别的批评对自身理论的不断完善。尽管相互依存论本身还不够成熟，但其基本思想仍然为我们提供了一种分析国际问题的思路。

1. 对相互依存概念的理解

最早从理论上分析相互依存关系的著作是美国学者理查德·库珀的《相互依存的经济学：大西洋国家的经济政策》。他指出国际相互依存的中心问题是"像其他形式的国际交往一样，国与国之间的经济交往既增加了各国因地制宜采取行动的自由，同时又限制了这种自由"，因此，库珀认为，西方国家面临的一个中心问题是"如何享受不受限制的广泛的国际经济合作带来的多种好处的同时，又能让国家追求合理的经济目标。"①

在库珀之后，小约瑟夫·奈和罗伯特·基欧汉在《权力与相互依赖——转变中的世界政治》中为"相互依存"的概念作了如下界定，这一界定也在学术界达成了共识。

"一般地说，依存是指受到外部力量支配或者极大影响的一种状态。相互依赖最一般的定义是彼此相互依赖。在国际政治中，相互依赖指的是国家之间或者不同国家中的行为体之间相互影响的情形。这些相互影响往往是国际交往所产生的结果，例如货币、商品、人员以及信息等跨国界的流通。"②

2. 复合相互依存论

与"相互依存论"关注相互依存对于国家经济政策选择的限制不同，"复合相互依存论"关注的是经济的相互依存对于国家政治政策选择的限制，也被称为跨国主义学说。

"复合相互依存论"指的是由小约瑟夫·奈和罗伯特·基欧汉在批判现实主义以及对相互依存理解的基础上提出的关于世界政治的构想。"现实主义者所作的每一种假设都是可反驳的。如果要同时反

① Richard Cooper："The Economics of Interdependence"，New York：McGraw-Hill，1968，p4～5。

② ［美］小约瑟夫·奈、罗伯特·基欧汉：《权力与相互依赖——转变中的世界政治》，中国人民公安大学出版社 1992 年版，第 8～9 页。

驳所有假设，我们可以设想这样一个世界：非国家的行为体直接参与世界政治；世界政治中的问题无法明确地划分等级；武力是一种无效的政策工具，这些就是我们称之为复合相互依存的特征。"[1]

在小约瑟夫·奈和罗伯特·基欧汉看来，"复合相互依存"的三个主要特征产生了不同的政治过程，这些政治过程把权力资源转化为控制结果的能力。与复合相互依存三个特征相关联的政治过程主要有：联系战略、议题的确定、跨国以及跨政府的关系、国际组织的作用。在复合相互依存条件下的政治过程如下[2]：

（1）行为者的目标：国家目标将因问题领域而异，跨政府政治使目标难以确定，跨国行为者将追求自己的目标；

（2）国家政策工具：专门适应于问题领域的权力资源将是最有用的，操纵相互依存、国际组织和跨国行为者将是主要手段；

（3）议题形成：议题将受下列情况影响，问题领域中权力资源分配状况变化、跨国行为者重要性的变化、来自其他问题领域的联系以及敏感性相互依存增加导致的政治化；

（4）问题的联系：由于武力将失败，强国将更难以实行联系做法，弱国通过国际组织所实行的联系做法将瓦解而不是加强等级制度；

（5）国际组织的作用：国际组织将确定议题，促使联盟建立和作为弱国政治活动的场所。为某一问题选择组织论坛和争取支持票的能力，将是一种重要的政治资源。

3. 国际制度主义理论

国际制度主义理论是相互依存的思想向"国家中心主义"回归的产物。相互依存论和复合相互依存论虽然存在着许多闪光的思想，但对于现实国际问题尤其是国际政治现象的解释力不强。而肯尼思·华尔兹则在《国际政治理论》一书里通过考察当时大国间经济关系依存度很低的现实，提出"相对收益"和"绝对收益"这一难

124

---

① ［美］小约瑟夫·奈、罗伯特·基欧汉：《权力与相互依赖——转变中的世界政治》，中国人民公安大学出版社1992年版，第26页。

② ［美］小约瑟夫·奈、罗伯特·基欧汉：《权力与相互依赖——转变中的世界政治》，中国人民公安大学出版社1992年版，第44～73页。

以调和的矛盾，彻底否定了相互依存论。华尔兹认为"将世界理解为一个整体并称之为相互依赖的世界，这在逻辑上是错误的，在政治上则是蒙昧主义的"。[①] 相互依存理论的缺陷使罗伯特·吉欧汉的思想转向国家中心主义，这促成了国际制度主义理论的产生。

国际制度主义理论的主要观点是：在相互依赖深入发展、全球公共问题日趋突出的今天，国际制度由于其独立性和重要性成为国际体系的核心变量，通过提供公共商品、增加交易透明度、监督协议执行，在国际政治经济合作中发挥着不可替代的作用。

（二）新兴大国崛起对国际格局的影响：自由主义视角

在相互依存论者看来，新兴大国的崛起将进一步加强大国之间相互依存的程度，但这种依存关系是竞争性的，并时有温和性冲突的发生；同时，新兴大国的崛起会给现有国际机制带来一定的冲击。

1. 新兴大国的崛起进一步加强了大国之间的相互依存

肯尼思·华尔兹在分析相互依存理论时曾经说过："一个由实力严重不均的国家组成的世界几乎不可能是相互依赖的。一个由少数能自给自足的国家和多数不能指望维持这种状态的国家所组成的世界也几乎不可能是相互依赖的。一个存在着实施排斥性政策的国家的世界绝不是相互依赖的。"[②] 而巴西、俄罗斯、印度和中国等新兴大国的崛起在客观上将会增强现有大国与新兴大国、新兴大国之间相互依赖的程度，从而使美国领导下的单极霸权的世界向多极化的方向发展。因此，新兴大国的崛起将加强大国的相互依存从而推动多极化进程。

125

近年来发生的很多国际政治经济事件都表明，在新兴大国崛起的背景下，新兴大国与现有大国、新兴大国之间、现有大国之间的政治、经济依存度将由于利益关系而在客观上得到提升。以中美关系为例，经济上，美国为中国出口企业提供巨大市场，产生了巨额的贸易逆差；而中国在改善美国国际收支平衡和促进经济复苏方面

①　［美］肯尼思·华尔兹：《国际政治理论》，上海世纪出版集团 2003 年 11 月第 1 版，第 215 页。

②　［美］肯尼思·华尔兹：《国际政治理论》，上海世纪出版集团 2003 年 11 月第 1 版，第 215 页。

发挥了重要作用，这一切反映了两国经济的相互依赖程度在不断加深。同时在政治上，中美在全球事务中的合作也变得前所未有的深入，迄今为止，两国已经在全球反恐事务、朝核问题、APEC 的建设等方面开展了一系列的合作。值得强调的是，中美之间在这些国际事务上的合作是在共同利益关系下双方的客观必然选择。

再以中日双边事务为例。一方面，日本是中国最大的投资国；另一方面，中国迅速扩大的进口规模又为日本经济的复苏做出了很大的贡献。日本经济经过痛苦的危机和难以计数的紧缩疗法之后，重新焕发光彩。正是中国这个意料之外的"骑士"给日本带来新生。中日两国在政治方面的合作由于历史问题等因素多有波折，甚至由于日本首相小泉顽固地参拜"靖国神社"和日本政府向"台独势力"发出错误信息，两国目前已经中断了领导人互访。但从长远来看，由于"中国因素"的作用，中日关系终将走出低谷。这不仅仅是因为两国经济联系的日益紧密，同时也是由于建立伙伴关系和亚洲一体化的务实思想将最终在两国领导人那里占据上风。

2. 竞争性的相互依存关系

崛起中的新兴大国与现有大国之间的依存关系不一定是互利的，也未必是对称的，双方的博弈可能是"零和博弈"。小约瑟夫·奈和罗伯特·基欧汉早就指出，"相互依存关系将总是包含着代价，因为相互依存限制着主权；但是要想事先指明某种关系的收益将大于代价是不可能的。它将既取决于行为体的价值又取决于关系的性质。没有任何东西能保证我们所说的'相互依存'关系是以互利为特征的。"[①] 另一方面，我们不能机械地认为传统国际政治是"零和"政治，而经济上相互依存的政治就是"非零和"政治。[②] 经济上相互依存的政治也包含着竞争，其结果甚至可能是一场零和博弈；即使合作可望给各方带来净收益，利益的分配也可能严重扭曲。

中日两国对石油的争夺最能反映这种竞争性的相互依存关系。

---

① ［美］小约瑟夫·奈、罗伯特·基欧汉：《权力与相互依赖——转变中的世界政治》，中国人民公安大学出版社 1992 年版，第 10 页。
② 王正毅、张岩贵：《国际政治经济学——理论范式与现实经验研究》，商务印书馆 2003 年 11 月第 1 版，第 129 页。

随着中国以原油为代表的能源消费迅猛增长，中日两国开始共同遭遇"能源瓶颈"，日本中国能源问题专家指出"中国正在把手伸向世界上所有蕴藏着石油的地方"，因此日中两国必将开展"资源争夺战"。实际上，中日间的能源竞争已经超过人们的想像。一方面，中国已经停止了对日的石油出口；另一方面，中日两国对来自俄罗斯的石油争得不可开交，原来中俄已经敲定的"安大线"由于日本的介入而变成了"安纳线"。在这样的背景下，中国的"石油外交"延伸到非洲和中亚，日本也在西亚寻找新的石油供给线。除了资源争夺外，中日两国在紧密的经济联系基础上的政治竞争几乎是全方位的。两国竞相争夺东盟，先后与东盟签订了自由贸易协议；中国期望与印度改善关系而日本则借印度联合遏制中国；在日本国内政治团体的压力下，日本政府对华经济援助一降再降，2004 年首度跌破1000 亿日元以下。尽管两个亚洲大国的竞争有愈演愈烈之势，但由于这类竞争始终建立在经济上相互依存的背景下，因此不会演变成更加激烈的冲突，而只会以一种相对温和的方式展开。这也符合"复合相互依存"的特点，即"武力是一种无效的政策工具"，解决问题应借助于多种交流渠道。

3. 新兴大国的崛起对国际机制的冲击

在相互依存论看来，崛起中的新兴大国对国际格局的另一个重要影响就是它将给现有国际机制带来强有力的冲击。它将会影响国际机制制定和修改的过程，改变国际机构中的力量对比，使国际机制"提供公共商品、增加交易透明度、监督协议执行"的功能得到更加有效的发挥。

反映这种冲击的一个例子是，在世界贸易组织多哈回合谈判坎昆中期评审会议上，巴西、中国、印度三个新兴大国与其他发展中国家结成了 21 国集团（G21），要求发达国家大幅度削减巨额农业补贴，挑战美、欧在 WTO 中的支配地位。尽管坎昆会议以失败告终，但 21 国集团却存在了下来，而且这个包括中国、巴西和印度三个新兴大国的 21 国集团的作用得到了国际社会的肯定。菲律宾总统阿罗约 2003 年 9 月 17 日在一份声明中说，在坎昆世贸组织第五届部长级会议上形成的发展中国家"21 国集团"是世贸组织贸易谈判中尚存的一线希望。她表示，这个由 21 个发展中国家组成的新阵营是坎昆会议的一大积极成果。[①] 澳大利亚贸易部长维尔也认为，代表发展中国家利益的 21 国集团的出现，支持并强化了凯恩斯集团关于农产品贸易体制改革的提议，显示了很多发展中国家在农产品贸易体制改革的很多方面与凯恩斯集团有着一致的看法。可以预见，有中国、印度和巴西加盟的 21 国集团将会继续维护发展中国家的利益，并将在世界贸易组织的多边谈判中发挥更加重要的作用。

另一个例子是在处理"伊拉克问题"时，中国、俄罗斯等新兴大国表现出相当大的影响力。中国坚决主张在联合国框架内，通过政治和外交手段，以和平方式解决伊拉克问题，始终要求伊拉克全面、严格地履行安理会有关决议，与联合国充分合作，彻底查清并销毁大规模杀伤性武器。中国一贯认为，要全面解决伊拉克问题，伊拉克的主权和领土完整及合理关切应得到尊重，安理会应根据伊拉克执行决议的情况，考虑中止并最终解除对伊长达十二年之久的制裁。战前，中国主要通过联合国等多边场合，利用安理会常任理事国的身份，积极主张通过联合国和政治手段解决问题。俄罗斯也希望能够通过联合国来解决伊拉克问题，主张由联合国指派专家对伊拉克进行核查。俄罗斯反对美国动武，一直主张在联合国的框架内和平解决问题。应该说，联合国能够通过有关伊拉克问题的 1441 号决议，也包含着俄罗斯积极努力的成果。美英发动伊拉克战争之后，俄罗斯政府强烈谴责，要求美英尽快停止战争，回到和平解决问题的轨道上来。

二、"现实主义"与新兴大国的崛起

当代国际政治经济学理论与国际关系理论的现实主义流派结合得最为紧密的当属"霸权稳定论"和"国家主义理论"，前者被认为是国际政治经济学理论的"集大成者"，其主要关心的是如何维系和管理"相互依存"的国际体系，重点分析霸权国家的行为；后者则沿袭政治经济学古典重商主义的传统，并与国际关系理论的现实主

---

① "菲总统称'21 国集团'新阵营是坎昆会议成果"，国际在线 2003 年 9 月 19 日。

义相结合，集中分析国家的行为以及国家的利益（不只是霸权国家）对国际经济关系的影响。

（一）"霸权稳定论"的主要思想

1. 霸权的概念

国际政治经济学的三个主要流派的代表学者都曾经对"霸权"进行过定义，但事实上，由于罗伯特·基欧汉认为霸权并非是自由世界经济稳定和发展的必要前提，而伊曼纽尔·沃勒斯坦认为霸权只存在于资本主义世界体系，因此本书的霸权概念来自于"霸权稳定论"思想的代表学者罗伯特·吉尔平。在他看来，霸权是指一个非常强大的国家统治该体系中所有其他国家[①]，其他任何国家都不具有与之进行重大战争的资本。实质上，霸主是体系中的惟一大国。一个只比体系中其他国家更强大的国家不算霸主，因为严格地说，它还面对其他大国。例如，19世纪中期的英国有时被称做"霸主"。但它并非霸主，因为当时欧洲还有其他4个大国——奥地利、法国、普鲁士和俄国——而英国没有以任何方式统治过它们。霸权意味着对体系的控制，这一概念通常被理解为对整个世界的统治。这里可以使用体系中霸权的狭义概念，用它来描述一些特定地区，如欧洲、东北亚以及西半球等等。美国至少在过去一百年里一直都是西半球的地区霸主，美洲的其他国家都不具备向它挑战的军事能力。这就是美国被公认为该地区惟一大国的原因。从这个角度，可以将支配世界的"全球霸主"和统治某特定地域的"地区霸主"区分开来。除非一国具有明显的核优势，否则任何国家都不可能成为全球霸主。事实上，过去从来没有出现过全球霸主，最近的将来也不会有[②]。这主要因为"水域的阻遏力量"[③]。

2. 霸权与国际体系的稳定

在"霸权稳定论"看来，世界经济、政治和军事领域的稳定离

129

---

① Robert Gilpin：《War and Change in World Politics》，Cambridge University Press，p29.

② 约翰·米尔斯海默（美），王义桅、唐小松译：《大国政治的悲剧》，上海世纪出版集团2003年4月第1版，第53页。

③ 水域的阻遏力量是指地球上的海洋把陆地分为不相连接的板块，任何一个单一大国的力量都只能控制在陆地上与之毗邻或者易于到达的另一地区。

不开霸权的存在。在经济领域，"霸权稳定论"的代表人物之一查尔斯·金德尔伯格认为，一个开放的和自由的世界经济需要有一个居霸主和主宰地位的强国来维持。① 罗伯特·吉尔平则说得更加详尽，"我的见解是，国际自由经济的存在少不了有一个霸主。不管人们是否把这种经济看做为某个集团国家所分享的集体商品或私人商品，历史经济表明，没有一个占主宰地位的自由强国，国际经济合作极难实现或维持，冲突将成为司空见惯的现象。"② 在政治和军事领域，吉尔平也通过《世界政治中的战争与变革》一书阐述了霸权的存在对世界政治稳定的作用。在他看来，"每种国际体系中占支配地位的国家或帝国都在该体系内，尤其是在其各自的势力范围内，组织并维持一种政治、经济以及其他领域的网络。这些在历史上被称为列强、在今天被称为超级大国的国家，在各自单方面努力和相互作用的共同影响下，确立并实施了既左右它们自己，也控制该体系内相对弱小国家的行为的基本规则和权力。"③

3. 霸权的变动

"霸权稳定论"认为，霸权国家是国际体系稳定的维持者，但它并不是永远处于霸权状态。霸权国家也有不断兴衰的过程，即霸权国家的周期表现为扩张—平衡—衰落—新的扩张—新的平衡—新的衰落。在吉尔平看来，霸权周期的动力从根本上讲是一个经济成本问题，无论霸权国家的扩张、霸权国家对国际体系的控制，还是霸权国家的衰落都与经济成本密切相关。④ 霸权国家之所以愿意承担统治国际体系的责任，是因为对它们来说，"保持现状、自由贸易、外国投资和一个功能完善的国际货币体系所带来的收益大于相应的成本。霸权国家的政府在给它们自己带来好处的同时，也使那些期望

---

① 王正毅、张岩贵：《国际政治经济学——理论范式与现实经验研究》，商务印书馆2003年11月第1版，第166页。

② ［美］罗伯特·吉尔平：《国际关系政治经济学》，经济科学出版社1989年10月第1版，第89页。

③ ［美］罗伯特·吉尔平：《世界政治中的战争与变革》，中国人民大学出版社1994年版，第30页。

④ 王正毅、张岩贵：《国际政治经济学——理论范式与现实经验研究》，商务印书馆2003年11月第1版，第176页。

并能够利用国际政治和经济现状的国家得到好处。"[1] 但随着时间的推移，根据收益递减规律，霸权国家收益逐渐减少，成本逐渐增加，从而限制了霸权国家的进一步扩张。发展的趋势便是，一旦成本和收益持续失衡，霸权国家财政的枯竭不能解决，霸权国家在经济上和政治上就会衰落。所以，霸权国家的扩张—平衡—衰落周期的根本动力就是维持霸权的经济成本和收益。

（二）"国家主义理论"的主要思想

1. 国家主义理论的基本观点

迄今为止，"国家主义"所提供的不是一种严密的理论，而是一种现实的主张，这种主张很少是学说性的观点和判断，而是那些在真实的世界中经常能被采纳的政策和实践。吉尔平则对"国家主义"有过经典的评述，他认为"国家主义"的中心思想就是经济活动要为——而且也应该为国家建设的大目标（或国家的集体利益）服务。所有的民族主义者均强调国家、国家安全以及军事实力在国际体系的组织与运转过程中的首要作用。[2]

2. 国家主义理论的贡献

国家主义理论的最大贡献在于将民族国家放在国际体系的中心，进一步发展了权力分析方法。国家主义理论强调的是国家的主权、安全以及民族感情，在这种意义上，国家主义理论继承了古典重商主义政治经济学传统以及后来国际关系领域的现实主义传统。但国家主义并不是简单地重复现实主义观点，而是对以往现实主义进行了修正，学术界将其称为"新现实主义"。国家主义理论的其他贡献包括将机制引入国际关系分析，并推动了国内权力政治及其结构的分析。[3]

（三）新兴大国崛起对国际格局的影响：现实主义视角

从现实主义者的基本思想出发，可以得出如下结论：一方面，

131

① ［美］罗伯特·吉尔平：《世界政治中的战争与变革》，中国人民大学出版社 1994 年版，第 145 页。

② ［美］罗伯特·吉尔平：《国际关系政治经济学》，经济科学出版社 1989 年 10 月第 1 版，第 41～42 页。

③ 王正毅、张岩贵：《国际政治经济学——理论范式与现实经验研究》，商务印书馆 2003 年 11 月第 1 版，第 236～238 页。

新兴大国的崛起将挑战并削弱现有霸权，另一方面，新兴大国的崛起又可能会帮助现有霸主维系其霸权。正因为如此，新兴大国的崛起对国际格局的影响变得不那么确定。

1. 新兴大国的崛起将挑战并削弱现有霸权——来自"霸权稳定论"的观点

从"霸权稳定论"的基本观点出发，不难看出，新兴大国的崛起增加了霸权国家维系霸权稳定的成本，从而对现有霸权构成挑战，并肯定将削弱现有霸权。因此，巴西、俄罗斯、印度和中国的崛起将必然对美国现有的霸主地位带来冲击。

巴西地处美国的后花园，随着巴西经济实力和国际地位的不断提升，两国之间的经济摩擦和外交摩擦也不断增多。巴西对于美国而言有着十分重要的意义，如果巴西崛起为一个地区大国，将会直接威胁到美国西半球地区霸主的地位。而事实上，巴西已经给美国维持霸主地位带来了不小的麻烦。2003 年下半年，巴西先是在讨论建立美洲自由贸易区的问题上与美国针锋相对，巴西认为农业问题对包括巴西在内的发展中国家至关重要，对于美国积极推动的服务、投资、知识产权保护等议题，巴西方面则认为不宜纳入谈判。这已经让美国很是头疼。不仅如此，2003 年 7 月 1 日，巴西外交部宣布，巴西政府拒绝与美国签署国际刑事法院豁免权双边协议。巴西外交部在发表的公报中指出，国际刑事法院的宗旨是阻止犯有战争罪、反人类罪和种族灭绝罪的人逍遥法外，而美国要求签署的协议完全违背了《国际刑事法院规约》的精神，也不符合所有国家在法律面前一律平等的原则。此外，严格地从法律角度来说，巴西作为该规约的签署国，不能通过双边途径放弃在多边领域承诺的义务。公报说，基于上述原因，巴西不打算签署美国提出的有关协议。巴西的这种不合作无疑让美国政府深感恼怒。

而大洋彼岸中国的崛起则更让美国担心，因为中国崛起对美国造成的冲击将更加"刻骨铭心"。美国前贸易代表巴尔舍夫斯基这样评价中国的崛起，她说："中国崛起将影响美国全球竞争力。从短期来看，中国的崛起会影响美国人对国内政治、经济环境特别是美国无就业复苏的认识；从长期来说，中国的崛起将影响到美国的全球竞争力。"巴尔舍夫斯基认为，在中美贸易方面有四种影响值得注意：第一，中国的贸易增长是全面的，而且中国已经发展起来的行业在美国经济中是最可感知的；第二，中国成功的部门中许多是在美国早就被认为是重要的敏感部门，这就进一步引起对这些进口品的政治担忧；第三，中国向市场提供的产品正在逐步升级；第四，中国的经济崛起跟它在外交上的崛起是同时进行的，中国已代替日本成为亚洲议程的领导者。中国甚至拥有可以左右美国大选的能力，由于中国的经济腾飞和贸易繁荣，美国比以往更显著地将中国的崛起视为来自竞争对手的挑战。

2. 新兴大国的崛起将帮助维系现有霸权——来自"国家主义"的观点

来自"国家主义理论"的观点说的是另外一个"故事"，新兴大国的崛起增加了大国之间（现有大国和新兴大国，但不包括霸权国）互相牵制的力量，对霸权稳定有正向作用。根据"国家主义"的观点，崛起中的新兴大国和其他现有大国均会强调国家主权、安全以及民族感情，如果这两类国家都按照这种逻辑行事，那么汇聚这两类国家的欧亚大陆地区将会成为互相牵制的一张巨网，所有该地区的国家将会因为互相牵制而都无法成为像美国那样的超级大国；而美国则可以置身事外，在大洋彼岸施展"离岸平衡手"（offshore balancer）的绝技，维持自己独一无二的霸主地位。

133

现以美国与亚洲地区的中国、日本和印度的关系来说明这个问题。日本一直以来的梦想就是从经济大国走向政治大国，至今日本也未放弃谋求联合国常任理事会席位的努力。印度的大国梦则做得更加露骨，印度副总理阿德瓦尼不久前就曾表示过："我们的短期目标是成为新加坡那样的发达国家，我们的长远目标是要与美国平起平坐。"不难看出，印度的外交理念决定了其终极目标绝不是在南亚称雄，而是想成为世界一极。美国在该地区的政策是联合日本和扶持印度，因为崛起中的中国才是美国在该地区的"心腹大患"。而对于日本和印度来说，配合美国在亚洲地区的战略，牵制中国也是完全符合两国的"国家主义"利益的。这就是印美贸易的势头强劲和良好气氛与中美贸易摩擦不断的原因；也解释了为什么在美国人眼里，日本已经成为一个远远超乎美国期待的可靠盟国，而不再是一个"无用的国家"。

3. 新兴大国的崛起对霸权的冲击：一把双刃剑

综合"霸权稳定论"和"国家主义"两派观点，不难看出：一方面，新兴大国的崛起增加了霸权国家维系霸权稳定的成本，从而对现有霸权构成挑战，并将肯定削弱现有霸权；另一方面，新兴大国的崛起增加了大国之间互相牵制的力量，对霸权稳定有正向作用。因此，在"现实主义"者看来，新兴大国的崛起对现有格局的稳定犹如一把"双刃剑"，其效果并不确定。最终结果要视新兴大国与现有大国以及新兴大国之间的博弈结果以及霸权国美国控制局势担当平衡手的能力而定。

三、"马克思主义"与新兴大国的崛起

国际政治经济学理论的第三条演进路线是沿着"马克思主义"进行的。这派理论的学者主要关心的是发展中国家在国际体系中的发展以及资本主义体系的命运，由此先后出现了依附理论和世界体系理论。依附理论和世界体系理论继承了古典马克思主义政治经济学的传统，对发展中国家在国际体系中的发展以及世界体系本身进行了系统的分析。

（一）依附理论的主要思想

依附理论，即"中心—外围"理论，最早由阿根廷经济学家普雷维什于 1943 年提出。该理论的重要前提就是国际体系和国家内部的中心—外围结构，即单一的资本主义世界市场、不等价交换和二元社会结构。① 在"依附论"者看来，依附反映了当代发达的资本主义国家和发展中国家之间相互关系，特别是经济上的相互关系。这种相互关系是一种双重关系：一方面，发达国家垄断了政治、经济、金融和技术，进而对发展中国家形成经济和社会上的扩张和渗透，加重发展中国家在经济和社会方面对资本主义发达国家的依附；另一方面，发展中国家发展道路的选择可能带来两种后果，或者因依

---

① 王正毅、张岩贵：《国际政治经济学——理论范式与现实经验研究》，商务印书馆 2003 年 11 月第 1 版，第 252～271 页。

附于发达国家以及跨国公司发展了本国的经济，或者因依附于发达国家而变得落后、贫穷。依附的主要形式有殖民性依附、金融—工业依附和新依附。依附理论的提出对于 20 世纪 70 年代以来南北差距的不断扩大有着很强的解释力。

（二）世界体系论的主要思想

最宏大的世界政治经济体系理论是伊曼纽尔·沃勒斯坦的世界体系论。世界体系论以研究世界经济体系的运作为基础，提出了一个世界政治经济结构，并讨论这个体系的周期和走向。世界体系论的直接学术思想来源是依附理论。"中心—外围"结构被世界体系论者改造成了"核心—半边缘—边缘"结构。

1. "融入"和"边缘化"。"融入"和"边缘化"是世界体系论中常用的两个范畴。前者是指世界体系之外的国家和地区不断进入世界体系的过程；后者则指世界体系不断包容新的国家和地区的过程。"融入"只是"边缘化"的第一步，随着"边缘化"过程的深入，被边缘化的国家和地区不断进入整个世界经济的"商品链"中。

135

2. 世界体系发展的五个趋势。在沃勒斯坦看来，资本主义世界体系发展的趋势主要有五个，分别为商品化、机械化、合同化、相互依存和两极化。[①]

3. 核心国家和边缘国家。世界体系论认为，在国家体系的变化过程中，存在着两重过程：一个是核心区的"核心化"过程，即在世界经济中，国家在几个地区不断地垄断商品，利用国家机器在世界市场中使其利润最大化，这些国家也因此成为"核心国家"，核心国家之间通过相互的斗争，出现了"霸权"国家；另一个过程是在边缘区发生的"边缘化"过程，即这些国家在世界市场中利用成熟技术以及廉价的劳动力，因此成为"边缘国家"。与这种经济两极化过程相对应的是政治两极化，即在核心区出现强国，而在边缘区出现弱国。

（三）新兴大国崛起对国际格局的影响：马克思主义视角

根据一脉相承的"依附理论"和"世界体系论"的观点，不难

①　Terence K. Hopkins & Immanuel Wallerstein："World-System Analysis：Theory and Methodology"，Sage Publication，p104～106.

看出，新兴大国的崛起对国际格局将会造成以下几个方面的影响。

1. 改变传统依附模式——发展中新兴大国从外围走向中心

巴西、印度、中国等发展中新兴大国的崛起改变了"依附理论"所界定的发达国家与发展中国家的关系，即发达国家总是处于世界体系的中心结构，而发展中国家总是处于边缘结构。由于巴西、印度、中国等新兴发展中大国的崛起，使中心和外围的界线变得模糊。也就是说，发达国家对发展中国家进行经济和社会的扩张和渗透，促使发展中国家对其"依附"的同时，发达国家自身也会在经济和政治上对巴西、印度、中国这样的发展中大国有了一定的"依附"。

发展中新兴大国"从外围走向中心"主要表现在如下几个方面：

（1）经济实力的增强。由于发展中新兴大国都致力于经济改革，开放国内经济，平衡财政预算，同时由于它们独特的市场魅力，使其得以持续保持高增长率。尽管相比较于发达资本主义国家来说，发展中新兴大国的经济总量仍显得微小，但相对于自身的基础而言，四国的经济发展都取得了相当不错的成绩，其中尤以中国和印度的表现最为突出。

（2）经济地位的提升。虽然发展中新兴大国的经济实力目前阶段仍不够强大，但它们的经济地位在世界经济体系中则重要得多。中国正在成为"世界经济的工场"，以至于发达国家的工厂纷纷向中国转移；印度正在成为"世界的办公室"，它的中心战略是培养高水平的、廉价的劳动力；而资源丰富的巴西将成为世界经济的重要稳定因素。

（3）改变未来国际经济秩序。如果说今天的发展中新兴大国只是让发达资本主义国家感到了压力，那么未来它们会凭借强大的经济实力而改变国际经济秩序。50年后的世界将是一个包括崛起的新兴大国、经济实力分布得更加均匀的世界。

2. 左右世界体系平衡——发展中新兴大国日益成为"核心国家"

在世界体系论者看来，国家自产生以来就不是一个完全独立的政治实体，因为所有的国家从一开始就存在于国家体系之中。国家体系是定义国家的框架，所遵循的原则是势力均衡（balance of power）。在资本主义世界体系中，每一个国家都处于某个国家体系之中，这样就促使那些强国和中等强国进行联盟，以阻止某一个国家来控制其他所有的国家，从而导致国家体系中的势力均衡。"势力均衡——既制约强者也制约弱者——并不是一种能够简单操作的政治现象。"①

从最初被排除在世界体系之外，到逐渐融入到世界体系之中；从最初的被边缘化，到日益成为世界体系的"核心国家"，巴西、印度、中国等发展中新兴大国完成了一次不可思议的"蜕变"。一方面，随着巴、印、中等新兴大国迈入强国或中等强国的行列，强国之间的联盟将变得更加普遍，从而保证"势力均衡"原则主导下的国家体系和世界体系趋于稳定；另一方面，核心国家内部的"核心化"过程，即"霸权国家"的产生，正是核心国家之间相互斗争的结果。因此未来世界格局必将由现有大国和新兴大国所组成的核心国家体系所主导。

137

四、第四种视角

（一）第四种视角的形成

上文从国际政治经济学三大流派出发，分别用"相互依存论"、"霸权稳定论"、"国家主义理论"、"依附论"和"世界体系论"对新兴大国崛起的国际影响进行了分析。由于理论本身所关注的问题不同，分析结果也都只是从某一个角度反映了新兴大国崛起对国际格局的影响。如"相互依存论"的分析主要集中在新兴大国的崛起对大国之间相互依存的关系以及国际体制变动的影响；"霸权稳定论"和"国家主义理论"的分析主要集中在新兴大国的崛起对现有霸权的冲击；而"依附论"和"世界体系论"的分析则更加专注于新兴大国的崛起与世界体系平衡。

这些表面上看起来没有什么关联甚至本身都并不确定的分析结果，事实上却存在着千丝万缕的联系，这主要是因为国际政治经济学的理论演进本身就伴随着流派之间的相互融合。对此，小约瑟夫·奈和罗伯特·基欧汉这两位相互依存论的集大成者就曾无奈地

---

① Immanuel Wallerstein: *Historical Capitalism*, London: Verso, 1983, p57.

表示，"非常可笑的是，考察我们关于跨国关系的早期著作的观点，其结果不是形成另外一个前后一致的关于世界政治研究的理论框架，却是一直在扩展新现实主义，并且不断为现实主义提供新的概念。"①甚至是被西方学术界认为已经是非常完美的现实主义流派的"霸权稳定论"，其实也是三大流派融合的产物，因为它也不得不面对这样一个主题，即：一个相对开放的国际经济制度与一个集中全球政治经济力量的单一"霸权"国家间的相互作用。②

因此，在看待新兴大国的崛起对国际格局的影响时，不能只从单一的角度去观察，而需要一个更加全面的、系统的视角，这种视角一方面应该是现有三大国际政治经济学流派的整合，另一方面应该有新兴大国自身的特色。而中国特色的国际关系思想可以为这两个要求提供一种合理的嫁接。

（二）中国特色的国际关系思想

中国特色的国际关系思想是以和平与发展、国家崛起与融入世界为主要视野的，它的主要代表人物是毛泽东、邓小平和江泽民。在不同的国际形势下，中国特色的国际关系思想创造了独特的概念，如"三个世界"、"反帝统一战线"、"改革开放"、"国家利益"、"一国两制"、"韬光养晦战略"、"世界新秩序"、"和平与发展"、"国际关系民主化"、"新安全观"、"战略机遇期"等。

中国特色的国际关系思想的主要内容包括以下几个方面③：一是时代主题由战争和革命转向和平与发展，世界大战可以避免，维护和平是有希望的；二是发展中大国始终坚持独立自主的外交政策，要真正做到不结盟，既要反对霸权主义，又要发展与西方大国的正常关系，不以意识形态定亲疏，对国际问题，按事件本身是非曲直作判断；三是必须提高与世界交往的能力，坚持改革开放，逐渐融入国际社会；四是在追求和平与发展的年代里，一个正在崛起的发展中大国要理性地坚持"韬光养晦、有所作为"的战略方针；五是

---

① Robert Keohane: *International Institutions and Sate Power: Essays in International Relations Theory*, Boulder: Westview Press, 1989, p251.

② 彭澎：《国际政治经济学》，社会科学文献出版社 2001 年 5 月第 1 版，第 45 页。

③ 郭树勇："试论马克思主义国际关系思想及其研究方向"，《世界经济与政治》2004 年第 4 期。

以和平共处五项原则为基础，推动国际关系多极化和民主化，建立公正合理的国际新秩序。

不难看出，尽管这些思想的提出是以中国为背景的，但对于其他崛起中的新兴大国而言，也具有十分重要的指导作用。

（三）从第四种视角看新兴大国崛起对国际格局的影响

如果说国际政治经济学的三大理论流派都非常注重和强调"平衡"，那么中国特色的国际关系思想则为新兴大国在崛起过程中如何"制衡"提供了切实可行的思路。对于崛起中的新兴大国来说，找到"制衡"的钥匙至关重要，它将决定新兴大国最终能否崛起。这里用于分析新兴大国崛起对国际格局影响的第四种视角，就是"平衡"与"制衡"。

从"平衡"与"制衡"的视角出发，对于新兴大国的崛起对国际格局的影响，本书的结论是：随着新兴大国的崛起，国际格局多极化趋势将进一步加强，进程将进一步加快。

139

1. 新兴大国的崛起将首先加快"地区多极化"进程，形成"区域制衡"，这确实在某种程度上帮助了现有霸主维持霸权，但同时也应该看到，"区域内制衡"更多地将会以一种"军事制衡"、"经济依存"的形式存在，因此这种制衡并不会影响新兴大国崛起的大趋势。

2. 新兴大国的崛起最终将会加快"全球多极化"进程，实现"全球制衡"。诚如高盛所预言，50年后世界经济的中心将是中印美三国，同时欧盟、俄罗斯、巴西、日本等国和国家集团也举足轻重。美国的经济实力无法帮助其维持霸主地位，多极化的世界格局将会最终形成。

3. 新兴大国的崛起在上述两阶段推动多极化进程的速度有所不同。在新兴大国崛起过程中，推动多极化的力量是逐渐增强的，新兴大国和现有大国力量对比也是加速改变的，因此，"全球制衡"阶段比"区域制衡"阶段具有更强的多极化发展趋势。

总之，多极世界格局的形成和发展是无法阻挡的历史潮流，新兴大国的崛起顺应了世界格局多极化的趋势，并强化了这一趋势。

参考文献

1. Richard Cooper：*The Economics of Interdependence*，New York，McGraw-Hill，1968.

2. Robert Gilpin：*War and Change in World Politics*，Cambridge University Press.

3. Terence K. Hopkins & Immanuel Wallerstein：*World-System Analysis：Theory and Methodology*，Sage Publication.

4. Immanuel Wallerstein：*Historical Capitalism*，London：Verso，1983.

5. Robert Keohane：*International Institutions and Sate Power：Essays in International Relations Theory*，Boulder：Westview Press，1989.

6. William C. Wohlforth："Power，Globalization，and the End of Cold War"，*International Security*，Vol. 25，Issue 3，Winter 2001.

7.［美］小约瑟夫·奈、罗伯特·基欧汉：《权力与相互依赖——转变中的世界政治》，中国人民公安大学出版社 1992 年版。

8.［美］肯尼思·华尔兹：《国际政治理论》，上海世纪出版集团 2003 年 11 月第 1 版。

9.［美］约翰·米尔斯海默著，王义桅、唐小松译：《大国政治的悲剧》，上海世纪出版集团 2003 年 4 月第 1 版。

10.［美］罗伯特·吉尔平：《国际关系政治经济学》，经济科学出版社 1989 年 10 月第 1 版。

11.［美］罗伯特·吉尔平：《世界政治中的战争与变革》，中国人民大学出版社 1994 年版。

12. 王正毅、张岩贵：《国际政治经济学——理论范式与现实经验研究》，商务印书馆 2003 年 11 月第 1 版。

13. 彭澎：《国际政治经济学》，社会科学文献出版社 2001 年 5 月第 1 版。

14. ［日］森田实：在政治经济军事各方面实现日美一体化——小泉政治评析，日本《时事解说》周刊 2004 年 4 月 6 日。

15. 宋玉华："评新世纪美国政府的全球战略"，《世界经济与政治》1999 年第 3 期。

16. 王帆："《稳定的单极世界》评价"，《美国研究》2000 年第 1 期。

17. 吕有志："对当今世界格局认识的新探索"，《国际观察》1994 年第 5 期。

18. 李灼荣："从北约暴行看美国的世界霸权战略"，《桂海论丛》1999 年第 4 期。

19. 朱锋："伊拉克战争与国际格局的新态势"，《世界经济与政治》2003 年第 11 期。

20. 刘建飞："冷战后美国的霸权战略及其制约因素"，《中共中央党校学报》1998 年第 2 期。

21. 郭树勇："试论马克思主义国际关系思想及其研究方向"，《世界经济与政治》2004 年第 4 期。

22. 萨缪尔·亨廷顿：《文明的冲突与世界秩序的重建》，新华出版社 1998 年 3 月第 1 版。

23. 徐坚："和平崛起是中国的战略选择"，《国际问题研究》2004 年第 2 期，第 1～8 页。

第五章　现有大国与新兴大国的
矛盾和冲突

国际政治经济关系是一种动态的循环过程。由于各国经济发展不平衡，后起的经济强国必然要利用发展起来的经济力量要求获得政治上相应的权力，而衰微的强国必然利用旧的制度权力阻止新兴大国的崛起，其结果就是系统的"结构性战争"和新的国际权力体制的建立。

——［美］罗伯特·吉尔平

142

面对巴西、俄罗斯、印度和中国（BRICs）四个新兴大国的崛起，现有大国和大国集团各自采取了不同的战略。美国对新兴大国的崛起采取双重标准，即对所谓的民主国家采取支持和拉拢战略，对所谓的集权国家则采取遏制和促变战略；欧盟对新兴大国的崛起采用多边主义方针，以推进世界多极化，并在此过程中实现自成一极的目的；日本的基本方针是追随美国的单边主义，战略重点是依托东南亚成为地区大国。因此，日本将积极利用新兴大国崛起的历史机遇实现自身目标，并借以牵制中国崛起的步伐。

第一节　美国对新兴大国崛起的战略

作为当今世界惟一的超级大国，美国成了世界的霸主。美国的全球战略是维持并加强其霸主地位，为此，它不允许任何挑战其霸主地位的竞争对手出现。为了实现其成为世界"永久帝国"的梦想，美国制定了"新帝国大战略"。根据这个战略,美国对于四个新兴大国崛起的战略方针必然是双重的,对它所认定的所谓民主国家,即不构成威胁,并且在意识形态、制度结构、语言文化等方面与其相近的国家采取扶植和支持战略,以保持和强化其"盟主"地位;而对那些它所认定的所谓专制国家,即可能对其构成威胁,并且在意识形态、社会经济、政治制度、文化、宗教、语言等方面与其相距甚远的崛起中新兴大国则采取遏制和打击战略。

一、美国的"新帝国大战略"

"9·11"事件后,美国的布什政府加紧推行"新帝国大战略",以维护其君临天下的霸主地位。世纪之交美国"新帝国大战略"的形成及推行,标志着美国国家安全战略和全球战略进入了一个全新的发展阶段。

(一)"新帝国大战略"的形成

"新帝国大战略"的提出是美国外交战略和政策的重大调整,这是在冷战结束十年内逐步完成的。一方面,美国借助其在信息通信技术上的压倒优势,实现了强劲的经济扩张,综合国力显著增强,由此一扫其在 20 世纪 70、80 年代的颓势而重振了国威;另一方面,美国国内开展了一场关于冷战后美国全球战略的广泛讨论,尽管有新孤立主义抬头,但美国在国际关系中的均势战略和国际主义(新干涉主义的代名词)仍占据主导地位。经过十年的力量积累和对外政策的持续辩论,美国当政者的单极思维、领袖思维定势进一步强化,认为美国已处于干一番大事业的历史机遇期,它要打"时间差",要先发制人[①]。环顾全球,美国自信到 2015 年世界尚不可能出现与之抗衡的力量,即美国至少可以在这一时期内保持惟一超级大国地位而无全球性战略对手。所以,美国决策者视之为难得的战略机遇,推行其全球战略,阻滞多极化进程,以营造有利于美国的全球战略环境;通过各种干涉与惩罚手段,加快构筑其理想中的单极世界体系,以确保 21 世纪再次成为"美国世纪"。因此 20 世纪末,

---

① 宋玉华:"评新世纪美国政府的全球战略",《世界经济与政治》1999 年第 9 期,第44～49页。

143

美国开始以前所未有的规模，全方位地、放手地推行其力图主宰新世纪的全球战略。

这一战略就是所谓的"新帝国大战略"。1999 年美国主导下的北约发动科索沃战争后不久，美国前总统克林顿曾在国会谈及，"历史上所有曾出现过的帝国，如罗马帝国、蒙古帝国、奥匈帝国及大英帝国，还有希特勒的第三帝国和日本帝国，所有这些帝国的存在长的有二三百年，有的则短得可怜。为了我们神圣的国家利益，我们制定了下世纪的最新战略"。克林顿强调新战略的目标将是从现在起，美国将成为人类最后惟一的帝国。英国《卫报》曾发表的埃里克·霍布斯鲍姆《美国的帝国妄想》一文指出，美国帝国的新奇之处在于：所有其他帝国都知道自己不是惟一的帝国，而且没有一个帝国把目标锁定在主宰全球上①。美国"新帝国大战略"的提出，标志着第二次世界大战结束以来美国推行了半个多世纪的"遏制威慑"战略发生了重大改变，已被"先发制人"的进攻性战略所取代。战后美国的国家安全理论基础已从战略威慑的安全理论转为战略上先发制人的安全理论。在二战后的 50 年里，美国一直把战略威慑作为国家安全理论的基础。"这项战略维持了超级大国之间的和平，而现在正在逐渐被战略上先发制人的理论所取代"，根据这种新构想，重点是利用暴力手段消除武器的威胁，这种转变被认为是"最大的战略革命"②。所谓战略威慑指为了保卫国家安全利用核军事优势始终保持对敌手（当时的苏联）的威慑态势；而先发制人则完全不同，它是为同一目的，利用军事优势主动出击。先发制人，这是一种主动性的、进攻性的，甚至会演变为侵略性战争的所谓国家安全理论基础。

小布什上台后，一批顽固的、极右的新保守派聚集在布什周围，空前活跃。他们认为，要想实现美国的绝对霸权、绝对领导、绝对安全和绝对军事优势，并在此基础上建立美国的全球性霸权，就必须全面阐述和积极实施以"先发制人"为核心的"新帝国大战略"。

---

① Guardian, UK June 19，2003.

② 阿维格多·哈兹尔科恩文："美国不再把战略威慑当作安全理论的基础"，《洛杉矶时报》1999 年 1 月 10 日，转引自新华社联合国 1 月 10 日英文电。

新政府运作后不久发生的"9·11"恐怖袭击事件，进一步加快了这一进程。

2002年1月29日，布什总统发表《国情咨文》，将伊拉克、伊朗、朝鲜列为"邪恶轴心国"。布什宣称，美国将承担起"领导世界的责任"，对邪恶轴心势力、恐怖主义势力和其他挑衅美国的势力发动全面打击，这是布什政府首次明确发出推行"新帝国大战略"的信号。2002年4月7日，在英国首相布莱尔外交政策顾问罗伯特·库珀（Robert Cooper）出版的名为《世界秩序重组》的小册子中，他频繁使用"新帝国主义"这个词汇，提出为了对付恐怖威胁，美英等国应确立能以军事手段介入世界任何角落的"新帝国主义"，认为"恢复世界秩序是自由民主主义的任务"，"要使落后国家的文明和统治获得新生，就需要新的殖民政策"。他甚至宣称："帝国主义的机会和必要性同19世纪相比没有任何改变"，这无疑助长了美国推行"新帝国大战略"的气焰。

145

2002年4月5日，美国总统国家安全事务助理赖斯在霍普金斯大学国际关系学院发表了题为"反恐战争与美国对外政策"的演讲，指出"9·11"事件后的世界给美国带来的不只是巨大的威胁，而且有巨大的机遇。作为世界上最强大的国家，美国应该把握机遇，主动出击，建立新的国际秩序。同年6月1日，布什总统在西点军校发表演讲，对"新帝国大战略"做了更加详细的阐述。布什指出，"面对新的威胁，需要新的思维"，这个新的思维就是实施先发制人和统一的价值观。布什把拥有大规模杀伤性武器的国家、"邪恶轴心国"、恐怖势力列为进行先发制人打击的主要目标。2002年9月20日，布什执政后公布的第一份《美国国家安全战略》正式把"先发制人"确定为美国国家安全战略。至此，美国"新帝国大战略"堂而皇之地走上了世界舞台。

（二）"新帝国大战略"的内涵

第一，重新确定"主权"的含义，随意裁定别国主权。根据美国国务院政策规划办公室主任理查德·哈斯的解释，主权是与责任相伴而生的：一个国家不能屠杀其人民，也不能以任何方式支持恐怖主义。如果一国政府未能担负起这些责任，它就丧失了主权中的一些权利，包括在它本国领土内进行统治的权利；其他政府，包括美国，就获得了进行干涉的权利。因此，对任何一个国家来说，主权都不是绝对而是相对的。那些收留、包庇恐怖分子或者无法在自己境内执行法律的国家，实际上就丧失了它们的主权。新保守派认为，如果面对恐怖主义威胁，其他国家甚至拥有了进行先发制人的干涉的权利……这是自卫的一种形式。既然恐怖组织无法被威慑住，美国则必须在任何时候都做好准备，在全球各个角落采取先发制人的行动，摧毁恐怖威胁。2003年1月14日，理查德·哈斯在乔治敦大学发表的题为《主权：现有权利和演变中的责任》的演讲中宣称："主权现在既不是绝对的也不是无条件的。"他说："'9·11'事件提醒我们，弱国也会像强国一样危害我们的安全，它们会为极端主义分子提供培训基地，成为罪犯、毒品走私和恐怖分子的天堂，国外的这些非法行为会给国内造成破坏。我们当前一项最紧迫的任务就是防止当今的麻烦国家变成明天的失败国家。"

第二，重新评估美国面临的威胁，把恐怖主义和大规模杀伤性武器的扩散视为美国的头等敌人。冷战结束后，新保守派曾经将俄罗斯和中国视为未来的主要敌人，如美国1997年《四年防务评估报告》就指出，"2015年后，俄国和中国将会成为美国新的全球性对手"。但在"9·11"恐怖袭击之后，新保守派改变了看法。他们认为，大规模杀伤性武器被恐怖组织用来攻击美国的可能性越来越大，并且日益成为"无赖国家和恐怖分子勒索美国及其盟国的工具"。[①]因此，布什政府在2002年9月份和12月份分别出台的《美国国家安全战略》和《抗击大规模杀伤性武器的国家战略》中，把恐怖主义和大规模杀伤性武器的扩散明确地界定为美国面临的头号威胁，要求借助全球性反恐战争和反扩散努力，消除它们对美国的威胁。

第三，对恐怖组织和"无赖国家"发动"先发制人"的打击。布什政府认为，"无赖国家"和恐怖组织今后会继续对美国及其盟友发动类似于"9·11"的隐蔽而突然的袭击。要想成功地阻止这些"非对称性威胁"，传统的遏制与威慑战略已经显得力不从心，必须

---

① 辛本健："美国新保守派的重新得势与布什政府的'新帝国大战略'"，《世界经济与政治》2003年第10期，第27~32页。

以"先发制人"战略取而代之。2002年版《美国国家安全战略》明确指出，"如果有必要，美国会毫不犹豫地单独采取行动，通过对无赖国家和恐怖分子采取先发制人的行动，行使美国自卫的权利。"

第四，无视国际准则、条约和安全合作关系，实行单边主义。新保守派认为，"美国已经足够强大，拥有足够的实力和远程投送能力来依靠自己独断专行"。他们一直深深怀疑国际准则和条约的有效性，主张美国不应该身陷那些充满缺陷和限制自由的国际多边规则和机构之中。在新保守派看来，随着反恐风险的持续增大，美国在反恐战争中使用武力的频率将日益增多，那么制裁和限制使用武力的多边准则和协议只会成为巨大障碍，因此美国的头等任务是消除威胁，而不是遵守国际准则。布什政府对大批国际条约和机构的批判与抛弃，从退出《反弹道导弹条约》、拒绝签署《京都议定书》和《禁止生物武器公约核查机制》，到拒绝参加国际刑事法庭，都是美国推行"新帝国大战略"的表现。而21世纪初发生的伊拉克战争则是美国推行"新帝国大战略"的最高代表。我国学者朱锋认为，"当美国的权力追求不需要顾及更多的消极后果，不需要支付难以承受的成本代价或者利益损失时，单边主义就会成为一种权力追求的可靠方式并进而成为其基本的政策模式"。按照他的分析，伊拉克战争之所以没有被阻止，就是因为美国占有了其他国家无法达到的"权力自由"，因而享有了单边主义的"自由度"。①

（三）"新帝国大战略"的理论支柱

1. "主权有限论"

美国政府认为，凡是拥有大规模杀伤性武器的国家，准许恐怖分子在自己领土上开展恐怖活动的国家，以及专制政权践踏本国公民最起码权力的国家，都不可能指望得到国际法所赋予的主权的完全保护，这些国家的主权是有限的；为了消除危害世界的隐患，美国就应采取一切手段进行干预；而美国采取一切手段进行干预的权力是无限的。哈斯认为，"在各国拥有的主权当中，应附带不能杀害本国国民和不支持恐怖行动等一系列义务。不能实现这一义务的国

147

家应被剥夺主权和不被干涉的权力，美国等其他国家应被赋予进行干涉的权力。"① 这一理论实际上是美国推行"人权高于主权"、"反恐高于主权"，借人权和反恐之名行谋求霸权之实的借口。

2. "单极稳定论"

这一理论由美国著名的政论家威廉·C·沃尔弗斯于1999年在《国际安全》杂志第5期上发表的《稳定的单极世界》一文中首先提出，后被美国政府正式接受。这一理论认为，随着苏联的解体，世界政治关系和权力结构发生了根本变化，美国成为仅存的超级大国。无论从定量还是从定性的分析上看，美国在世界政治结构中的权力优势都是"史无前例的"，世界上没有任何一个大国或大国集团能够单独与美国进行全球抗衡，因而形成了一超独强、没有对手的世界权力结构和力量对比关系，导致了现代国际关系史上未曾有过的"单极时代"。由于美国绝对优势地位的确立，过去长期以来对国际体系中领导地位的争夺这一导致世界冲突的根源将不复存在，使世界出现一种"单极力量主导下的稳定与和平"，美国的实力越突出、越强大，在美国主导下的国际秩序就越稳定、越和平。按照这一理论，如果单极是稳定的，那么维护单极所采取的一些手段包括战争也是"有利于稳定的"，因而也是"合法"的，这就是"单极稳定论"的内在逻辑。

3. "新安全观"

按照传统的安全观念，美国可谓是当今世界最安全的国家。支配美国国家安全战略的基本理念有两个：一是"地缘安全论"，美国历届政府和美国民众都以它所处的优越地缘环境而自豪；二是"实力安全论"，美国自认为它是世界上实力超群的惟一超级大国，任何国家和国家集团都无力直接挑战美国霸权，对美国不构成现实威胁。"9·11"事件打破了美国安全的神话，终结了美国本土未遭侵犯的历史，世界上最强大的国家成为当今国际恐怖势力侵袭的首选对象，变成了世界上最不安全的国家。2001年9月30日美国国防部发表的《国防战略审查报告》抛弃了传统的安全理念，认为"美国的地理位

① "单极世界与'有限主权论'"，《光明日报》2003年7月9日。

置已经不再能保证其人口、国土和基础设施免受直接攻击。……经济全球化与随之而来的跨越美国边界的旅行与贸易的增加，创造了敌对国家和行为体可用以攻击美国国土的新弱点"。虽然美国实力超群，但"我们不能也不可能准确得知美国的利益会在何时何地受到威胁"，"国家面临的挑战不是遥远的将来，而是此时此地"。由此，美国确立了新的安全观念，主要内容包括：美国安全所面临的威胁是全方位、全时段、多层次的，不仅面临着国家行为体的挑战，而且面临着非国家行为体的现实威胁；不仅面临着包括核武器在内的大规模杀伤性武器的威胁，而且面临着生化恐怖威胁；不仅面临着对称性作战的威胁，而且面临着非对称性作战的威胁；不仅美国的海外利益受到严峻的挑战，而且美国本土也面临着严重的威胁。

4. "先发制人论"

美国总统布什于 2002 年 6 月 1 日在西点军校的演讲中首次正式提出了"先发制人论"。他指出，为了对付许多意想不到的威胁，美国必须"做好必要时采取先发制人的行动捍卫我们的自由和保护我们的生命的准备"。在 2002 年美国《国家安全战略报告》中，布什政府正式将"先发制人"确定为美国的安全战略。从布什政府的言论来看，美国"先发制人"战略新概念包括三个基本内容，即：（1）"先发制人"战略实施的主要目标是恐怖主义活动的地区和拥有大规模杀伤性武器的国家。有时为了捍卫"自由"，也需要对某些特定对象实施"先发制人"打击，这样，美国就需要"不断制造敌人"。（2）"先发制人"战略主要以战争手段来实施，这种战争从本质上讲绝不是一种消极的自卫和被动的反应，而是一种"预防性干预"和主动出击，"美国将在威胁完全形成之前就采取行动"。（3）"先发制人"战略的实施表现为典型的单边主义，无论国际社会是否接受，联合国是否授权，其行为是否符合《联合国宪章》和国际关系基本准则，美国政府一旦锁定目标，就将果断出手。可以看出，"先发制人论"是美国"新帝国大战略"的主旨与核心。

5. "民主和平论"

这一理论认为，"民主国家是不会发生战争的"，这主要是由"民主"政治制度的约束机制决定的；转型中的"民主国家"发生战争的可能性较大，而"非民主国家"则频繁地发生战争；"民主国家"不能回避与"非民主国家"的战争，"民主国家"在继续维护世界民主和平的同时，要以战争的方式帮助那些"非民主国家"重建民主，通过民主的建立，在"非民主国家"实现和平。2002 年 6 月 1 日布什在西点军校的演讲中公开宣称，为"支持人类自由的和平"，就必须对那些"恐怖主义和暴君的威胁"发动战争。因此，"民主国家"对"非民主国家"进行的军事打击和战争是实现民主和平的"崇高使命"，这是美国"新帝国大战略"的重要依据。

（四）美国"新帝国大战略"的推行

1. 进一步增强军事力量，夯实"军事帝国"的硬实力

军事实力和军事手段是美国"新帝国大战略"的支柱和堡垒。2002 年美国《国家安全战略报告》就明确指出，美国将保持其在世界上最强大的、能够打败任何对手的军事力量，绝不允许任何国家对其第一军事大国地位构成威胁。因此，美国从以下几方面着手，夯实其"军事帝国"地位。

（1）大幅增加国防费用，加快武器更新换代。冷战结束后，在世界军费总额相对下降的同时，美国的军费却继续增长，其军费绝对值在小布什政府时期不断创造历史新高。2003 财政年度，美国国防预算总额高达 3790 亿美元，比 2002 年度增加 480 亿美元，增长率为 15％，是过去 20 年增长幅度最大的一年，占世界军费总额的 40％。近几年来，美国每年用于新武器研制的费用高达 800 亿美元，武器采购费用超过 1000 亿美元，使美国武器装备更新换代的步伐明显加快。到 2005 年前后，美国将为空军全面装备 F-22 新一代战斗机，并计划在 2012 年以前部署由 12 架无人驾驶飞机组成的飞行中队。美国海军将装备更为先进的导弹驱逐舰和核潜艇，美国陆军将在实现数字化方面取得重大进展，美国的核武器也将朝着小型化、多样化方向发展。美国计划在 2009 年以前研制 10 倍于音速的精确制导导弹，这种导弹能在全球范围内快速出动和精确打击。许多军事观察家一致认为，美军在完成了武器装备的更新换代后，其超强的军事实力将会进一步加强。

（2）全面调整核武战略，不断强化战略优势。自 2001 年年底以

来，美国政府采取了一系列措施调整核武器发展战略。2001 年 12 月
13 日，美国单方面宣布退出《反导条约》，加快研制和部署国家导弹
防御系统（NMD）。2002 年年初美国国防部颁布了《核战略审议报
告》，同年 6 月 13 日美国正式退出《反导条约》。所有这一切，标志
着美国的核战略发生了重大变化。具体表现在：第一，实行"新三
位一体"战略。陆基弹道导弹、战略潜艇、战略轰炸机是美国自核
武器问世后实施的三位一体核战略，这种战略在冷战时期与苏联进
行全面核抗衡中发挥了重要作用。随着美国对威胁判断的新变化，
美国政府在 2002 年《核战略审议报告》中首次提出了"新三位一
体"战略，这就是核与非核打击手段（包括信息战手段）、被动与主
动防御（特别是导弹防御）以及为生产和保持战略报复力量所需要
的军火工业基础设施，美军计划用 10 年时间全面实施这一战略。第
二，加快研制和部署 NMD。布什政府计划投资 600 亿美元用于
NMD 的建设，2004 年 3 月开始在阿拉斯加部署导弹防御体系。预
计建设的 16 个发射井已建成 6 个，装在发射井里的导弹处于随时准
备发射状态。基地最高负责人诺加德上校在介绍在阿拉斯加州建造
导弹防御基地的理由时说，"从这里发射拦截导弹，可以防卫全美 50
个州，因此这里是很有战略意义的要地"。[①] 第三，美国将恢复地下
核试验。1999 年下半年，美国国会拒绝通过《全面禁止核试验条
约》，向世界发出了恢复核试验的信号。目前，美国已经开始为在内
华达进行的地下核试验做准备。无疑美国恢复核试验将对世界产生
核扩散效应。

　　（3）全面调整军力部署，建立有效的反恐基地。世纪之交，随
着美国连续的大规模军事行动，美国在海外的军事基地迅速增加。
在伊拉克战争前的两年里，美国的军事部署在数千英里的范围内迅
速扩展，覆盖了巴尔干半岛、中国边界、高加索地区、中亚、中东
和印度次大陆。从 1999 年科索沃战争中建立的邦德斯蒂尔营地，
到为开展阿富汗战争而在吉尔吉斯坦的比什凯克空军基地，美国开
始在其从未涉足的地区驻军。俄罗斯在中亚的战略要地首次成为美

①　"美在阿拉斯加部署导弹防御体系"，新华网 2004 年 4 月 6 日。

国的战场。美国迅速在阿富汗周边的 9 个国家建立了 13 个新基地。伊拉克战争基本结束之后，美军即制定了驻军计划，这符合美国延续了一个世纪的模式——取得军事胜利之后即在海外建立基地。此后半年，美国国防部确定了以驻东亚的海、空军为中心，扩大在前线的作战能力，并开始重新修改中长期的兵力部署。为在全球范围内整编驻外美军，布什总统于 2003 年 11 月 25 日与各盟国进行了正式协商。具体做法是：使夏威夷的珍珠港海军基地成为航空母舰的母港，并在关岛的安德森空军基地部署常驻的航空机动部队。这意味着美国如今以任何大国都未曾有过的强力控制着全球。从格陵兰冰冻的荒原到阿富汗南部的沙漠，美国的军事铁环紧紧箍住了全球。

如华盛顿的国防情报中心安全问题分析家马库斯·科尔宾所说："从各种意义上讲，美国基地的影响力和范围都在急剧扩大，这令世界上的其他国家感到不安。"

此外，在伊拉克战争中，美国陆军组织结构的旧体制暴露出严重问题，如美军第三机械化步兵师在由科威特向巴格达推进的过程中，由于后勤供应跟不上，导致孤军深入的前方部队食品供应短缺；而第四机械化步兵师在由科威特经过伊拉克时，也因重武器装备迟迟没有运达而延误了战机，甚至直到大规模战斗结束也未能进入战场。因此，伊战结束之后，美国五角大楼便开始对陆军的组织结构进行改革，将陆军作战部队小型化，训练"特种兵"化，反应能力快速化，以适应美国"新帝国大战略"下的国家安全战略和在全球调整军事部署的需要。五角大楼批准了一项 150 亿美元的陆军"未来作战系统"武器发展和试验项目。这一系统将使美国陆军在未来的作战行动中拥有压倒性的优势。

对于美国在全球建立军事基地，部署兵力的做法，华盛顿战略政策分析家维琴齐诺告诫说："美国存在着自不量力、过度扩张势力的危险。这是历史的教训，是帝国的教训。"①

---

① "How American Power Grids the Globe with a Ring of Steel", Guardian, UK, Apr. 21, 2003.

2. 进一步创造科技经济优势，强化"经济帝国"的粘性实力①

强大的经济科技实力是美国实施"新帝国大战略"的坚实基础和物质条件。在实现了 20 世纪 90 年代长达 10 年的经济繁荣之后，进入 21 世纪，美国采取重大措施全力发展经济科技，企图再创一个经济科技辉煌的"美国时代"。

（1）以市场经济为标准，竭力推动世界经济的"美国化"。经济全球化是当今时代发展的重要特征和趋势，美国凭借强大的科技经济优势，竭力支配国际资源配置，加速推动世界贸易的自由化，企图使经济全球化变成"美国化"。对此，美国前国务卿基辛格做了很直白的表述，指出"所谓的'全球化'，实际上就是对美国统治地位的另一种称谓。"② 首先，美国以市场经济为标准，将世界各国划分为市场经济国家和非市场经济国家。对非市场经济国家，美国在国际经济活动和双边经贸关系中，总是采取歧视性政策，要么对这些国家高筑贸易壁垒，实行严厉的高技术封锁，要么将自己的意志强加给别国，对它们实行经济科技制裁。其次，通过各种渠道，采取多管齐下，对非市场经济国家大力输出美国的市场经济模式，推动这些国家的私有化进程。曾波及拉美国家的金融危机风暴，与美国市场经济模式的输出有密切关系。美国是这些国家经济悲剧的重要制造者，但同时它又把自己打扮成"救世主"，向危机国家提供经济援助。这种援助事实上是美国加强对这些国家的经济渗透和经济控制的手段，以此来输出美国的市场经济模式。

（2）加紧控制国际经济组织，推行"制度霸权"。美国奉行的"新帝国大战略"在很大程度上不是单靠超强军事实力来控制整个世界体系的，而是以强大的经济、科技、军事实力为支撑的制度致霸。美国政府认为，要想谋求世界霸权就必须取得对各种国际组织的控制权和主导权。而这种控制权和主导权的获取，随着时代的发展已

153

---

① 美国外交学会外交政策问题高级研究员沃尔特·拉塞尔·米德将美国的经济政策和经济制度称为粘性实力，它既不同于硬实力，也不同于软实力，这是一种通过捆绑相互利益，把其他国家吸引到美国体系中来并使之陷入其中的力量。详见 Foreign Policy，March/April，2004。

② 杨运忠："'新帝国论'——21 世纪美国全球称霸的理论范式"，学术连线网 2003 年 10 月 27 日。

不可能完全通过赤裸裸的军事强权来实现，必须通过构建各种国际组织的框架，主导制定各种国际组织的规章，支配各种国际组织的机制，影响各种国际组织的发展进程和发展方向，由此为"新帝国大战略"奠定制度基础。世界贸易组织、国际货币基金组织、世界银行是当今世界最为重要的国际经济组织，这些组织在建立之初的基本规章都是按照美国的意志制定的。近年来，美国依靠超强的经济软实力，以其对国际经济组织的主导权为基础，主导和推动许多国际经济新规则的制定，使这些组织按照美国的意志发展，既符合其国家利益，又能牵制别国利益。

（3）全方位地发展区域性经济一体化组织，加速构建美国主导的经济圈。世界经济的区域化和集团化是当今世界经济发展的重要特征和基本趋势。美国以其强大的经济实力，正全力参与和主导这一进程。美国根据自身的地缘经济利益和地缘政治诉求，确立了立足北美、面向亚太、覆盖拉美的区域经济一体化发展战略。北美自由贸易区成立以来，已由最初的美国和加拿大扩大到墨西哥，使墨西哥成为美国商品的重要输出基地、粗放型产品生产的海外转移基地、海外巨额利润的重要获取基地，使美国的经济影响扩大到整个北美地区。亚太经济合作组织是美国在经济上面向亚太并企图主导亚太事务的重要组织。在美国的竭力推动下，亚太经济合作组织自1993年西雅图会议以来，其贸易自由化加速发展。尽管美国对亚太经济合作组织的控制程度远远比不上北美自由贸易区，但美国仍是影响亚太经济合作组织发展进程和发展方向的最重要国家。美国在控制北美、面向亚太的同时，加紧向拉美渗透，企图从2005年开始建立一个包括北美和拉美在内的"美洲经济圈"即美洲自由贸易区，以便把拉美这个过去的"政治后院"，变为21世纪美国的"经济后院"。

3.加紧输出美国价值观，发挥其"文化帝国"的软实力

文化扩张是21世纪美国"新帝国大战略"的重要组成部分之一，美国将加大其政治观点、价值观念和文化理念的输出力度，以达到"不战而屈人之兵"的目的。

（1）凭借文化优势，大力拓展和占领世界文化市场。先进的科

学技术和发达的国民教育使美国文化始终居世界领先地位，美国大力开拓和占领世界文化市场，企图将这种一国的文化优势变成世界性的文化优势。当今美国最大的出口产品不再是农产品或工业制成品，而是大批量生产的流行文化产品，包括电影、电视节目、音乐、书籍和计算机软件等等。据美国商务部的统计，1996年，美国软件和娱乐产品的国际销售额达602亿美元，1999年已超过1000亿美元，2001年高达1600亿美元，位居美国所有产品出口之首。美国凭借经济、技术和知识等方面的优势，大力发展全球卫星视听系统以及信息互联网，通过无法阻挡的电波，大肆向其他国家特别是广大发展中国家进行文化倾销，占领这些国家的文化阵地。美国的 CBS（哥伦比亚广播公司）、CNN（美国有线电视传播网）、ABC（美国广播公司）等媒体所发布的信息量，是世界其他各国发布信息总量的100倍，是不结盟国家集团信息发布量的1000倍。美国新闻署已经在世界130多个国家设立了220个新闻处和2000个新闻活动点，在90个国家建立了图书馆。美国的《读者文摘》以19种文字、48种国际版本在100多个国家发行近3000万份。美国控制了世界75%的电视节目和60%以上的广播节目的生产与制作，每年向国外发行的电视节目总量多达30万小时。许多发展中国家播出的电视节目中美国的节目高达60%～80%，这些国家成了美国电视的转播站和美国文化的宣传站。而美国自己的电视节目中，外国节目仅占1%～2%。美国的电影产量只占世界电影总产量的6%～7%，但总放映时间占据了世界的一半以上。

155

（2）固守冷战思维，对发展中国家和社会主义国家进行一场规模空前的"没有硝烟的战争"。以新闻媒体为工具，肆意干涉他国内政，颠覆他国政权，是美国谋求"文化霸权"的惯用手法。成立于1953年8月的美国新闻署是美国政府进行新闻战的大本营，美国新闻署拨专款成立了"东西方中心"，加强对亚太地区的新闻攻势。美国还建立了名为"世界电视网"的系统，通过卫星向国外传送电视节目，现已在150多个国家美国驻外使馆内建立了卫星电视接收站。美国还拨款成立了"全国民主基金会"，专为有利于美国民主思想传播的活动项目和社会团体提供资助。"美国之音"是美国新闻署直接控制的进行"广播星球大战"的最重要机构。目前,"美国之音"有 42 套播音录音室,使用 43 种语言,每周广播 1200 多个小时,是美国向发展中国家和社会主义国家发动和平演变攻势的重要工具。

(3)结合经济交流,在全球推行美国模式。经济交流是美国进行文化扩张的有效途径。美国以经济援助、资本输出、技术提供为渠道,在与其他国家特别是广大发展中国家进行经济交流的同时,大力进行文化和价值观念以及政治经济模式的输出。老布什有句名言:"输出美国的资本,就是输出美国的价值观念。"① 美国对其他国家的经济援助是以民主政治和市场经济为基本准则的,援助的目的并不是为了帮助受援国发展经济,而是为了在受援国发展民主,建立市场经济,使其成为"西方自由世界的一员"。美国对敌对国家和所谓"无赖国家"的经济援助,是为了以经济这门"超级大炮"袭击这些国家的政体,促使这些国家的政局朝着有利于美国的方向变化。可以说,美国进行经济援助和经济交流,其实质就是在全球范围内输出美国的价值观念和政治模式。

(五)美国推行"新帝国大战略"遭遇的挫折

尽管美国采用各种办法,加强其"军事帝国"、"经济帝国"和"文化帝国"实力,但是其推行"新帝国大战略"的进程并不顺利。近年来,布什政府推行单边主义的种种行径连连受挫:绕过联合国而发动的伊拉克战争使美国陷入困境,并受到了来自国内、国际的诸多批评;虐俘事件的曝光使美国形象大打折扣,成为了美国公共外交的"滑铁卢";不遗余力推行的所谓"大中东民主计划"遭到了中东各国不同程度的抵制,也没有得到欧洲盟友的支持;减免伊拉克外债的主张更是应者寥寥。

1.发动伊拉克战争使美国陷入困境

2003 年 3 月 20 日,美国等国家不顾国际社会为避免战争而进行的外交斡旋与努力,在没有得到联合国授权的情况下,悍然发动了伊拉克战争。美国入侵伊拉克一年以来的事实表明,这场所谓"解放伊拉克人民"的战争给伊拉克人民造成了深重的灾难;并由此引

① 杨运忠:"'新帝国论'——21 世纪美国全球称霸的理论范式",学术连线网 2003 年 10 月 27 日。

发了伊拉克人民的强烈抵抗，美军连连受袭，伤亡人数不断增加，美国为此付出了惨痛的代价。

首先，发动伊拉克战争的合法性遭到质疑。美国发动伊拉克战争的借口是伊拉克存在大规模杀伤性武器，然而美国情报部门的调查与其余各方的努力，均未发现伊拉克存在大规模杀伤性武器，发动战争的假设始终没有得到证实，所以战争的合法性始终是美国的"软肋"。"9·11"事件独立调查委员会 2004 年 6 月 16 日发表报告说，经过一年多来对有关各方人员和大量材料的调查，没有发现伊拉克与"基地"组织袭击美国有联系的"可信证据"，这无疑进一步加深了人们对美国发动伊拉克战争真实目的的怀疑。

其次，美国发动伊拉克战争加深了美国与其盟友间的分歧，并损害了联合国权威。作为美国主要盟友的法国、德国和比利时等曾公开反对美英联军发动伊拉克战争。美国关于"新欧洲"和"老欧洲"的舆论，伊拉克战后重建的亲疏有别的安排等使所谓的大西洋变得越来越宽。美国"挟天子以令诸侯"的做法使联合国处于尴尬境地。同时，伊拉克战争也使美国的战争盟友陷入困境。"3·11"马德里大爆炸使西班牙大选变天，美国"新欧洲"密友阿斯纳尔人民党下台。而英国政府一份被泄密的备忘录也首次质疑美国的伊拉克政策，这个名为《中期》的备忘录指出，"美军对费卢杰和纳杰夫实施的强硬打击政策使联军遭到了逊尼派和什叶派两派穆斯林的强烈反对，联军在伊拉克民众中的支持率也下跌了"。备忘录还指出，"英国有必要阻止美国做出任何危害'我们的目标'的行为"。[①] 2004 年 6 月 10 日，英国首相布莱尔领导的工党在地方选举中遭受重创，布莱尔承认，他把英国带入伊拉克战争是工党失去 400 多个地方市政议会席位的重要原因。

此外，伊拉克战争也遭到了美国国内人士对布什政府对外战略失误的批评。其中，最有影响的、旗帜鲜明的批评来自于曾担任过北约盟军最高司令的美国四星将军克拉克的一本题为《赢得现代战争——伊拉克、恐怖主义和美利坚帝国》的著作。克拉克对布什政

157

---

① "英国政府备忘录浮出水面，首次质疑美国伊拉克政策"，中国日报网 2004 年 5 月 23 日。

府对外政策做了深刻反思并提出尖锐批评,认为美国以伊拉克为目标,"在世界上一个最敏感的地区发动了一场不必要的战争,真正的反恐斗争反而处于次要地位"。他还提出,美国以其强大的国力和军事实力在战场上取得的军事胜利并不意味着战胜了恐怖主义,更不是真正赢得了现代战争,它掩饰不了美国在反恐政策上的战略失误。"正是战场上的重大胜利使得美国民众忽略了战前和战后计划制定方面的重大失误,这一缺陷耗费了数十亿美元,造成了始料未及的后果。"① 这种战略失误使得解决恐怖问题的最佳时机和国际氛围均已错过,美国应当考虑修正其强硬的对外政策,一个日益帝国化的美国对美国本身也是不利的。

2. 虐俘事件成为美国公共外交的"滑铁卢"

2004 年 4 月底,媒体曝光了驻伊美军在阿布格里布监狱虐待伊拉克战俘的丑闻后,虐俘丑闻频繁曝光。陆续揭发的内幕表明这是一种系统性行为,使美国关于虐俘是"个别事件和下层军事所为"的辩解不攻自破。《纽约时报》2004 年 5 月 25 日的报道说,美国军方"犯罪调查司令部"(Criminal Investigation Command)的调查显示,美军虐待伊拉克和阿富汗俘虏的范围要比原来预想的更广,更多的美军机构参与了虐俘事件,自 2003 年 4 月 15 日,也就是美军攻陷巴格达后不久,到 2004 年 4 月以来,美军虐俘事件就一直持续不断。② 而据 2004 年 6 月 12 日英国《卫报》报道,美国国防部长拉姆斯菲尔德曾批准由国防部律师起草的官方"机密文件"中指出,"刑事法规并不违背总统对战争行为的最终权力",表明美国虐俘罪在高层。

虐俘事件使美国"自由"、"民主"和"人权"的三面大旗轰然倒塌,并遭到了世界舆论的谴责,从而使美国"人权报告"——《2003—2004 年美国支持人权和民主的记录》成为世人笑柄。世界各国舆论一致认为美军虐待伊拉克战俘的行为是对国际法和普遍伦理

① "来自美国的对伊拉克战争的批评:克拉克《赢得现代战争》",263 网 2004 年 6 月 3 日。

② "美军报告显示伊拉克和阿富汗虐俘范围比预想更广",中国日报网 2004 年 5 月 27 日。

道德的粗暴践踏。联合国人权事务代理高级专员拉姆查兰 2004 年 6 月 4 日在日内瓦向联合国人权委员会提交的"伊拉克人权报告"中也指出，美国士兵在伊拉克阿布格莱布监狱的虐俘行为等同于战争罪行。[①]

不难看出，虐俘事件成为了美国公共外交的"滑铁卢"。《纽约时报》在虐俘事件曝光后不久曾报道说，在美国国务院专门负责改变"美国公共外交努力"的资深女助理图特威勒（Margaret Tutwiler）已宣布辞去布什政府工作。一些官员已经清醒认识到了虐俘事件的后果：美国中央情报局国家情报委员会前副主席兼中东问题分析家格雷厄姆·富勒（Graham Fuller）曾经说过，"如果我们的基本政策被人看出了破绽，那么再好的包装和宣传，其效果也会大打折扣"；布什竞选班子"大内总管"卡尔·罗夫说，虐俘事件后，"重塑美国形象至少需要 50 年!"[②]

3. 减免伊拉克外债的主张应者寥寥

美国是减免伊拉克债务的最积极推动者，其目的是为了给自己重建伊拉克减压。但是，由于伊拉克的大多数债权国是被美国列为"反战国"的法国、俄罗斯和德国等，所以减免伊拉克外债的主张一直是应者寥寥。"减免总额约为 1200 亿美元伊拉克外债"是 2004 年 6 月 8 日开始的八国峰会上的一个重要议题，布什总统强烈要求各国大幅度减免伊拉克拖欠的债务，减免额度应该高达 80％至 90％。尽管八国峰会最终承诺将减免伊拉克债务，但终因法国和俄罗斯对美国的提议有保留而未能做出实质性决定。英国、加拿大、日本、意大利等国认为减免伊拉克债务应该是大幅度的，而法国和俄罗斯则认为减免债务应该是小幅度的。法国和俄罗斯认为，一方面政府应该收回贷款；另一方面，伊拉克的石油足以使其有条件偿还这些债务。俄罗斯还表示，减免伊拉克对其 85 亿美元债务中的 65％的前提是，俄罗斯与美国及其盟国具有同等机会参加伊拉克重建和投资的机会；德国总理施罗德也表示，德国愿意减免伊拉克所欠的数十亿美元债务，但是作为交换条件，德国公司应该在重建伊拉克中得到

159

① "联合国人权官员称美军虐俘等同于战争罪行"，新华网 2004 年 6 月 5 日。
② "虐待战俘事件成为美国公共外交的'滑铁卢'"，《国际先驱导报》2004 年 6 月 1 日。

合同，而目前只有美国公司及少数战争盟国得到了伊拉克重建的合同。

4."大中东民主计划"前途未卜

中东地扼亚非欧三大洲要冲，地缘战略地位极为重要，其油气资源在全球首屈一指，为世界经济的命脉所系，其重要性对美国这样一个全力谋求世界霸权的国家可想而知。然而，这一地区是伊斯兰教的发祥地和势力范围，因此中东各国无论从社会政治制度、历史文化传统，还是价值观念来说都与美国格格不入。为了缓和阿拉伯国家的普遍不满，为伊拉克局势减压，美国加紧推行其"大中东民主计划"。

"大中东民主计划"自布什上台之初便已酝酿。2002年9月美国的《国家安全战略报告》中就有"美国要比以往任何时候都更加积极地致力于穆斯林世界的民主发展"。同年12月，理查德·哈斯发表了一篇《促进穆斯林世界民主化》的长篇演讲，批评美国历届政府"没有把（中东地区）民主化置于最优先的位置"，主张"在穆斯林世界促进民主，是布什总统和鲍威尔国务卿的一个首要目标"。伊战之后，中东地区反美情绪和反美恐怖活动的蔓延更加促使布什政府在中东推行民主化改造。布什总统于2004年2月初正式推出了所谓的"大中东民主计划"，意在推行涵盖中东地区政治、经济、社会各个层面的"民主自由改革"，包括推行自由选举、向独立媒体开放，改善法律体系等具体提议，甚至涉及中东妇女的教育问题。这一计划使用了广义上的中东地区定义，除了阿盟22个成员国外，还将以色列、土耳其、巴基斯坦和阿富汗也纳入大中东地区的范畴，却只字不提巴以冲突。因此，此计划一出台即遭冷遇，一向不能用一个声音说话的阿拉伯国家表现出空前团结，一致反对该计划。

在6月举行的八国峰会上，美国再次推出改版后的"大中东民主计划"，即"面向进步和共同未来伙伴关系计划"（也称"泛中东和北非计划"）。根据这一计划，在未来十几年或数十年的时间里，美国将不惜耗费巨资，帮助中东进行政治、经济、社会和文教等各个方面的改造。然而，美国对中东国家的慷慨解囊并没有如预期般得到中东各国的欢迎，仍然遭到了主要中东国家的抵制。埃及、沙特阿拉伯和摩洛哥等重要阿拉伯国家没有出席关于中东改革的讨论。同时，欧洲国家对帮助美国推进中东改革计划也不热心。欧盟委员会发言人肯皮宁6月8日说，"泛中东和北非计划"并无新意。欧盟早在1995年就启动了"欧洲—地中海伙伴关系计划"（又名"巴塞罗那进程"），与包括部分中东国家在内的环地中海国家进行政治对话、经济合作和文化交流。2003年，欧盟还制定了"大欧洲计划"，与包括中东国家在内的国家发展更密切关系。美国智库外交关系协会中东问题专家库克认为，欧洲国家对美国改造中东计划之所以持冷淡或反对态度，是因为欧盟不愿放弃自己的计划而去为美国改造中东出钱出力，而且欧洲一直主张把解决巴以问题与阿拉伯国家改革联系起来，这与美国的立场大相径庭。此外，西方评论家还指出，美国大兵在伊拉克出尽了丑，美国目前在中东地区的形象实在不光彩，这种情况下提出这一计划真是不识时务。

161

　　巴以冲突和伊拉克问题是实现中东地区和平的核心问题。美国要想在中东地区推行任何实质性改革，都必须首先解决巴以冲突和伊拉克问题，如果这两个问题不解决，美国在中东民主改革问题上难有作为。虽然2004年八国集团会议在中东改革计划中承诺要根据联合国决议，"公正、全面、持久"地解决巴以冲突问题，但事实是，巴以冲突近几年来不断恶化的一个重要原因就是美国更加偏袒以色列。如果布什政府只强调中东改革，而不去调整自己的中东政策，美国将难以消除阿拉伯人日益增强的反美情绪，推行改革也只能是纸上谈兵。另一方面，伊拉克问题久拖不决，在阿拉伯世界建立"民主样板"步履艰难。[①]尽管伊拉克临时政府已经成立并准备在6月30日接管政权，但临时政府能否被广大伊拉克人民接受，能否有效控制局势，都仍是未知数。

　　以上的分析表明，美国的单边主义使其"新帝国大战略"的推行障碍重重，其对世界的影响力，即通常所说的软实力已明显削弱。用布热津斯基的话说，美国正在由"超级大国＋"变为"超级大国一"。按照他的定义，"超级大国＋"应该能领导一批固定盟友并

---

　　①　张宇燕："关于世界格局特点及其走势的若干思考"，《国际经济评论》2004年第3期，第15页。

与它们磋商共事，而且这些盟友在深层的价值观和制度上与美国相同；"超级大国—"是指没有真正的盟友，只有临时组建的联盟成员国。① 美国目前的情况恰恰与后者相符：其全球战略以自己的国家利益为上，而这样的国家是不可能成为真正的世界领袖的，所以建立在实力基础上的霸权只能是一种历史的暂时现象。而随着欧盟等美国盟友实力的增强和新兴大国力量的迅速发展，世界终将走向多极化，尽管这一过程可能充满曲折和反复。

二、美国对新兴大国崛起的双重战略

对于所谓民主国家的崛起，美国采取的是扶植和支持战略，以扩大其同盟和保持其"盟主"地位；而对于那些会构成威胁，并且在意识形态、社会经济、政治制度、文化、宗教、语言等方面有差异的所谓集权国家的崛起，美国采取的是遏制和改变战略。当然，美国对所谓民主国家的划分标准完全是依据其自身的价值判断。

162

（一）对巴西崛起的战略：拉打兼施

巴西作为南美洲的地区大国，美国越来越认识到了它的重要性。美国希望拉拢巴西，以巩固拉美"经济政治后院"的地位。但巴西崛起的战略选择是试图摆脱美国而成为本地区大国，这就不可避免地威胁到美国在拉美的利益，从而美国对巴西实施某种程度的打压。可见，面对巴西的崛起，美国的战略选择必然是拉打兼施。

艾滋病药品专利权问题是反映美国对巴西崛起态度一个代表性案例。众所周知，巴西曾经是全世界艾滋病发病率最高的国家之一。多年来，巴西政府一直将防治艾滋病作为国家的重要工作，在药品研究和生产上投入巨资，使药品价格在近 3 年内下降了 70％，并为巴西政府在防治艾滋病方面节省了大笔开支。如在 2000 年，因为停止进口美国和瑞士两家公司的艾滋病防治药品，巴西卫生部就节省开支 39％。然而，巴西在防治艾滋病方面取得的成就却给企图控制和垄断艾滋病药品的美国带来不安。他们以专利权为借口，给巴西推广治疗艾滋病替代药品设置重重障碍，甚至扬言要将官司打到世

---

① 参见罗杰·方丹："美国的权力范围"，美国《华盛顿时报》2004 年 4 月 27 日；转引自《参考消息》2004 年 5 月 4 日，第 3 版。

界贸易组织去。在这种形势下，巴西政府向联合国人权委员会会议提出了"得到治疗艾滋病药品是有关人类健康的人权问题"的提案①。提案最终获得通过，但却加深了美巴之间的矛盾。

美国也曾极力拉拢与巴西的关系。2003 年 6 月，布什总统会见巴西总统路易斯·伊纳西奥·卢拉·达席尔瓦时就一再强调美国与巴西不断增进关系的重要性，声称巴西是西半球和平与繁荣"极为重要的一部分"。尽管巴西总统卢拉也说过，巴西外交政策的基础是建立一个政治稳定和团结的南美洲，巴西谋求国际秩序的多极化，谋求与美国建立成熟的关系。但是，巴西对美国的态度总体上是不领情的。2003 年 7 月 1 日，巴西外交部宣布，巴西政府拒绝与美国签署国际刑事法院豁免权双边协议。② 巴西外交部指出美国要求签署的协议完全违背了《国际刑事法院规约》的精神，也不符合所有国家在法律面前一律平等的原则。所以，巴西不打算签署美国提出的有关协议。

163

不仅如此，2003 年 9 月，在墨西哥坎昆召开的世贸组织第 5 次贸易部长会议上，巴西与中国、印度等发展中国家结成 21 国集团，挑战美、欧在 WTO 中的支配地位，并要求发达国家大幅度削减巨额农业补贴。此后，美国与巴西的关系进一步恶化，美国贸易官员曾指责巴西是导致坎昆会议无果而终的主要原因。2003 年 10 月初在特立尼达举行的美洲自由贸易区（FTAA）谈判中，美国的贸易政策再次受挫。在阿根廷、巴拉圭和乌拉圭等国的支持下，巴西主张取消关于对外资开放国内服务业市场和知识产权保护等议题的谈判；而美国在中美洲国家以及南美安第斯集团国家的支持下，则坚持要求 FTAA 谈判应包括关税和投资规则在内的更全面的议题范围。由于美国和巴西的立场不同，这次会议也不欢而散。目前，虽然布什政府仍打算继续推进美洲自由贸易区谈判进程，但分析人士认为，由于 WTO 新一轮谈判陷入僵局、美巴关系恶化等因素，在 2004 年12 月之前按期完成美洲自由贸易区谈判已不太可能。

美国和巴西之间的矛盾和冲突依然很多。尽管美国不愿意看到

---

① "美国阻挠巴西向全球无偿转让艾滋病药物技术"，早报网 2001 年 4 月 27 日。
② 新华网 2003 年 7 月 1 日。

巴西的崛起，但又无力阻止巴西的强大。总之，美国对巴西崛起的战略是拉打兼施。

（二）对俄罗斯崛起的战略：防其为敌

俄罗斯曾经是与美国平起平坐的超级大国，尽管俄罗斯目前仍面临一系列的经济和政治问题，但美国从来没有放松对俄罗斯的警惕。对于俄罗斯这个正在崛起的大国，美国的战略选择是：在实施经济引诱、力图改变其政权性质的同时，尽可能地遏制其崛起，防止其重新成为美国的竞争对手。

在解体后的最初几年，苏联的主要继承国俄罗斯同美国之间出现了一段火热的"蜜月期"。俄罗斯推行"一边倒"的亲西方政策，幻想成为美国的平等伙伴。但是，美国却以"冷战胜利者"自居，在处理涉及俄利益的重大国际问题上轻视或无视俄的利益，将俄置于"小伙伴"的地位。

164

"9·11"事件后，俄美关系进入了一个新阶段，特别是2001年10月中旬普京总统访问美国和2002年美国总统布什对俄罗斯进行了为期4天的首次访问后，两国舆论界一致认为，"俄美关系有了质的突破"。① 在2002年的布什访俄期间，布什与俄罗斯总统普京签署了关于削减进攻性战略武器条约和美俄新型战略关系联合宣言等文件。实际上，"9·11"事件后美国调整对俄罗斯的战略是出于其自身利益的思考，绝非真心实意地接纳俄罗斯。美国急于改善与俄罗斯的关系，主要动机有：其一，美国需要进入中亚俄势力范围反恐。为了拼凑"国际反恐联盟"，特别是在锁定打击对象为阿富汗塔利班和本·拉登势力后，美国迫切需要在与阿富汗毗邻的国家中寻找实施军事行动的"落脚点"。在首选巴基斯坦不尽如人意的情况下，美国自然而然地把目光投向了拥有原苏联军事基地和机场的俄罗斯。其二，美国需要得到进驻中亚俄势力范围的"准入证"。中亚历来被称做俄罗斯的"后院"，俄对其拥有无可争议的传统影响力。美国要把军队开进这一敏感地区，需要俄罗斯的同意，需要俄罗斯的支持与合作。

---

① 顾关福："俄美关系的新发展"，《和平与发展》季刊2002年第1期，第39页。

所以，虽然美俄关系有了大幅度改善，但这种改善带有策略性质，美俄在战略利益上的矛盾与分歧并未根本改变。虽然在反恐问题上美俄似乎十分热乎，但美在对俄战略上仍把俄视为潜在对手，如美国国防部《四年防务评估报告》中仍称"俄罗斯在执行一些有悖于美国利益的目标"。美在评估拥有大规模杀伤性武器的能力和核扩散的可能性对美国可能构成威胁的报告中，仍把俄列为"威胁最大的国家"，《核态势评估报告》也把俄列为七个核攻击国家之一。所以，美国从来没有改变打压俄罗斯的心态。

2003 年年初的伊拉克战争，使得一度"密切"的美俄关系降温。2004 年，美国主导下的北约正式吸收包括波罗的海三国在内的中东欧 7 国，使得俄罗斯与北约间在北线的缓冲地带化为乌有，严重威胁着俄罗斯的安全。最近，由于能源制约，美俄高层表现出了合作姿态。但是，由于采油的自然条件、能源基础设施、资金投入、成本构成等因素，俄罗斯不可能在短期内取代沙特成为有决定性影响力的产油国，所以美俄之间的能源合作不会进行得太顺利。而且，2003 年年底，沙特领导人首次访问了俄罗斯，双方表示要在能源方面开展合作，这无疑是对美国高压的一种警示性报复。所以，美国和俄罗斯的所谓"能源合作"可能最终只是一场游戏。

165

不仅如此，美国还与俄罗斯角逐，支持格鲁吉亚的崛起。美国国务院发言人鲍彻 2003 年 11 月 25 日宣布，美国将派遣一个代表团访问格鲁吉亚，协助格鲁吉亚完成权力过渡进程。鲍彻说，除帮助格鲁吉亚准备选举事务以外，美代表团还"将讨论全面关系问题和如何帮助格鲁吉亚发展成为一个民主国家的问题"。[①] 同年 12 月 3 日，美国代表团团长、助理国务卿帮办林恩·帕斯科说："美国将努力给予格鲁吉亚全面援助"，"美国不打算支持格鲁吉亚某个具体的政治力量，而准备和格人民选择的政治力量进行合作"。2004 年 1 月，美国政府向格鲁吉亚提供了 700 万美元的援助。2004 年 2 月，美国政府再次向格鲁吉亚增加 1400 万美元的援助。根据分析，美国决定支持格鲁吉亚选举的一个原因是美国要控制外高加索地区的石

---

① 新华社华盛顿 2003 年 11 月 25 日电。

油资源和供应。从阿塞拜疆通往土耳其和欧洲的输油管道经过格鲁吉亚领土，造价 270 亿美元，计划在 2005 年投入使用。由于投下巨额资金，美国当然希望在格鲁吉亚保持一个对美国友好的政府。

面对美国的挤压，俄罗斯也表现出了较强硬的态度。如在批准《京都议定书》的做法上，俄罗斯令美国非常难堪。2002 年 3 月，布什政府以"减少温室气体排放将会影响美国经济发展"和"发展中国家也应该承担减排和限排温室气体的义务"为借口，宣布拒绝执行《京都议定书》，国内外舆论的指责声此起彼伏。加之今年又是美国大选之年，民主党总统候选人克里利用布什政府在环境问题上的失误频频发难，批评布什政府在包括退出《京都议定书》等多项环境政策上的失误。在这个节骨眼上，作为美国的"战友"，占全球温室气体排放量 17％的俄罗斯 2004 年 4 月底透出口风，表示"批准《京都议定书》进入最后阶段"，这一动向对美国的影响不言自明。

可以预料，一旦俄罗斯批准议定书，作为世界"排污大户"的美国顿时会成为众矢之的，今后布什政府在这一问题上的立场将承受更大的政治压力。

总的来说，虽然冷战已经结束，但是美国上层人物心理上的冷战从来没有停止过，对俄罗斯传统政治的敌对猜疑更是从未消失。事实反复证明，美国希望的是俄罗斯成为自己的小伙伴，而打心眼里不希望看到俄罗斯的强大，不愿意俄罗斯重新崛起为一个可以与之抗衡的超级大国。所以，美俄之间的矛盾和斗争将会继续很长一段历史时期。

（三）对印度崛起的战略：拉拢支持

当 1998 年 5 月 11 日印度试爆核装置时，美国政府曾指责印度的核试验"是与国际社会推动全面禁止这一试验的努力背道而驰的"，并宣布对印度实施制裁。印度与美国的关系是在 1999 年印度在格尔吉尔事件中采取克制态度而开始显著改善的。

布什政府上台以来，十分重视印度的经济潜力及其在地缘政治和亚太安全中的作用，称印度为美国的"天然盟友"，此后美印关系发展迅速。2001 年 4 月上旬，印度外长兼国防部长贾斯万特·辛格访问美国，这是美国新政府执政以来美印高级官员的首次会晤。同年5月1日，布什在美国国防大学就美NMD发表演讲后，总统国家安全顾问赖斯给辛格打电话通报。一向对美国NMD持反对态度的印度一反常态，立刻表示支持，称其"意义重大、影响深远"，能使世界彻底告别"冷战的遗产"，同时宣称用新的"合作防御"核安全体制取代旧的"确保相互毁灭"核安全体制在战略和技术上都"不可避免"。[①] 同年5月11日，辛格在新闻发布会上宣布，印度政府"过去欢迎并且继续欢迎"布什总统5月1日发表的关于发展NMD、为世界建立新的核安全体制的讲话，并将与美国一起为全球设计一个全新的、创造性的安全体制。[②] 2001年7月美国参谋长联席会议主席亨利·谢尔顿将军访问了新德里，并同印度参谋长苏希尔·库马尔海军上将举行了会晤。此外，美国参谋长联席会议主席、空军上将理查德·迈尔斯于2002年7月、2003年7月分别对印度进行了军事访问，与印度军方高官就美印军事合作问题进行了密切磋商。

美国对印度态度的急剧转变，是为维护美自身利益服务的。

1. 保持美国亚洲地位的需要

近年来，美国意识到印度在南亚地区的大国地位及潜力，所以希望把印度作为美国在亚洲的一个新型伙伴，纳入美国战略轨道之中，以利用印度在南亚的战略地位保持亚洲的力量平衡。2000年3月，前美国总统克林顿访问了印度，与印度总理瓦杰帕伊签署了《印美关系：21世纪展望》的框架文件，两国决定建立"持久的、政治上有成果的新型伙伴关系"。布什政府上台后，更强调同印度进行战略对话的重要性，认为印度是维护亚洲安全的关键因素。国务卿鲍威尔曾在国会称印度是"一个美国对外政策应越来越聚焦的国家"，"印度拥有帮助维护广袤的印度洋及周边地区安全的潜力"。[③]

2. 经济利益的驱动

除地缘政治因素外，美国还看好印度广阔的市场前景。印度自

---

① 周效政："印度为何支持美国国家导弹防御计划"，《国际内参》2001年5月20日，第14页。

② 江亦丽："美印关系为何骤然升温？——从印度支持NMD看美印关系的发展"，《当代亚太》2001年第7期，第16～20页。

③ 周效政："印度为何支持美国国家导弹防御计划"，《国际内参》2001年5月20日，第15页。

1991 年实行经济改革以来，一直以 6％的速度发展，软件业的发展更是举世瞩目。因此，布什于 2004 年年初宣布，美国与印度将在军事技术、核防御等方面加强双边合作。布什在书面声明中指出："今日扩大合作是美印改善关系的一个重要里程碑。"①

3. 遏制中国的考虑

近年来中国的崛起使美国国内的"中国威胁论"甚嚣尘上。美国不愿意看到中国的强大，对中国的防范和疑虑加重。美国国防部《2020 年前景》报告暗示，21 世纪中国将成为美国头号假想敌人，而美国的战略则是借助日本和印度牵制中国。美国某位高级防务官员在接受记者采访时说："考虑到我们在亚洲的战略、对中国的更加清醒的看法以及俄国不再是一个竞争对手，印度与美国改善关系有战略上的客观原因。"② 出于这种战略考虑，布什政府明显加大拉拢印度的力度，试图把印度作为其在亚洲地区的一个战略支点，以制衡中国。2001 年 4 月 19 日，美国《基督教科学箴言报》对辛格访美的评论中说："这次会见给中国发出了一个信号：美国正在亚洲扩大势力范围，直达中国后院。"同年 5 月，布什政府派出特使副国务卿阿米蒂奇到印度，推销其"星球大战之子"计划，以寻求印度的支持。

所以，从战略角度看，美国政府希望在美、印、俄三国关系中进一步拉近与印度的关系，从而为自己的全球战略体系建立又一个支点。可以预料，在布什政府任期内，美国的南亚政策会继续向印度倾斜，两国将加速发展战略伙伴关系，双边交往将进一步扩大和深化。

（四）对中国崛起的战略：遏制打压

冷战结束后，以前苏联为首的强大"东方阵营"即华约组织已不复存在，中国则进入了改革开放和建设有中国特色社会主义的时期，并奉行独立自主的外交政策，以发展本国经济为"基本点"。美

---

① "美国印度将扩大在国防科技工业方面的合作"，美国《全球安全网》2004 年 1 月 14 日报道。

② "《纽约时报》文章分析美印密切军事关系背后的中国因素"，《参考资料》2002 年 6 月 17 日，第 5 页。

国认为日渐崛起的中国势必威胁到美国的霸权地位。布热津斯基曾在其著作《大棋局》中指出："在欧亚大陆的远东地区，中国可能将越来越重要。除非美中两国能成功地就地缘战略达成共识，否则美国在亚洲大陆将失去政治立足点。既然随着时间的推移，美国前所未有的实力势必减弱，那么当务之急必须是以不威胁到美国在全球的首要地位的方式处理好其他地区大国的崛起问题。"换句话说，即使客观上美国难以遏制中国，至少难以取得较好的遏制成果，主观上，美国仍然必须遏制正日益崛起的、总有一天要威胁美国世界超霸地位的中国。

　　美国遏制中国发展的心态，与冷战时期遏制前苏联及东欧集团军事威胁的心态有所不同。冷战时期，美国担心的是前苏联的毁灭性军事力量，因此集中精力于军备竞赛。与冷战时的苏美不同，中美两国经济实力悬殊，GDP、军事和科技实力对比都约为 10 比 1，因此，美国遏制中国的主要原因是担心新兴的中国崛起后可能对其构成的威胁。美国认为，按照目前的发展趋势，中国终将成为世界性的经济军事大国，届时将不可避免地威胁到美国的"利益"。

169

　　为了遏制中国的崛起，美国时不时地给中国"使绊子"，以阻碍中国快速发展的势头。克林顿时期美国虽然把中国当做"战略伙伴"，但仍然轰炸了中国驻南联盟大使馆；小布什在中美撞机事件上也是十分强硬和"缓和"参半，表明牵制和遏制中国使美国的对华长期战略。其中，扶植和支持"台独"是美国对华遏制战略的集中体现。在台湾问题上，美国的根本利益在于"不统不独"，使之成为遏制中国的"不沉母舰"。

　　第一，为"台独"制造"理论"依据。台湾是中国领土不可分割的一部分，这被包括美国在内的国际社会所承认。但为了控制台湾、分裂中国，美国不顾国际信义，在 1950 年抛出"台湾地位未定论"。是年 6 月 27 日美国总统杜鲁门提出："台湾未来地位的决定必须等太平洋安全的恢复，对日和约的签订或经由联合国考虑"，这就是"台湾法律地位未定论"的本源。

　　第二，为"台独"势力提供生存和发展空间。其一，为"台独"势力提供立脚点。美国是海外"台独"活动的大本营，"台独联盟"、

"台湾人民自决运动"等组织①的总指挥部无一例外地全设在美国。其二，模糊中国主权，阻挠中国人民反分裂、反"台独"斗争。如中美建交后，美国违反中美建交公报原则，在 1979 年 3 月制定了《与台湾关系法》，继续把台湾作为"独立政治实体"加以"保护"，被"台独"势力视为护身法宝。1979 年 7 月美国参议院通过所谓"台湾前途决议案"，提出"台湾的前途应该以一种和平的、不带任何强制的、并且是台湾住民能够接受的方式来决定"。1990 年，当民进党抛出"台湾主权案"，公然分裂中国主权而引起海峡两岸中国人强烈反对与密集声讨时，美国则出来"帮助台湾自卫"。

第三，在关键时刻，为"台独"撑腰打气。每当涉及"台独"势力生存、发展的关键时刻，美国都会及时地为它壮胆撑腰。例如，陈水扁上台以来，美国全力扶植陈水扁政权，大幅提升美台实质关系：提升双方互访级别，公开支持台湾参加某些国际组织，变多年来台海"战略模糊"策略为"战略清晰"策略。2003 年以来，美对台军售由防御性武器转向进攻性武器，交货提前、手续简化，由技术服务转向技术转移，军事人员交流的层级不断提高、突破，并逐步制度化。此外，美国刻意通过文化渗透等手段，培植了一批有代表性的"台独"人物，如黄纪南、廖文毅、陈以德、陈隆志、彭明敏等人，这对"台独"势力的发展也起了十分明显的作用。

2004 年年初，美国和日本制造了一个所谓的"钓鱼岛阴谋"，矛头直指中国。日本外务省发言人高岛肇久 2004 年 2 月 5 日在记者招待会上声称，一旦尖阁列岛（即中国钓鱼岛）"受到攻击，美国将根据日美安全保障条约采取防卫行动"。高岛说："在日美安保条约中，美国曾承诺对日本予以保护。尖阁列岛是日本的领土，保护日本当中也包括保护尖阁列岛。"② 美国之所以参与作祟，是想把钓鱼岛建成反潜的前哨战。美国认为，中国是东亚惟一拥有核潜艇的国家，海军的常规潜艇部队一直是东亚地区最强大的潜艇部队之一，所以美国必须重视中国潜艇的作战力量。而这只是美国参与"钓鱼岛阴谋"计划的第一步，更重要的是美国试图把钓鱼岛纳入整个东亚的

---

① 其中有些组织目前已经改变立场。
② "日美制造'钓鱼岛阴谋'"，《宁波晚报》2004 年 2 月 19 日，第 19 版。

TMD（战区导弹防御系统）。一旦在钓鱼岛建立 TMD，那么美国对于中国导弹的侦察和拦截能力都会大大增强。从功能上来说，它不但可以为驻日美军基地提供保护，更可以在未来可能发生的台海冲突中，通过钓鱼岛上的 TMD 为台湾提供支援。通过这样"经营"钓鱼岛，美国既不会过分刺激中国，又达到了遏制中国的目的，可谓是一举两得。退一步来说，由于钓鱼岛的特殊位置（距离基隆仅 190公里），即使大陆与台湾实现统一，美国在钓鱼岛的军事存在也会大大削弱台湾回归的军事价值，对我国跨出第一岛链的未来海上发展形成更大的制约。

不仅如此，美国和菲律宾从 2004 年 2 月 23 日到 3 月 4 日举行了代号为"肩并肩2004"的年度实弹演习。这次演习名义上是为提高两国军队共同应对突发事件、自然灾害和政局动乱的协同作战能力，加强两国军事关系和完善美菲两国军事合作机制，但实际上却是以中国为假想敌人，充分体现了美国遏制中国崛起的图谋。

2004 年 4 月底，美国最大的轰炸机 B-52 在阔别十多年后重返关岛，这是五角大楼把这座美国岛屿改造成亚洲边缘的"军事力量投放中心"计划的一部分，虽然官方宣称这可以对所谓的"邪恶轴心国家"和恐怖主义活动形成有效的"前置威胁"，但其遏制中国之心昭然若揭。

第二节　欧盟对新兴大国崛起的战略

冷战的结束使西欧摆脱了美苏争霸的夹缝地位，统一后的欧洲在新格局中有着举足轻重的地位。对于新兴大国的崛起，欧盟战略选择的基点是积极支持，这一方面是为了推进世界格局的多极化；同时，从根本上看，欧盟是力图利用新兴大国崛起的战略机遇，实现自成一极的目标，从而在世界新格局中作为重要一极发挥作用。

一、欧盟战略选择的基点——推进世界多极化

冷战一结束，西欧各国就发表声明，指出"欧洲人不仅负有区

域性责任，而且担负着全球责任"。由于实力和国际影响力的制约，欧盟并不像美国那样试图主导世界，但它也不愿由美国决定所有世界事务。因此，欧盟对新兴大国的崛起表示欢迎的态度，其战略是通过新兴大国崛起改变世界力量结构，并增强欧洲在未来世界秩序中的地位，以推进世界多极化进程，建立多极均衡的国际新秩序，反对美国独霸世界。在这一点上，英国前国防大臣希利的观点非常有代表性。他认为，"强大统一的欧洲是世界新秩序的重要支柱。随着欧洲政治结构的急剧变化，欧洲将重新成为世界政治的中心，欧洲在今天就已经是世界上人们对和平、经济援助和民主寄予新希望和期待的中心。"法国总统希拉克也曾强调指出："我国现在和将来都为一个多极世界而辩护，因为在任何社会都需要均衡和规则，这样才有利于各国的充分发展"，"欧洲应当成为未来均衡世界的主要极之一"。①

172　　从多极化发展的趋势来看，欧盟在近50年的一体化实践中，不仅造就了一个崭新的国际实体，而且也形成了一套具有欧洲特色的整合方式。鉴于欧洲的联合过程本身就是一个成员国间不断谈判、讨价还价及相互妥协和合作的过程，因此欧盟尤其重视在国与国之间通过接触、对话与合作来扩大共识和解决分歧。此外，欧盟是一个由许多中小国家组成的集团，所有决定、政策都是集体讨论做出的，因此欧盟在处理国际事务中十分重视并寄希望于"多边主义"，强调共同利益、权力分享和遵守有约束力的共同游戏规则等，这些主张对于当前塑造新型国际关系以及建立新型地区合作模式都具有重要借鉴意义。

　　近年来，欧盟利用其独特的地缘优势，在发展欧亚关系、巩固非加太传统关系、援助发展中国家以及环境、人权、地区稳定等一系列国际事务中日益改变美国"冷战小兄弟"形象，发挥自己的独特作用，以崭新的姿态出现在国际舞台。

（一）反对美国单极霸权

　　欧盟作为一个已拥有25个成员国的超国家集团，有着巨大的政

①　法国《国防杂志》2001年第11期，第17页。

治、经济分量和防务安全影响力。当前，欧盟外交战略的核心就是力图摆脱美国的控制，以平等的政治身份参与大国外交，以有效地维护自身利益，实现欧洲的自主。

1. 欧盟是反对美国单极霸权的重要力量

在新的世界格局中，欧盟对美国的目标是争取平等地位。长期以来，欧美领导人都爱夸耀欧美之间"牢固的联盟关系"和"平等的伙伴关系"，尤其是"建立在共同价值观基础上的传统友谊"。但事实上，欧洲饱尝了充当小伙伴的苦头，对美国损人利己的政策早有微辞，只是碍于美苏冷战对峙，未敢公开表露。而冷战结束后，美国不仅不愿意顺应变化了的形势，放松它对欧洲的"家长式管教"，反而变本加厉地损害欧洲的利益，破坏欧洲的稳定。如不顾欧洲各国的反对，在欧洲的多事地区巴尔干发动了一场血腥战争，又迫使欧洲大多数国家跟在美国身后摇旗呐喊，这使欧洲人痛切地感到没有自主的防务就不能保护自身的利益。为此，欧盟各国在德国科隆召开的欧盟首脑会议上，一致决定把不包括美国的"西欧联盟"纳入欧盟，变成欧盟的"军事臂膀"。对此，连一向追随美国的英国也积极支持。在赫尔辛基举行的欧盟首脑会议上，与会者讨论并通过了由法、英、德、意联合提出的"关于欧盟军事机构设置，计划和行动准则"的建议，为强化西欧的防务合作奠定了基础。为了提高西欧在没有美国参与的情况下采取军事行动的能力，欧盟开始组建独立于美国的防务力量，决定组成一支能在 60 天之内部署到位的 6 万兵力的欧洲"快速反应部队"，处理欧洲地区可能发生的危机，并准备接受联合国的委托，参与欧洲以外地区的维和行动，并且这支部队只接受欧盟指挥。为了减弱美国对此事的激烈反应，法国前国防部部长阿兰·里夏尔在第 37 届慕尼黑安全政策讨论会上表示，发展欧洲独立处理危机的能力与北约不矛盾，这是欧盟明显提高北约军事行动能力的贡献。

在一定意义上说，欧盟是美国"新帝国大战略"的主要制约者。在 2003 年年初的对伊战争中，所谓老欧洲的法国和德国采取了一系

列不合作态度，令美国大为恼火。① 目前除英国外，欧洲其他国家与
美国在国际事务上的分歧屡屡发生并不时激化。法国外交部长德维
尔潘批评美国"仅仅按照自己的世界观和利益来制定政策"，② 而德
国外交部长菲舍尔则宣称："国际反恐联盟并不就是用来反对另外一
些人的基础。"③ 虽然盟国的反对不能阻止美国所有的单边军事行动，
但这种状况必然牵制美国实施对外政策。

2. 欧洲与美国在经济利益上的矛盾与摩擦将会继续发展

从总体经济实力上看，欧盟是世界上惟一与美国旗鼓相当的国
家集团。随着欧洲一体化建设的不断深入，欧盟增强了在经济上与
美国抗衡的实力。1999 年，欧盟开始实行单一货币欧元，向美元的
全球霸主地位提出了挑战。近年来，欧美为维护各自的经济利益，
钢铁战、航空战、牛肉战、香蕉战等各种贸易战此起彼伏。尽管这
些贸易战经过讨价还价最终得到解决，但双方在贸易谈判中相互威
胁要进行贸易制裁的强硬立场表明，欧美之间的经济利益冲突是难
以调和的。在世贸组织举行的全球多边贸易"千年回合"谈判开始
之前，欧美就已经展开了激烈交锋。欧盟制定出了谈判战略，决定
对美国"采取进攻性姿态"，"不惜一切代价捍卫欧洲农业模式"，继
续保留农产品出口补贴。美国则针对欧盟的农业政策提出了强烈批
评，并宣布把取消农产品出口补贴作为美国在新一轮谈判中"要达
到的主要目标"。④ 而在"发展回合"新一轮多边贸易谈判中，欧美
在农产品贸易上的分析仍然是矛盾的焦点，这预示着 21 世纪美欧之
间的经济利益矛盾与贸易摩擦将会以各种不同形式继续存在和发展。

总之，传统的欧盟正成为美国最有实力的挑战对手。欧美斗争
的实质是逐渐走向一体化的欧盟希望逐渐摆脱美国"父权式的监
管"，谋求独立的"政治人格"。当然，美国一些战略家早已看到了

174

---

① 张征东："欧美相处，风平浪静难"，《环球时报》2003 年 4 月 25 日。

② Suzanne Daley："French Foreign Minister Calls U.S. Policy 'Simplistic'"，The New York Times，Feb 7, 2002.

③ Steven Erlanger："Germany Joints Europe's Cry That the U. S. Won't Consult"，The New York Times，Feb 13, 2002.

④ 张征东："新世纪欧美关系的基本框架"，《中国党政干部论坛》2000 年第 3 期，第 41~42 页。

这一事实，如布热津斯基曾写到："可以想象，在某个时候，一个真正联合和强大的欧盟可能会变成美国的一个全球性政治对手。"①

（二）支持周边国家的崛起

欧盟对周边国家崛起的战略大致可归纳为"三化"，即"民主化"、"市场化"，最终实现"西欧化"。其途径是：第一，接纳入盟，成为欧盟的一部分，这一类国家包括 2004 年 5 月 1 日加入欧盟的 10 个国家；第二，通过"联系国协议"，降低贸易关税，扩大贸易，增加援助，强化与这些国家的关系，这一类包括地中海沿岸国家和部分巴尔干国家；第三，通过各种泛欧组织，与尚未进入上述两类国家行列的国家保持并扩大双边联系，这一类包括部分独联体国家。

中东欧国家是欧盟当前的工作重点。在历史上，这些国家一直是西欧大国与俄罗斯争夺的"中间地带"，苏联解体为欧盟大举进入这一地区提供了历史机遇。欧盟委员会主席普罗迪 2000 年 2 月 15 日在斯特拉斯堡向欧洲议会发表题为《2000～2005 年新欧洲蓝图》的报告中明确提出："欧盟东扩的关键是为了在整个（欧洲）大陆实现和平、稳定和共同的价值观。"他要求欧盟委员会"必须研究欧盟扩大到 30 个成员国时的各项政策"，并"为此进行必要的政治决策体制改革"，"做好欧盟在中长期内大规模扩大的准备工作"。在稳定周边的战略思想指导下，欧盟尤其关注乌克兰、地中海沿岸各国和巴尔干地区。欧盟 1998 年与乌克兰签订了《伙伴关系与双边合作协议》，1999 年与地中海沿岸各国举行"欧洲—地中海"第三次会议，2000 年召开稳定巴尔干局势会议。无论是协议还是会议文件，其核心都是"安全、稳定、合作"这三大基本目标。出于对乌克兰的面积、人口和经济分量及其战略地位的重要性的考虑，1999 年 6 月欧盟首脑会议最后文件提出对乌克兰的共同战略，主张不断加强"欧盟与乌克兰的合作，使双方的关系达到新的质量"，声明"要充分利用与乌克兰签订的协议，使乌克兰进一步向欧盟靠拢"，承认"欧盟的共同战略对扩大欧盟与乌克兰之间业已存在的密切关系具有中心意义"，并"鼓励乌克兰坚定地推进改革"，表示"欧盟愿意给予持

175

---

① 袁鹏："从北约袭南看跨世纪美欧关系"，《世界形势研究》1999 年 6 月 9 日。

久的支持"。在巴尔干，美国对南联盟狂轰滥炸之后，把经济恢复和安置难民的艰巨工作推给了欧盟，欧盟不得不从人力、物力、财力到维和的兵力等各个方面承担最大的份额并牵头制定"东南欧稳定公约"。这个公约的目标与欧盟对周边的稳定战略是完全一致的，即促进该地区的"和平、稳定、繁荣与合作"。欧盟明确提出"作为稳定公约的推动力量，欧盟要扮演领导角色，要使该地区最终完全纳入欧盟的结构之中"。

所以，无论是中东欧的"改造"还是巴尔干的重建，欧盟都认为自己"处于特殊的地位，负有特殊的责任，要帮助所有欧洲邻国实现欧盟共同战略中提出的各项目标"。[①]

二、欧盟战略选择的目标——自成一极

毋庸置疑，欧盟一体化的进程、欧元的启动以及共同外交和安全政策的积极推行，为欧盟提供了与其经济和商业影响相称的政治和外交地位，使其在全球事务中的影响与日俱增。新兴大国的崛起为欧盟的发展提供了良好的契机，欧盟正利用这一难得的战略机遇，进一步拓展与新兴大国的传统关系，并在此过程中实现其自成一极的目标。

（一）积极推进欧巴关系

巴西是南美洲的地区大国，欧盟逐渐认识到巴西对其实现推动世界多极化目标的重要性。欧盟与巴西关系的发展主要是通过南方共同市场（MERCOSUR）进行的。

1995 年 12 月，欧盟与南方共同市场（以下简称南共市）签署了《区域性合作框架协议》，决定 2005 年建成跨洲自由贸易区。1998 年 7 月 22 日，欧盟委员会决定启动与南共市四国和智利建立自由贸易区的谈判。南共市第 14 次首脑会议对欧盟提出的谈判倡议予以积极回应，在第 16 次首脑会议上协调了与欧盟谈判的共同立场。1999 年 2 月，南共市—欧盟第一届商务论坛在里约热内卢举行，南共市四国首脑及私营企业界人士与会。1999 年 6 月，欧盟与南共市和智利宣

---

① 袁鹏："从北约袭南看跨世纪美欧关系"，《世界形势研究》1999 年 6 月 9 日。

布将于当年 11 月就建立自由贸易区谈判的原则、方式和非关税问题正式开始磋商，2001 年 7 月 1 日启动关税和敏感商品的谈判。2001 年 6 月 21～22 日，南共市第 20 届首脑会议在巴拉圭首都亚松森召开。会议决定要加强内部协调与合作，以集团形式与美国和欧盟开展自由贸易对话并为此分别成立贸易谈判小组，年底前重新启动与安共体建立自由贸易区的谈判。至 2002 年 11 月，南共市与欧盟共进行了八轮贸易谈判，并取得了重大进展。2002 年 5 月，在第二届欧拉首脑会议上，欧盟与南共市决定于 7 月开始新一轮自由贸易谈判。

　　除通过南方共同市场与巴西加强联系外，欧盟与巴西的双边关系也不断加强。2003 年双方贸易额达 300 亿美金，比 2002 年增长了 10%。2003 年 4 月，欧盟与巴西达成协议，欧盟进口巴西农产品特别是大豆、橙汁、蔬菜、水果等化学残留新标准将延迟到 2005 年元月执行[①]，这在很大程度上促进了欧盟和巴西双边贸易的发展。[②]

177

　　2004 年 1 月，欧盟与巴西续订了《促进中小企业发展计划协议》，协议有效期为 5 年。该协议始签于 1992 年，旨在提高巴西中小型企业产品和服务质量，进一步与欧盟的技术及卫生检疫标准接轨，增强在国际市场的竞争力。2004 年用于这一计划的发展资金将达 4400 万欧元，其中的 2200 百万由欧盟承担。在此计划的促进下，欧盟将有望进一步扩大巴西与欧盟之间的贸易额。2004 年 4 月初，欧盟计划降低南方共同市场成员国，主要是巴西、阿根廷、巴拉圭和乌拉圭的农产品关税，以赢得他们在多哈回合谈判中的支持，从而分化反对欧盟共同农业政策的力量。欧盟表示，如果美洲南方共同市场在多哈回合中不向自己施压要求农业自由化，欧盟准备进一步降低农产品关税。

---

　　① 根据化学残留新标准，欧盟进口巴西农产品化学残留须减少 100 倍。新标准的实施，将严重影响巴西农产品出口欧盟。巴西曾在 2002 年 11 月向世界贸易组织递交报告要求调解，称欧盟的标准太苛刻，有违世贸组织的有关规定，实际上是搞技术壁垒向巴西封闭农产品市场。

　　② "欧盟对巴西农产品化学残留新标准推迟到 2005 年实施"，WTO 与法治论坛网站，2003 年 4 月 4 日。

（二）谨慎发展欧俄关系

2004 年 5 月 1 日，欧盟的成员国扩大到 25 个，其中有 5 个与俄罗斯接壤，所以俄罗斯对欧盟的重要性进一步增强。建立一个从大西洋到乌拉尔山脉、从波罗的海到地中海的"庞大的欧洲"是欧洲政治家们多年来的梦想。欧盟越来越意识到，在政治和安全方面，欧洲离不开俄罗斯，俄罗斯的参与是构筑欧洲整体安全的重要力量。与此同时，欧盟也希望通过与俄罗斯的接触与合作，来制约美国的政治霸权，从而在国际和地区事务中不再依附美国、发挥自己的独立作用。在这方面，俄罗斯也愿与欧盟联手，营造有利于发展本国经济的安全环境。从经济方面看，欧盟需要俄罗斯巨大的商品市场和能源，俄罗斯则需要西方的经济援助和技术，欧盟新一轮扩大将加强双方经济相互依存的程度。2002 年欧俄双边贸易额达 830 亿欧元，欧盟已成为俄罗斯最大的贸易伙伴，俄罗斯已成为欧盟的第 5 大贸易伙伴。欧盟实现新一轮扩大后，与欧盟贸易额将占俄罗斯外贸总额的一半以上。

实际上，欧盟一直重视与俄罗斯的关系。1994 年 6 月，欧俄双方在希腊的科孚岛签署《伙伴关系与合作协定》，双方确认分阶段实现商品、资本和劳务自由流通原则，在法律基础上解决各种争端，规划欧盟经济一体化与俄罗斯前景。1999 年中期，欧盟同意在未来 4 年内实施一项对俄共同战略，明确显示了欧盟对发展与俄罗斯双边关系的重视程度。这一战略举措标志欧盟与俄罗斯双边关系进入了一个新的阶段，也是欧盟在 1997 年签署《阿姆斯特丹条约》并提出新的共同外交和安全政策条款之后，据此批准的第一份外交政策文件。此外，欧盟与俄罗斯在能源领域的合作于 2000 年 10 月取得重要突破：根据双方签订的长期协定，俄罗斯将在今后 20 年里增加对欧盟的石油供应以填补欧盟减少从中东进口石油的缺额。

"9·11"事件后，欧盟与俄罗斯在反恐、经济合作等问题上找到了更多共同点，双方之间的合作总体上在不断发展。普京连任伊始，就任命驻欧盟全权代表米哈伊尔·弗拉德科夫为新任总理，显露出全面发展欧盟关系的强烈信号。2002 年 11 月 11 日，欧盟和俄罗斯首脑会议在布鲁塞尔发表联合声明，表示双方将加强在反恐方面的战略伙伴关系，尽快签署欧洲刑警组织和俄罗斯关于交换信息和技术的协定，探讨在打击有组织犯罪及恐怖主义方面开展司法合作的途径。2003 年 11 月 6 日，在第 12 次欧盟—俄罗斯首脑会议上，欧盟—俄罗斯发表了《联合声明》。声明表达了欧俄"进一步密切合作的愿望"，欧俄领导人就双方在政治、经济和安全等领域内继续合作达成共识，希望"巩固和加强战略性伙伴关系"，这为推进俄罗斯与扩大后的欧盟合作提供了有利条件，欧俄关系呈现升温态势。

2004 年 4 月 22 日，欧盟委员会主席普罗迪在访问俄罗斯时说，欧盟希望与俄罗斯建立牢固而稳定的关系。他说，欧盟将继续与俄罗斯发展战略伙伴关系，并主张建立一个"没有分界线"的欧洲，说这一有争议的问题即将得到解决。他还呼吁欧俄双方加强在自然环境保护方面的合作，呼吁俄方尽快批准《京都议定书》。收到欧盟的信息后，俄罗斯当天就做出了反应。俄罗斯产业技术部部长在会见参加日俄经济共同会议的日本代表团时表示，俄罗斯方面"已经大体完成对批准议定书的利弊的分析"，批准《京都议定书》进入了最后阶段。有消息指出，俄罗斯可能会在 5 月召开的俄罗斯—欧盟峰会上宣布批准《京都议定书》的决定，显然这将是送给欧盟的一份大礼。2004 年 4 月 27 日，欧盟和俄罗斯之间续订了《伙伴暨合作协议》（PCA），把彼此的政治和经济关系扩展到八个前苏联卫星国及另外两个国家（这十个国家即为 2004 年 5 月 1 日加入欧盟的新会员），这项协议的更新将有助于俄罗斯完成加入世界贸易组织的磋谈。2004 年 5 月 3 日，为确保俄罗斯核潜艇退役安全，英国同意提供 550 万美元资助。俄罗斯军队生态安全部负责人说，俄罗斯和英国将在核潜艇退役工作中的两个计划中加强合作，目标是确保 103 艘核潜艇在退役过程中不会对当地环境产生危害，这是欧盟与俄罗斯在环境保护方面的最新合作。

（三）抓紧发展欧印关系

欧盟与亚洲第二大国——印度的关系也得到了发展。双方从对话与合作发展到伙伴关系的转变始于 2000 年。双方采取了一系列措施，包括：欧盟—印度首次首脑会议和政府官员、决策者、智囊人士和民间组织之间更为广泛的联系，以加强双边关系。欧盟—印度峰会密切了双方的联系，第一次峰会于 2000 年在里斯本举行。第四次峰会于 2003 年 11 月 28 日在新德里举行，会议重点讨论了欧盟和印度加强双边关系和战略伙伴关系问题。

不仅如此，双方还建立了广泛的商业联系。欧盟是印度在贸易、投资和发展合作方面最重要的合作伙伴。印度对欧盟的出口，从 1980 年的 18 亿欧元增长到 1998 年的 98 亿欧元。而欧盟对印度的贸易出口也从 24 亿欧元增长到了 95 亿欧元。在第四次欧盟—印度峰会上，欧盟与印度均表示希望建立全新的双边经贸关系，双方都希望到 2005 年，双边的贸易额能从目前的 250 亿欧元增加到 350 亿欧元，到 2008 年则增长至 500 亿欧元。由于 2004 年年底将废除全球纺织品贸易的配额限制，又考虑到印度纺织品出口的潜力，欧盟希望同印度实现互惠的服装市场准入，以代替所有的数量限制。欧盟和 Eurotex（欧洲最高纺织服装工业协会）将组织一个高级代表团出访印度，同印度政府和工业界人士探讨印度纺织品关税不透明和其他政策问题。

此外，欧盟与印度在军事方面的合作非常密切。2004 年 4 月 6 日开始，老欧洲之一的法国与印度开始了名为"Varuna2004"的海上演习。这是印度与法国海军自 1998 年首次演习以来规模最大的一次，包括海上防空、反潜作战和海上空战等各个方面。另据香港亚洲时报在线报道，欧盟大举进军印度武器市场，它的旗舰公司欧洲航空航天和防务公司正力争与印度建立合资企业。欧洲航空航天和防务公司的高级管理人员预测，它的武器销售额到 2009 年将有 20% 来自亚太地区，到 2015 年将达 30%，其中印度越来越被认为是一个各种高技术企业有前途的市场。[①] 在这方面，欧盟与印度国防工业的关系将类似印度与俄罗斯达成的关于设计、研制和生产第五代战斗机的协议。其他欧盟成员国现在也向印度国防部提出建造发动机以及空对空、防空和反坦克导弹的建议。毋庸置疑，这类关系将扩展到其他武器系统，并建立一个超出租赁和转包合同，直至围绕联合设计、研制、生产和推销所有武器的网络。

---

① "欧盟转向印度武器市场"，《香港亚洲时报》2004 年 4 月 6 日。

（四）大力拓展欧中关系

中国政府日趋成熟、负责，它积极投身于国际事务，并努力加强其与经济地位相适应的政治影响力。中国外交政策近来对全球关注的问题，如环境保护、打击恐怖主义、世界贸易自由化等也表现出建设性的态度，这些都使欧盟越来越认识到中国的重要性。欧盟的主要目标是使中国在政治和经济方面迅速并且完全地融入国际社会，它支持中国当今经济及社会改革的措施，支持中国转变为一个建立在法治和尊重人权基础上的开放社会，欧盟相信这将有益于中国的发展和社会稳定。欧中关系的迅速发展并非偶然，首先，双方有发展的政治基础。由于地缘政治的原因，双方互不构成威胁，也不存在根本的利害冲突。其次，中国和欧盟在建立新的国际秩序方面有许多共同点，都主张世界政治多极化，反对单极化；强调和平解决国际争端，反对诉诸武力；要求加强和发挥联合国作用等。在不少国际问题上，双方的立场也比较一致，比如伊拉克问题。

181

更为重要的是，欧盟要成为世界重要一极的目标只有在联合国多边框架内才可能实现，而在这个多边框架内，中国的力量不能忽视。欧盟越来越清楚地意识到，中国是当今国际舞台上的重要政治力量，是维护世界和平与稳定不可或缺的伙伴。欧盟理事会秘书长兼欧盟共同外交与安全政策高级代表索拉纳说，中国在缓解南海、南亚局势，通过上海合作组织加强与俄罗斯和中亚的合作，推动解决朝鲜半岛核问题以及参加联合国维和行动方面，都做出了积极的贡献。中国一直支持欧洲一体化建设，认为一个联合强大的欧洲不仅符合欧洲人民的利益，也有利于世界的和平、稳定与发展。同样，与那些叫嚣"中国威胁论"的国家不同，欧盟在战略上欢迎中国的发展。在欧盟看来，拥有13亿人口的中国繁荣强大，对亚太地区的安全与稳定只有好处。

欧中关系发展还有一个原因不可忽视，就是欧美关系的变化。随着国际安全环境的变化和欧盟实力的不断提高，欧洲国家对美国军事力量的依赖不断减少，而在国际事务和欧洲防务问题上独立性增强。欧洲要成为世界一极的愿望同美国推行的单边主义常常发生矛盾和冲突，伊拉克战争中以法德为首的"老欧洲"同美国的分歧就是一例。出于自身利益的考虑，欧盟需要更多的盟友，需要同中国、俄罗斯等大国发展关系，以扩大自己的影响，同时牵制美国的单边主义。如法国前内政部长舍韦内芒认为，为了维持世界的平衡，必须有一个强大的中国，欧洲必须以"欧洲的眼光"，而不是以"美国的眼光"来看待中国。他说："我们不要有思想上的偏见，这种偏见在很大程度上没有看到中国社会渴望改善生活、渴望社会稳定的真实愿望，这种偏见会使我们不自觉地跟着美国转。中国关心的是自己的统一，而不是扩张。从历史上看，扩张不是它的本性。"[①]

所以，欧盟正通过与中国开展政治对话、经贸往来及共同应对经济全球化负面影响等事务的合作，逐步加强与密切欧中关系。2004年，欧盟与中国的关系更是获得了前所未有的发展，因此有人把2004年称为中国外交上的"欧盟年"。2004年1月26日，中国国家主席胡锦涛应邀对法国进行国事访问。1月27日，胡锦涛主席与希拉克总统在爱丽舍宫签署了《中法联合声明》。胡锦涛主席访法期间，法国极力推动欧盟解除对华军事制裁，中法关系的发展必定会带动中国同欧盟关系的发展。欧盟扩大前夕，欧盟委员会主席罗马诺·普罗迪于2004年4月13日到16日正式访问了中国，中欧双方都给予了高度重视。普罗迪说，欧中关系目前处于历史上的最好时期。中国外交部部长李肇星2004年3月16日在会见欧盟代表时也表示，中国和欧盟的关系正处于建交以来"最活跃"、"最富有成果"的时期。

2004年5月2日起，国务院总理温家宝开始对德国、比利时、意大利、爱尔兰和英国等欧洲五国以及欧盟的访问。这是继今年年初胡锦涛主席访问法国后，我国对欧洲的又一次重大外交活动。在11天的时间里，温家宝总理与往访国和欧盟领导人举行会谈、会见，出席各种活动共97场。与各方就双边和国际问题达成许多共识，有力地推动了双边和中欧关系向前发展。这次访问充实中欧战略伙伴关系的内涵，在布鲁塞尔发表的"积极发展同欧盟全面战略伙伴关系"的讲话中，温总理阐明了"全面"、"战略"、"伙伴"的内涵。

---

① 法国前内政部长让－皮埃尔·舍韦内芒："中国，'巨龙'还是战略伙伴？"，法国《费加罗报》2003年9月22日。

即：所谓"全面"，是指双方的合作全方位、宽领域、多层次；所谓"战略"，是指双方的合作具有全局性、长期性和稳定性，超越意识形态和社会制度的差异，不受一时一事的干扰，也不针对第三方；所谓"伙伴"，是指双方的合作是平等、互利、共赢的，在相互尊重、相互信任的基础上，求大同存小异，努力扩大双方的共同利益。温总理认为，欧盟扩大有利于欧洲的繁荣与稳定，并将为中欧关系的进一步发展带来新的机遇。欧方高度评价了温总理的访问，认为欧中关系正处于历史最好时期，战略伙伴关系日臻成熟，共识不断扩大。欧盟需要中国，双方合作是互利共赢的。欧盟委员会主席普罗迪说，中国和欧盟将在不久的将来成为世界上最大的贸易和投资伙伴。[①] 此次访问还加强了中欧双边合作机制。一方面，从战略高度进一步规划与往访国的整体关系，如将中国与德国、英国、意大利的关系提升至全面战略伙伴关系。另一方面，通过认真、高效的协商，建立起多种机制，以尽快把原则精神化为行动，使各项合作更有效益。中德建立了年度会晤机制和"中德对话论坛"机制；中比首次签署加强政治对话联合声明，就双边多层次、多领域的对话提出了具体建议；中意成立了"政府委员会"，以统筹协调两国各部门、各领域的合作；中英决定将两国政府领导人和外长互访机制化，并积极推动中英关系互动小组开展活动；中爱建立了双边政治对话磋商机制，以扩大政治合作。

总之，欧盟正利用新兴大国崛起的契机，通过保持、促进与新兴大国的良好关系实现自身的发展，并进一步强化欧盟整体形象，以实现自成一极、推动世界多极化进程的目标。

第三节　日本对新兴大国崛起的战略

作为亚洲的现有大国，日本对新兴大国的战略方针是两手准备。即，一方面追随美国的单边主义，继续倚重美国，巩固日美同盟；

---

① 新华网都柏林 2004 年 5 月 12 日电。

另一方面则从未放弃成为地区大国的努力，它正在依靠东南亚，暗自积蓄力量，以成为新世界格局中举足轻重的力量。

一、日本战略的基本方针——追随美国的遏制及单边主义

1945年8月，日本战败投降，被打着盟军旗号的美军占领。经过约七年的占领期，在美国的推动及自身的有限选择下，日本在20世纪50年代初形成了"以日美关系为基轴"、"以经济发展为中心"的战后对外战略。尽管随着经济实力不断增强和国际环境的变化，二战后日本对外战略曾发生多次演变，但其国际战略的基本方针仍旧是追随美国的单边主义。

（一）再定义"日美安全同盟"

冷战结束后，很多人认为以遏制苏联为主要目的的日美同盟失去了存在理由。然而，最近几年来日本通过"再定义"进程，大力强化了"日美安全同盟"。日美同盟"再定义"，是20世纪90年代中期以来的国际环境变化和日美两国战略调整的产物。日本对日美同盟"再定义"，主要出于以下几方面的战略考虑：

184

1. 保持良好的对美关系

日本的安全政策、防卫体制、军事装备与信息等方面都高度依赖美国。在对外战略上，日本尚不具备彻底摆脱美国控制的能力与意志。在经济领域，日本的海外运输通道依靠美军保护，其海外经济利益立足于美国市场和日美国际关系协调。因此，日本惟恐对美关系受到损害。20世纪80年代末90年代初，日本社会曾出现摆脱对美依赖的强烈呼声。然而，在其后"泡沫经济"破灭和美国经济强劲复苏的现实面前，日本收敛了对美挑战的锋芒，做出了继续充当美国同盟者和支持者的自我定位和继续依靠美国的支持来实现本国利益的战略选择。因此，日本扩大全方位外交、增强外交自主性的步伐减慢，而采取通过美国支持来增强国际地位与作用的"借船出海"路线。

2. 保持对华战略优势

在20世纪90年代的长期经济萧条中，日本以往那种踌躇满志的心态发生了改变。另一方面，日本对中国的重新崛起深感担忧。

于是，到了 90 年代中期，"中国威胁论"取代此前风行一时的"中国崩溃论"充斥于日本主流媒体。此外，日本一些势力把强调"日美共同价值观"和"中国威胁论"相结合，试图把中国推向对美"挑战者"的地位，以防止美国重新回头"敲打"日本。因此，日本把中国视为其在东亚地区的地位与利益的潜在威胁，把强化日美同盟视为保持对华战略优势的最好手段。

3. 借助日美同盟增加保险系数

日美同盟不仅是联合对外的双边安全机制，也早已成为规定和协调日美相互关系的内在调节机制，如遏制日本军国主义东山再起的所谓"瓶盖"作用，就是这一机制的主要功能之一。而日本也自愿接受了"瓶盖论"逻辑，承认日美同盟的存在是防止自身军事大国化的有效机制。日本把此作为消除周边国家疑虑的手段，同时谋求在日美同盟的容许范围内尽量增强自主军事能力。目前，日本的常规军事装备质量和潜在能力在亚洲处于领先地位，近两年来日本又制定了"周边事态"、"有事法则"和"反恐特别措施"等法案，将自卫队的使命进一步融入美军全球战略之中。"9·11"事件后，它积极出兵印度洋，配合美国领导的反恐战争；伊拉克战争结束后，为了帮助美国，日本派遣了自卫队前往伊拉克，这是日本继续追随美国单边主义的表现。

185

（二）全力支持"倒萨"，与美国开展反恐合作

在美国打击萨达姆政府的过程中，日本政府不遗余力地给予支持。在对伊战争开始前，小泉首相曾公开表示，日本要为美"打击国际恐怖主义"做出"眼睛看得见的贡献"。[①]外界分析认为，日本不顾国内外的反战浪潮，仍表示参与"倒萨"行动，其背后有利益的驱动和深层次的战略考虑。除了利用"倒萨"行动扩大日本在国际社会的影响力，为日本谋求政治大国造势外，以打击国际恐怖主义为契机进一步加强日美军事同盟关系，恐怕是日本最重要的考虑。如前所述，日美安保体制既是日本防卫和安全战略的基石，也是其发挥多边安全作用的基础，巩固日美同盟关系始终是日本外交和军

---

① "日本为何支持美国'倒萨'"，《国际内参》2003 年 3 月 19 日。

事战略的基轴。"9·11"事件以来，日本政府出台了支援美军事行动的《反恐怖特别措施法》，使日美军事合作更具实质内容。日本政府支持美国"倒萨"，以表明对日美同盟关系的重视。尤其是当前"朝鲜核问题"正处于敏感时期，日本需要美国的坚定支持和可靠保护。日本政府认为，只有在关键问题上支持美国，才能在国家安全面临威胁时得到美国的回报；只有在"倒萨"问题上与美国"步调一致"，才能占有战后能源瓜分的先机，以保障日本的海外市场和能源供应，最大限度地减少对伊战争带来的经济损失。伊拉克战争结束后，日本政府又不顾国内民众的反对，于2003年7月、2004年1月两次派遣自卫队前往伊拉克。除了提到要帮助伊拉克人民外，日本政府还以从未有过的直白方式把其海外军事行动与日本的国家利益直接联系起来。

二、日本战略的重点——依托东南亚成为地区大国

20世纪80年代，日本成了世界上最大的债权国，国民生产总值超过3万亿美元，经济实力仅次于美国。日本经济实力为它谋求大国地位奠定了基础，所以面对新兴大国的崛起，日本战略的重点是依托东南亚成为地区大国。

（一）对中国崛起的双重战略

随着中国经济持续增长和两国经贸关系持续发展，日本无法忽视中国的存在；另一方面，中国经济的发展和政治地位的提高又是日本成为"东南亚地区霸主"绕不过的坎，所以对于中国的崛起，日本的选择是"重视中国"与"遏制中国"并存。

一方面，中国是世界上最大的发展中国家，日本要想成为地区霸主，就不得不重视与其在多方面的合作。实际上，日本与中国在政治、经济、民间、文化各方面的交流非常广泛，近年来更是形成了"没有首脑互访的关系发展"的奇妙局面。这就表明，个别领导人的意志虽然可能给两国关系带来负面影响，但中日关系的良性发展是客观必然的历史趋势。

另一方面，日本又利用俄罗斯与印度牵制中国崛起。俄罗斯传统上属于欧洲国家，但由于其地缘经济政治与亚洲关系密切，所以

在整个东北亚地区的地位举足轻重。在日本、中国与俄罗斯之间最重要的是石油问题。中国即将成为石油消费大国，日本预感到了潜在的"石油危机"。首先，中国长期大宗买进石油可能打破中东原有的石油输出格局，挤占日本传统的石油供给，给原来相对稳定的中东石油市场带来不确定因素。其次，中国对中东石油的依赖，将使其不得不更多地介入中东事务，进而可能影响日本与中东产油国的政治关系。基于这种考虑，日本积极介入中俄输油管线（安大线）建设计划，以阻止西伯利亚石油长期稳定地输入中国，并成功地使俄罗斯重新考虑"安大线"与"安纳线"的取舍问题。日本外交官曾直言道："如果允许中国向远东大举进军，将导致东北亚的力量平衡崩溃，导致安全上出现令人不安的问题。"[①] 显而易见，日本阻止建成"安大线"的真正着眼点是：通过削弱中俄战略伙伴关系，遏制中国在东亚的政治经济影响，最大限度地实现日本的地缘利益。可以想像，一旦日本取而代之，投资建成"安纳线"，日本与俄罗斯的关系将上升为战略利益关系。在投资输油管线的拉动下，日本将全面介入西伯利亚的资源开发，地方经济建设。并以解决劳动力为借口，将朝鲜韩国纳入其中，从而将中国在东北亚政治经济影响缩减到最低。

187

此外，近年来日本十分重视改善和加强与中国周边国家的关系，竭力倡导建立亚太地区多边安全机制，实际上是寻求以多种方式对中国进行"软遏制"，日本大力发展与印度的关系就是一个很好的例子。2000 年 8 月，其时日本首相森喜朗在访问印度期间与印度建立了日印"全球性伙伴关系"。森喜朗"坦率"地说，日印关系从地图上看一目了然，战略上十分重要，希望日印两国在国际政治、安全保障问题上紧密合作。媒体分析说，日本改善与印度关系很大程度上出于牵制中国的战略考虑。2004 年 1 月 7 日，在印度访问的日本外相川口顺子告知印度，日本政府决定向印度提供 1100 亿日元贷款，决定将包括无偿资金合作在内的政府开发援助恢复到印度进行核实验以前的水准，并计划增强对印度的经济协作。同时，日本从

---

① "日本展开能源争夺战"，《中国青年报》2003 年 10 月 9 日。

2004 财政年度继续减少对中国的政府开发援助，在 2003 年减少 25％的基础上再次减少 25％，总额将下降到大约 8 亿美元，因此印度将取代中国成为日本对外贷款的最大受援国。这显示了日本扶植印度发展、遏制中国崛起的图谋。

（二）通过贸易、投资和贷款试图成为亚洲的领导者

1. 控制东南亚经济安全命脉

东南亚国家地理位置十分重要，处于太平洋与印度洋之间，扼守马六甲海峡等众多海上要冲，因此该地区历来被日本视为战略攸关的地区和最重要的海上经济通道。日本在经济腾飞时期便力求通过经济手段来控制东南亚，最主要的手段就是不断加强对东南亚的援助。据统计，日本对东南亚的援助占到了日本对外援助的一半以上。近年来，日本对不少国家的经济援助逐年减少，但对东南亚的援助却有增无减，其目的正是要通过逐步的经济渗透，控制东南亚经济安全命脉。

2. 控制东南亚军事安全命脉

冷战后，日本扩展军事活动范围，向外伸展军事触角，以军事手段干预地区事务作为其大国战略的一个重要环节。1992 年的《防卫白皮书》强调了日本军事力量的重要地位，"作为确保安全的手段，外交努力是不可缺少的，但军事力量是其他任何手段和力量不可代替的"。日本领导人在多次讲话中也反复指出，军事手段是保护日本国家利益，特别是海外经济利益的最终手段。自 1995 年发表新的《防卫计划大纲》后，日本将海上自卫队的活动范围由 20 世纪 70 年代设定的一千海里海上交通保护线，扩大到二千海里，包括澳大利亚和马六甲海峡在内。随后，日本不断寻找时机扩大军事活动范围，特别是 1999 年通过"周边事态法"后，日本将包括东南亚在内的亚洲大部分地区划入所谓"周边事态"范围。2001 年 10 月，日本又借美国反恐之机通过了"反恐特别措施法"等三项法案，并派日本的大型战舰经过东南亚海域抵达印度洋，其军事活动范围比过去又进一步扩大，上述举动都为其以军事手段干预地区事务奠定了坚实的基础。

（三）强化与东盟关系，确保日本在东亚事务中的地位

日本—东盟首脑峰会于 2003 年 12 月 12 日在东京闭幕，会后双

方发表了《日本东盟战略协作伙伴关系东京宣言》（以下称《东京宣言》）和"行动计划"。日本正式宣布加入《东南亚友好合作条约》，表明日本在政治和安全等新的领域开始加大与东盟合作的力度。

　　日本与东盟发表的《东京宣言》主要包括三方面内容：第一，确定了《东南亚友好合作条约》互相尊重、互不干涉的原则；拥护和促进人权和基本自由。第二，构筑东亚共同体，确定日本和东盟战略协作伙伴关系、加强政治及安全保障合作，优先考虑开发援助东盟各国。第三，根据宣言实施的具体制度、资金提供等问题，双方又发表了"行动计划"，表示尽最大努力促进双边自由贸易协定的谈判等。宣言发表之后，有媒体认为日本对中国积极发展与东盟的关系不无"焦急"，其接近东盟的用意之一，是确保日本在东南亚地区的影响和地位，"掌握在东亚的主导权"。[①]

189

　　实际上，日本和东盟间的经济关系一直非常密切。经济合作是日本拓展与东盟关系的重点，也是日本对东盟施加影响的主要杠杆。近年来，日本通过对东盟的投资贸易，建立日本—东盟自由贸易区等，发展同东盟的全面经济关系，进而带动了双方的政治关系。目前，日本不仅是东盟第二大贸易伙伴和投资国，其对外援助的60%也都投在东盟。2002年，小泉首相访问了菲律宾、马来西亚、泰国、印度尼西亚和新加坡等东南亚五国，提出了"日本—东盟全面经济伙伴关系构想"，提出到2020年日本对东盟贸易总额达到406亿美元的设想。同年11月，举行了日本—东盟首脑会议，双方发表了"全面经济伙伴联合宣言"，提出了在十年内建立日本—东盟自由贸易投资区的远景目标。2003年10月，日本与东盟在巴厘峰会上签署了"关于全面经济伙伴关系的框架文件"，除规定建立日本—东盟自由贸易投资区的远景目标外，双方决定从2004年起就商品贸易、服务贸易以及投资自由化问题进行全面磋商。2003年年底，日本与东盟举行了所谓的东京峰会，日本将逐个与新加坡、印度尼西亚、泰国、菲律宾、马来西亚等国家签署双边经济合作协定。

　　建立"东亚共同体"，是日本发展与东盟关系的长期目标。东京

---

　　① 曹鹏程："日本加速接近东盟，确保其在东南亚的地位和影响"，《人民日报》2003年12月17日，第2版。

峰会之后，日本和东盟的关系得到提升，如何完成角色转变是日本外交战略面临的课题之一。随着经济实力的提高与在亚洲地区影响力的扩大，东盟逐步掌握对日本关系的主动权。泰国总理他信·西那瓦说："日本已经和东盟形成了对等的关系。"不过，东盟国家对于日本是否能够真正放开市场存有疑虑。虽然日本将在2004年与泰国、菲律宾、马来西亚就缔结自由贸易协定举行政府间谈判，但日本国内对于撤销农产品关税、开放国内劳动力市场意见不一，因为一旦开放农业市场，便宜的进口农产品将会损害国内农产品生产者的利益。

2003年年底的东京峰会表明，日本为了确保自己在东南亚地区的地位和影响，正在全面调整与东盟在政治、经济、安全等各领域的关系。正如东盟与中日韩间的"10＋3"协商会议所体现的，实现东亚共同体，是东亚国家的未来目标，有赖于东亚国家间的真诚合作。日本要顺利地发展与东盟的关系，仅把意愿写入宣言是不够的；要得到东盟国家的信任，日本还需要实际的行动。

参考文献

1. Graham Fuller："The Nest Ideology", Foreign Policy, Spring 1995.

2. James N. Rosenau："Normative Challenges in a Turbulent World", Ethics & International Affairs, Volume 61, 1992.

3. Joseph S. Nye, Jr.："Conflicts after the Cold War", The Washington Quarterly, Winter 1996.

4. Joseph S. Nye, Jr.："What New World Order", Foreign Affairs, Spring 1992.

5. Michael J. Mazarr："Culture and International Relations：A Review Essay", The Washington Quarterly, Spring 1996.

6. Samuel P. Huntington："The Clash of Civilization and the Remaking of World Order", Simon & Schuster, New York, 1996.

7. Samuel P. Huntington："The West Unique, Not Universal", Foreign Affairs, November/December, 1996.

8. 陈建：《21世纪——日本经济发展战略研究》，中国城市出版社2002年9月版，第18页。

9. 丁菲娅："美欧分歧对北约发展的影响"，《国际问题研究》2004年第1期，第48～52页。

10. 国家统计局：《成就辉煌的20年》，中国统计出版社1998年版，第27页。

11. 汉斯·摩根索：《国际纵横策略——争强权，求和平》，上海译文出版社1995年版，第48～49页。

12. 胡鞍钢、门洪华：《解读美国大战略》，浙江人民出版社

2003 年第 1 版，第 92 页。

    13. 江亦丽："美印关系为何骤然升温？——从印度支持 NMD 看美印关系的发展"，《当代亚太》2001 年第 7 期，第 16~20 页。

    14. 金熙德：《再生还是衰落——21 世纪日本的决策》，社会科学出版社 2001 年 4 月版，第 9 页。

    15. 蓝启发："世界经济多极格局中的俄罗斯经济"，《龙岩师专学报》1996 年 6 月，第 68~70 页。

    16. 李长久："跨世纪的世界经济形势回顾与展望"，《世界经济与政治》2001 年第 1 期，第 15~20 页。

    17. 曼瑟尔·奥尔森：《集体行动的逻辑》，上海三联书店 1996 年 3 月版，第 45 页。

    18. ［美］保罗·肯尼迪：《大国的兴衰》，王保存等译，求是出版社 1988 年版，第 168 页。

    19. ［美］萨缪尔·亨廷顿：《第三波——20 世纪后期民主化浪潮》，上海三联书店 1998 年版，第 75~79 页。

    20. ［美］斯蒂芬·科亨：《大象和孔雀》，新华出版社 2002 年 10 月第 1 版，第 58~63 页。

    21. ［美］亚历山大·温特：《国际政治的社会理论》，上海世纪出版集团 2000 年 12 月版，第 39 页。

    22. ［美］约翰·米尔斯海默：《大国政治的悲剧》，上海人民出版社 2003 年 4 月第 1 版，第 58 页。

    23. 倪世雄、潘忠岐："文明与秩序——评亨廷顿《文明的冲突与世界秩序的重建》"，《太平洋学报》1998 年第 2 期，第 62~71 页。

    24. ［日］小泽一郎：《日本改造计划》，讲谈社 1994 年版，第 16~18 页。

    25. 荣鹰："印度十年经济改革回顾与展望"，《世界经济导刊》2002 年第 1 期，第 51~56 页。

    26. 山民："美国的安全战略核新概念战争"，《大公报》2002 年 5 月 9 日，第 8 版。

    27. 宋玉华："评新世纪美国政府的全球战略"，《世界经济与政治》1999 年第 9 期，第 44~49 页。

28. 孙士海：《印度的发展及其对外战略》，中国社会科学出版社 2000 年 5 月第 1 版，第 108 页。

29. 王鹏翔："日本：全球经济危机的策源地"，《国研信息》2001 年 7 月 18 日。

30. 夏兆龙：《如何面对日本走向政治大国》，中国社会科学院日本研究所，新华网 2002 年 9 月 29 日。

31. 辛本健："美国新保守派的重新得势与布什政府的'新帝国大战略'"，《世界经济与政治》2003 年第 10 期，第 27～32 页。

32. 杨运忠："'新帝国论'——21 世纪美国全球称霸的理论范式"，学术连线网 2003 年 10 月 27 日。

33. 叶国文："溶和型均势：可能性及其对策"，政治学研究网。

34. ［英］约翰·柯里宾：《历史焦点》，江苏人民出版社 2000 年版，第 167 页。

35. 喻希来、吴紫辰："世界新秩序与新兴大国的历史抉择"，《战略与管理》1998 年第 2 期，第 1～13 页。

36. 于永达、李志岷：《世界经济摩擦论》，吉林人民出版社 1994 年版，第 127 页。

37. 袁鹏："从北约袭南看跨世纪美欧关系"，《世界形势研究》1999 年 6 月 9 日。

38. 小约瑟夫·奈：《美国霸权的困惑》，世界知识出版社 2002 年版，第 46 页。

39. 詹姆斯·多尔蒂：《争议中的国际关系理论》，世界知识出版社 1987 版，第 199 页。

40. 张曙光、周建明：《美国安全解读》，新华出版社 2002 年版，第 18 页。

41. 张耀："'新帝国论'评析"，《世界经济与政治》2003 年第 7 期，第 33～38 页。

42. 赵来文：《西方霸主梦——步履维艰的美利坚》，吉林人民出版社 1998 年 5 月第 1 版，第 74 页。

43. 中国国际问题研究所、中国国际问题研究与学术交流基金会：《震荡与冲击——"9·11"事件后的国际关系走向》。

193

44. 周效政："印度为何支持美国国家导弹防御计划"，《国际内参》2001 年 5 月 20 日，第 14～15 页。

45. 朱锋："国际关系理论在中国的发展：问题与思考"，《世界经济与政治》2003 年第 3 期，第 23～25 页。

46. 朱锋："伊拉克战争与国际战略格局的新态势"，《世界经济与政治》2003 年第 11 期，第 31～36 页。

47. 朱文晖：《日本：又一次失败》，江苏人民出版社 1998 年 11 月版，第 4 页。

48. 资中筠：《国际政治理论探索在中国》，上海人民出版社 1998 年版，第 88 页。

第六章　新兴大国的崛起
及其竞争与合作

巴西外交政策的基础是建立一个政治稳定和团结的南美洲，巴西谋求国际秩序的多极化，谋求与美国建立成熟的关系。巴西将与中国、印度、俄罗斯、南非加强关系。

——巴西现任总统卢拉

195

俄罗斯的对外政策目标不是显露帝国野心，而是保证良好的外部环境；我们将开展全方位外交，与美国、欧洲和亚洲伙伴共事，因为俄罗斯既是欧洲国家，也是亚洲国家。

——俄罗斯现任总统普京

印度以它现在的地位，是不可能在世界上扮演二等角色的。要么做一个有声有色的大国，要么销声匿迹，中间地位不能打动我，我也不相信中间地位是可能的。

——印度开国总理尼赫鲁

巴西、俄罗斯、印度和中国四国虽因具有很多共同点而被界定为新兴大国，但它们在历史、文化和政治经济制度上有着截然不同的发展路径，从而崛起的战略选择，也必然表现出各自的特点。因此，深入研究巴西、俄罗斯、印度崛起的战略选择，尤其是深入研究三国在崛起的过程中与中国的竞争和合作关系具有重要意义。

第一节 巴西崛起的战略选择
和巴中的竞争与合作

巴西和中国同为发展中国家，面临相同的国际形势，都需要在和平的国际环境中发展本国的经济，这是两国合作的政治基础；同时两国目前已经具备了一定的国际竞争力，相互之间又具有很强的互补性，这是两国合作的经济基础。但由于两国处于相同的经济发展阶段，双方的合作必将伴随激烈竞争。

一、巴西崛起的战略选择

（一）巴西概况

古代巴西为印第安人居住地。16世纪沦为葡萄牙殖民地直至1822年获得独立，建立巴西帝国。1888年废除奴隶制度，1889年将军丰塞卡发动政变推翻帝制。1891年通过第一部联邦共和国宪法，定国名为巴西合众国。1960年将首都由里约热内卢迁往巴西利亚。1964年再次发生军人政变开始实行独裁统治，1967年改国名为巴西联邦共和国。1988年新宪法规定，总统由直接选举产生，取消总统直接颁布法令的权力。总统是国家元首和政府首脑兼武装部队总司令。后两次修改宪法，将总统任期缩短为四年，但总统和各州、市长均可连选连任。国民议会由联邦参议院和众议院组成，为国家最高权力和立法机构。内阁为政府行政机构，内阁成员由总统任命。

巴西拥有拉美最为完善的产业体系，经济实力居拉美首位。在被殖民时期主要是单一农业经济国家，蔗糖、咖啡等为其主要经济作物。20世纪初，开始工业化进程。从50年代起，巴西推行"进口替代"经济模式，并依靠大量举借外债获得了经济腾飞，其中1967～1974年经济年均增长率达到10.1%，创造了"巴西奇迹"，并初步建立起了较为完整的工业体系。但在其后近30年的时间里，巴西一直为外债和通货膨胀所困扰，经济发展陷于停顿。1994年时任巴西总统卡多佐推出"雷亚尔计划"①，成功地控制了恶性通膨，使巴西经济出现了一个稳定增长的时期。但巴西政府依赖举债来维持雷亚尔高估的汇率，使其贸易逆差、财政和经常性项目双赤字问题日益严重，对外资依赖日益加深，不断遭受国际震荡影响。经历了多次国际金融危机②的冲击和国内经济萧条，1999 年年初金融市场又发生了一次对"雷亚尔"的投机性袭击，巴西被迫宣布采取浮动汇率制，造成雷亚尔对美元大幅贬值，国内通胀率短期内急剧上升。幸运的是，由于货币贬值刺激了巴西出口的增加，配合适当的财政政策，经济呈现恢复性增长，2000 年经济增长 4.4%。但随即又受全球经济不景气、阿根廷经济危机、国内电力危机和紧缩性财政政策的影响，经济增长速度再次减缓，甚至在 2003 年出现了 0.2% 的负增长。

197

（二）巴西崛起的战略选择

早在 20 世纪 70 年代末，巴西就确立了成为大国的目标。前总统卡多佐曾多次表示，巴西属于多极世界的一极，希望成为联合国安理会的常任理事国。但相较与中国明确的"和平崛起"战略构想，巴西的崛起战略尚未成形，毕竟，在短期内恢复经济增长是当前巴西人民最关心的。但根据巴西近年来国内外政治经济活动也可窥知其战略倾向。

1. 加快经济改革

自 1998 年和 1999 年巴西的金融危机之后，经过一系列的改革，巴西经济开始恢复。前总统卡多佐认为巴西已具备了实施旨在改善巴西人福利和提高生活质量的发展计划的基本条件，制定了跨世纪的《巴西在前进计划》，决定以持续增长和加强经济稳定为总方针，建立"面向满足公民基本需求，更公正地在巴西人之间分配经济增长成果的新发展模式"。为实现这一目标，巴西政府制定了一系列战略方针，主要包括：建立有助于实现持续增长的宏观经济环境；整

---

① 雷亚尔（Reai）是 1994 年 7 月在巴西开始流通的新货币，其汇率在开始的时候被固定为以 1∶1 和美元挂钩。

② 1994～1995 年间美国联邦储备局调高利率一倍，引发了世界债券市场崩盘和墨西哥比索崩溃；1997 年年初美国再次提高利率引发恐慌；此后发生东亚金融危机；1998 年俄罗斯无力还债及华尔街大跌盘。

顿公共财政；提高人民的教育水平和扩大对人民的职业培训；提高农牧业生产率；发展旅游业；促进基础设施现代化，改进电信、能源和交通服务；推动农村的一体化发展等。

卢拉总统上任以后，经济改革步伐进一步加大，提出了"新工业政策"计划。现任巴西发展工商部部长路易斯·费尔南多·弗尔兰 2004 年 1 月 29 日在联合国贸发组织总部举行的"巴西和伙伴投资机会"研讨会上发表了题为"巴西新工业政策"的讲演，指出新工业政策的优先目标是提高技术水平、拉动就业、提高经济效益和促进"巴西制造"的名牌产品。为此，巴西提出了一系列的改革方案，包括财政、金融等方面。

在这些方案中，最引人注目的是鼓励技术创新和技术开发、鼓励巴西工业园的发展和扩展出口的一揽子措施。在这些措施中，巴西政府突出机械工业的发展，建立信贷专项资金，即机械设备融资计划。另外，巴西政府拟通过签署合同的方式，目标在 2007 年通过三级政府和中小企业协会、大学、科研机构、技术中心等机构培训 10 万家企业，以扩大能够参与国际竞争的企业数量、减少企业破产率和增加就业。计划投资 1.6 亿美元，分四年实施，工商发展部、科技部、中小企业协会、促进出口管理局和社会经济开发银行作为计划的实施协调机构。巴西政府决定在工商发展部建立工业开发局，其职能是制定工业发展战略，通过支持技术革新、提高生产部门的竞争力落实国家工业战略。

2. 谋求地区大国地位

拉美地区的"老大"地位是巴西成为大国最大的依托，因此巴西在推动南美国家的政治经济合作上表现得十分积极。在经济全球化的大趋势下，全球范围内区域经济合作不断发展，巴西政府也越来越认识到在拉美地区联合自强的必要性。卢拉总统指出与拉美邻国加强联系是巴西最重要的外交政策。1991 年 3 月 26 日，巴西、阿根廷、巴拉圭和乌拉圭 4 国总统在巴拉圭首都签署《亚松森条约》，宣布建立南方共同市场（简称南共市）。该条约于当年 11 月 29 日正式生效。1995 年 1 月 1 日南共市正式运行，关税联盟开始生效。

在发展和巩固南方共同市场的基础上，1993 年巴西就提出了建

立南美自由贸易区的倡议，并在 2000 年 8 月主持召开了第一届南美
国家首脑会议。在巴西的不懈努力下，南美各国达成共识，安第斯
共同体与南方共同市场间的自由贸易区要先于美洲自由贸易区建成。
各方在 2004 年的谈判中表现出极大诚意，最终于 2004 年 4 月 3 日达
成了建立南美自由贸易区的协议。

3. 发展与大国的成熟关系

正如现任总统卢拉所说，巴西谋求国际秩序的多极化，谋求与
美国建立成熟的关系，并将与中国、印度、俄罗斯、南非加强关系。
而巴美关系是巴西在国际社会中最重要的一对双边关系，处理好巴
美关系，改变以往对美的依附状况，强化自身在南美的大国地位，
始终是崛起中的巴西对美国战略的基石。

20 世纪 60 年代巴西军人执政的时代是巴美关系的蜜月期。但是
随着巴西政权的更替以及巴西经济的多样化发展，巴西逐渐摆脱对
美国的依附，而美国官方援助和双边贷款的减少，也使其对巴西的
控制力大大降低。同时，由于巴西的大国目标，它在政治和经济上
就不可能走依附于美国的发展道路。卡多佐曾表示冷战后"美国不
能单独领导国际政治的前进，两极世界的结束并不对单极世界有
利"。现任总统卢拉也表现出跟美国的对抗意识，试图改变巴西的
"依附型经济"，寻求经济和政治上的独立。巴西独立自主的发展战
略必然与美国产生一些利益上的冲突。比如在建立美洲自由贸易区
的问题上，巴西坚持把南方共同市场作为一个整体与美国进行谈判，
主张先建立南美自由贸易区再谈判美洲自由贸易区。但美国与智利
进行双边自由贸易谈判并要提前结束美洲自由贸易区的谈判，在一
定程度上破坏了巴西对美洲经济一体化的构想，巴西在建立美洲自
由贸易区谈判中与美国产生矛盾在所难免。再比如，2004 年 1 月初，
当美国实行对进入美国的外国旅客留指纹和照相存档的措施后，巴
西成为世界上惟一对美国实行对等措施的国家。种种迹象表明，美
国"失去巴西"的可能性正在逐渐加大。

4. 积极寻求与发展中国家的合作

2003 年卢拉走访了 20 多个发展中国家。巴西、印度和南非三国
外长 2003 年 6 月初在巴西利亚举行会谈，决定建立三国集团。这一

倡议是由巴西卢拉政府发起的，卢拉将其作为加强发展中国家和第三世界国家合作战略的一部分。三国集团的目标是密切三方的合作，鼓励贸易交往，在国际论坛上统一立场。虽然这只是一个初步的计划，但它意味着将来吸收南方共同市场的其他成员国和南部非洲关税联盟的成员国加入，作为前景甚至考虑吸收中国和俄罗斯参加，将来可能变成一个五国集团。这不仅表明卢拉政府为巴西商品打开国际市场所做的努力，也体现了其试图"联合穷国对抗富国"的战略。

二、巴中之间竞争优势及劣势比较

（一）巴中两国要素层面的比较分析

巴西与中国在基本要素禀赋上有许多相似之处，两国都幅员辽阔，人口众多，自然资源丰富，但二者的高级要素禀赋却不尽相同。

国家竞争优势主要由一国生产力水平所决定，而后者在知识经济时代很大程度上取决于高级生产要素的存量。高级生产要素具体包括知识型劳动力、知识要素、信息要素、创新能力要素、核心技术要素、金融要素和制度要素。[①] 这些要素的存量（制度要素除外）主要通过下述几项指标衡量：研究和开发人员中科学家和工程师的比重、R&D占GDP的比重、国际互联网用户、国内居民申请专利文件数、高技术产品出口额占制成品出口额的比重和金融效率排名。根据上述指标比较巴西与中国的高级生产要素的存量，如表6-1所示，在高级生产要素的全部六项要素中，金融要素除外的其余五项要素，中国均占有优势。因此，简单地从高级生产要素层面上判断，中国比巴西更具有发展潜力。

虽然中国在各项指标表现上优于巴西，但从技术创新能力方面考虑，巴西的竞争力未必弱于中国。"在激烈竞争的全球化经济中，创新能力会决定一个国家能否发展核心产品，形成核心竞争力"。[②]

----

① 张幼文：《当代国家优势——要素培育与全球规划》，上海远东出版社2003年版，第40~42页。

② 张幼文：《当代国家优势——要素培育与全球规划》，上海远东出版社2003年版，第42页。

而技术创新能力对于一个国家培育与发展竞争优势至关重要。根据联合国开发计划署首次公布的 2001 年世界主要国家技术成就指数（TAI）评价体系和资料，巴西的技术成就指数为 0.311，中国的技术成就指数为 0.299，巴西略高于中国，二者同属于技术的积极采纳者之列。该指数由技术创新、新技术传播、传统技术传播和人类技能 4 个方面构成，是用以衡量各国（地区）进行技术革命和创新能力的综合尺度。在技术成就指数（TAI）4 个指标构成当中，中国除了中高技术产品占商品出口的比重和平均受教育年限优于巴西外，其余指标均劣于巴西（详见表 6-2）。

表 6-1 2000 年巴中两国高级生产要素的比较

要 素 指 标	巴 西	中 国
研究和开发人员中科学家和工程师的比重（每百万人）	325	545
R&D 占 GDP 的比重（%）	0.8	1.0
国内居民申请专利文件数	41	25592
高技术产品出口额占制成品出口额的比重（%）（2001 年）	17.9	20.4
金融效率排名	36	42
国际互联网用户（万人）（2001 年）	800	3370

资料来源：《国际统计年鉴 2003》。

表 6-2 巴中两国技术成就指数分类比较

		巴 西	中 国
技术创新	国内居民获得的专利（项/百万人）（2001 年）	2	1
	收到的版权费和许可费（美元/千人）（2001 年）	0.8	0.1
新技术传播	互联网主机数量（台/千人）（2001 年）	7.2	0.1
	中高技术产品出口占商品出口的比重（%）（2001 年）	32.9	39.0
传统技术传播	电话数量（主线和移动电话）（线、部/千人）（1999 年）	23	120
	人均电力消费（千瓦时/人）（1998 年）	1793	746
人类技能	平均受教育年限（15 岁以上人口）（2000 年）	4.9	6.4
	理工科大学入学率（%）（1995~1997 年）	3.4	3.2

资料来源：杨京英、王强、铁兵："中国与世界主要国家技术成就指数比较"，《中国统计》2002 年第 8 期，第 57~58 页。

综上，巴西与中国在要素层面上各有强弱，这表明一方面两国都有一定的发展潜力，另一方面，两国在发展问题上都存在着许多

201

有待解决的问题。

（二）巴中两国产业层面的比较分析

在产业发展方面，巴西与中国两国都有较完整的产业体系。二者的农业在本国的国民经济当中都占有重要的地位，两国的农产品国际贸易也都处于世界前列；两国都建立了比较完善的工业体系；服务业的产值在国内生产总值中也都占有很大的比重。

从表 6-3 与表 6-4 可以看出，中国在工业方面比巴西略为发达，而在服务业方面，无论是服务业产值占本国 GDP 的比重还是对于本国 GDP 的贡献率，巴西都要远远高于中国。

表 6-3　2000～2001 年巴中两国 GDP 中三次产业构成的比较　（单位：%）

国家 ＼ 产业 年份	第一产业		第二产业		第三产业	
	2000	2001	2000	2001	2000	2001
巴西	7.4	9.3	28.3	33.9	64.3	56.8
中国	16.4	15.8	50.2	50.1	33.4	34.1

资料来源：根据《国际统计年鉴 2003》整理。

表 6-4　2000～2001 年巴中两国三次产业对国内 GDP 增长的贡献率比较

国家 ＼ 产业 年份	第一产业		第二产业		第三产业	
	2000	2001	2000	2001	2000	2001
巴西	0.24	0.41	1.49	−0.18	1.71	0.69
中国	0.38	0.42	5.36	4.93	2.22	2.10

资料来源：根据《国际统计年鉴 2003》整理。

但在农业与工业发展状况上，从农业生产指数与工业生产指数的比较结果来看，中国的农业与工业的总体发展要好于巴西。据《国际统计年鉴 2003》的统计结果，2002 年，中国农业生产指数为 209.9，巴西为 158.9。其中，种植业指数中国为 165.8，巴西为 142.5；畜牧业指数中国是 289.5，巴西是 177.5。[1] 2002 年中国工业生产指数是 194.7，巴西则是 114.0。[2]

---

① 农业生产指数：1989－1991＝100。
② 工业生产指数：1995＝100。

综上，中国在农业与工业方面总体发展水平比巴西更具有竞争力，但巴西也有自己的优势。

就农业和畜牧业而言，巴西有多种农产品和畜牧产品在国际上具有很强的竞争力。咖啡产量和出口量均占世界第一位，甘蔗、可可、大豆、柑桔的产量都名列世界前茅。畜牧业以养牛为主，巴西的牛存栏数居世界第二位，仅次于印度，猪和家禽的存栏数居世界第三位，仅次于中国和美国。目前，农牧业的生产总值虽然在巴西整个国内生产总值的比重有所下降，但仍居重要地位。这不仅因为农牧业吸引了巴西大量的就业人口，也因为农牧业产品为巴西许多工业发展提供了初级原料。由于得天独厚的地理环境和气候条件，农牧业产品的出口在巴西的产品出口中处于举足轻重的地位。[①]

就工业而言，巴西的工业部门比较齐全，科技较先进，是发展中的新兴工业国。主要工业有电力、矿产、钢铁、机械、石油化工、造船、汽车、水泥、造纸、电讯、飞机制造、电子、计算机等。从汽车产业看，巴西是拉美第一大汽车生产国，世界第九大汽车生产国。巴西航空业是世界航空工业的重要组成部分，在国际市场上具有相当的竞争力，是世界第四大出口航空设备出口国。

203

（三）巴中两国在国家竞争力层面的比较分析

在国家总体竞争力方面，根据 IMD 世界竞争力年鉴的统计结果（详见表 6-5），在人口超过 2000 万的国家当中，中国大陆 2003 年国家竞争力的总体排名为 12，巴西为 21。与 2002 年相比，中国国际竞争力的地位没有变化，而巴西则从 2002 年的第 15 位下降到第 21 位。

表 6-5　1999～2003 年巴中两国国家竞争力总体排名比较

国家 \ 年份	1999	2000	2001	2002	2003	2004
巴西	17	15	16	15	21	23
中国	11	11	12	12	11	10

资料来源：根据 IMD《世界竞争力统计年鉴 2003》整理，其中 2004 年数据来自 IMD "The World Competitiveness Yearbook 2004"。

---

① 吕银春：《经济发展与社会公正——巴西实例研究报告》，世界知识出版社 2003 年版，第 57～58 页。

在经济表现方面，根据 IMD 的统计分析，2003 年的中国经济表现排名为第 2 位，巴西为第 20 位。同 2002 年相比，中国经济表现的排名上升了 2 位，而巴西则下降了 4 位。

具体从经济表现的主要构成要素分析，同巴西相比，中国具有明显的优势（详见表 6-6）。

第一，国内生产总值方面，巴西自 1999 年以来虽然呈现恢复性增长，但受各种因素影响，仍未走出低谷，尤其是 2003 年经济出现负增长，被外界认为是"自 1992 年以来 GDP 最糟的一年"，而中国经济自 20 世纪 90 年代末以来就保持平稳增长的趋势，历经各种危机不乱（详见表 6-7）。

表 6-6　1999～2003 年中巴两国经济表现的排名比较

国家 ＼ 年份	1999	2000	2001	2002	2003
巴西	21	20	19	16	20
中国	2	3	3	4	2

资料来源：根据 IMD《世界竞争力统计年鉴 2003》整理，2003 年数据来自有关新闻发布。

表 6-7　1999～2002 年中巴两国国内生产总值增长率比较　　（单位:%）

国家 ＼ 年份	1999	2000	2001	2002	2003
巴西	0.8	4.4	1.4	1.5	—0.2
中国	7.1	8.0	7.5	8.0	9.1

资料来源：根据《国际统计年鉴 2003》整理，2003 年数据来自有关新闻发布。

第二，在对外贸易方面，巴西 1999 年与 2000 年的对外贸易一直是逆差。其中 1999 年的贸易逆差为 11.99 亿美元，2000 年的贸易逆差为 7 亿美元。自 2001 年，巴西的贸易状况有所好转，出现了恢复性增长，2003 年出口大幅增长 21.1%。而中国 20 世纪 90 年代以来外贸年年顺差，且顺差额节节攀升，在 2003 年有所回落。

第三，在国际投资方面，中国吸引外资的总额远远超过巴西，根据《国际统计年鉴 2003》的统计，2001 年中国引进外资的总额为 468.8 亿美元，巴西为 224.6 亿美元。而在对外投资上，中国的表现也略优于巴西。但总体上，两国都处于对外投资起步阶段。

第四，物价指数方面，中国在 2000~2002 年的消费者价格指数分别为 100，101，99；巴西的消费者价格指数分别为 236，254，276，明显高于中国。[①]

第五，在城市人口比重上，2001 年巴西为 81.7%，远超于中国的 37.7%。这表明中国的城市化任务比巴西要重得多。

综合上述三个层面的分析，在国家竞争力层面，中国经济总体水平的表现比巴西更为出色，在国际上具有较强的竞争力；在产业层面和要素层面，两国各有千秋，巴西和中国一样具有很大的发展潜力。

三、巴中两国政治安全、经贸关系中的主要问题

同为发展中国家，在全球化的背景下，巴中两国面临着同样严峻的经济发展任务。两国于 1974 年建交以来一直保持着良好的外交关系和经贸往来，中国是巴西除美国和阿根廷外最大的贸易伙伴，巴西则是中国在拉美最大的贸易伙伴。2004 年 5 月，率领 400 多名企业家、7 个政府部门和 4 个州长访华的卢拉总统在答记者问时就指出："巴西非常愿意在基础设施、铁路设施、冶金和交通等部门同中国企业合作，共同投资建设。在航天领域，我们已同中国进行了卓有成效的合作，我们希望进一步扩大这种合作。"

（一）巴中政治交往与经贸合作基础

巴西与中国在许多重大国际问题上有着相似的主张。政治上两国都主张尊重各国主权平等，反对外来干涉和强权政治，通过和平谈判解决国际争端，不诉诸武力和武力威胁，主张国际多极化、反对霸权主义。经济上由于深受不合理的国际经济秩序之害，都主张建立公正、民主、促进发展的国际经济新秩序。在对外经贸关系中都愿意遵循平等互利，共同发展的原则。

在经济上，两国具有很强的互补性。首先，两国资源都很丰富，并且各有优势，可以互通有无。例如巴西的铁矿资源丰富，中国钢

---

① 物价指数按照 1990＝100 计算。

铁工业的迅速发展，需要大量的铁矿，为巴西铁矿砂的出口提供了广阔的市场。而在煤矿方面，巴西缺乏优质煤，中国拥有丰富的煤矿资源，可以成为巴西的进口煤的重要来源。2003 年，巴西出口中国的第二大商品就是铁矿砂，而从中国进口的第一大商品是煤制焦炭。其次，在制成品方面，虽然两国都以初级产品为主，但产业结构不同，具有一定的互补性。中国主要向巴西出口纺织品、服装、自动数据处理设备、鞋类、玩具、塑料制品和家电等；进口纸浆、皮革、钢材和塑料等。第三，在农业发展方面，巴西具有一定的比较优势，中国 13 亿人口为其提供了一个巨大的市场。

（二）巴中政治交往与经贸合作的现状

1974 年 8 月 15 日，巴西同中国正式建交。自建交以来，两国主要领导人相互多次进行访问。1993 年 11 月，中国国家主席江泽民对巴西进行了国事访问。1995 年 12 月，巴西总统卡多佐对中国进行国事访问。1996 年 11 月，李鹏总理访问巴西。2001 年 4 月，江泽民主席应邀对巴西进行工作访问。2004 年卢拉总统将应邀访问中国。在双方的共同努力下，两国的外交与政治关系得到巩固和加强，结成了牢固的伙伴关系。

自从两国建交以来，巴中双方经贸关系持续发展，签署了多项与贸易有关的协议。1978 年和 1979 年相继签署了政府贸易协定和海运协定，1984 年又签订了贸易协定补充议定书，1990 年签订了经济技术合作协定，1991 年签订了避免双重征税协定，1993 年签订了两国政府关于发展铁矿石贸易和促进合作开采铁矿的意向协议，1995 年签订了两国政府关于植物检疫的协定，1996 年签订了两国政府关于动物检疫和动物卫生合作的协议，1998 年签订了两国政府为保证进出口商品质量对两国政府经济合作协议的补充协定。这些协议的签署，保证与促进了巴中经贸关系的健康发展。

长期以来，巴中双边贸易时有起伏，双方对在不同时期出现的贸易不平衡问题基本上采取了互相谅解、积极合作的态度。对于贸易逆差问题，双方政府都不是采取消极的方式减少进口，而是主张在发展双边贸易的同时争取贸易逐步平衡。这种双方政府间的相互谅解和合作有利于双边贸易的健康发展，近 30 年来贸易总体水平不断上升（详见表6-8）。1985年，双边贸易额从建交时的1742万美元增加到14.1亿美元，增长了82倍，占当年中拉贸易总额的55％。自1986年起，由于中国对巴西出口石油数量减少直至中断，加上巴西对华出口供货不足等原因，中巴双边贸易额一度下降。1993年，中国大规模增加了豆油等商品的进口，加上巴西实行市场开放政策，巴中贸易出现了重大转折。当年，双边贸易总额达到10.6亿美元。此后几年巴中贸易迅速增长，1997年达到了创记录的25亿美元。1999年由于亚洲金融危机巴西金融动荡的影响，巴中贸易额下降16.8％，中国出口额下降19.3％，进口额下降14.5％。但从2000年开始，巴中之间的贸易额再次迅速攀升，2003年双边贸易额增长63.96％。其中，巴西向中国出口额增长79.83％；巴西进口额增长38.20％。

表6-8　1974～2003年巴中双边贸易统计　（单位：万美元）

年　份	总　值	巴出口额	巴进口额	余　额
1974	1742	1587	155	1432
1975	6794	6757	37	6720
1976	1280	1237	43	1194
1977	1976	1949	27	1922
1978	8246	7444	802	6642
1979	21592	12243	9349	2894
1980	31096	6432	24664	－18232
1981	40672	6007	34665	－28658
1982	45454	7553	37901	－30348
1983	57107	18051	39056	－21005
1984	83917	43887	40030	3857
1985	141108	98346	42762	55584
1986	96432	70916	25516	45400
1987	69343	45018	24325	20693
1988	86963	79814	7149	72665
1989	102447	94001	8446	85555
1990	62943	52275	10668	41607
1991	41384	34581	6803	27778
1992	58408	51932	6476	45456
1993	105525	86308	19217	67091

续表

年 份	总 值	巴出口额	巴进口额	余 额
1994	142120	105880	36240	69640
1995	199061	123155	75907	47248
1996	224705	148408	76297	72111
1997	253307	148898	104409	44489
1998	221866	113310	108556	4754
1999	184471	96857	87614	9243
2000	284500	162144	122356	39788
2001	369848	234734	135114	99620
2002	407428	252047	155401	96646
2003	668019	453256	214763	238493

资料来源：1974～2001年资料来自中华人民共和国海关统计；2002～2003年资料来自中华人民共和国驻里约热内卢总领事馆经济商务室所发布信息，http://riodejaneiro.mofcom.gov.cn/。

经过双方共同努力，巴西已成为中国在拉美最大的贸易伙伴，中国也成为巴西在亚洲的最大贸易伙伴。巴中两国都将对方作为实现市场多元化的重要市场之一。

在贸易商品上，双方进出口商品比较对路，不少商品彼此互有需求，可互为补充。如巴西的大豆、铁矿砂、纸浆、钢铁、木材等在中国有较大需求；巴西对中国焦炭、化工产品、医药原料、各类轻纺产品、中低档机电产品等感兴趣（详见表6-9）。

表6-9　2003年双边贸易主要商品统计

巴西出口的主要商品			
商品名称	重量（吨）	金额（万美元）	比例（%）
大豆	6101943	131307	28.97
非烧结铁矿砂	32750209	52077	11.49
木化学纸浆	727533	25938	5.72
大豆油	518765	25640	5.66
烧结铁矿砂	8222309	24409	5.39
其他钢铁半成品	874222	18270	4.03
冷轧卷材	390143	15159	3.34
汽车拖拉机零件	21031	11371	2.51
活塞发动机	3196	7445	1.64
木厚板材	149574	6196	1.37

续表

中国向巴西出口的主要商品			
商品名称	重量（吨）	金额（万美元）	比例（%）
煤制焦炭	1684683	21377	9.95
接受传送仪器	396	9155	4.26
放大镜	243	8205	3.82
手持式无线电话机零件	4687	5954	2.77
其他煤	1130870	5127	2.39
其他纯聚酯非变形长纤维	8354	3711	1.73
染色纯聚酯变形长丝布	10389	3505	1.63
收录机零件	796	2801	1.30
无烟煤	883444	24414	1.14
数字式集成电路	10	2235	1.04

资料来源：中华人民共和国驻里约热内卢总领事馆经济商务室所发布信息，http：//riodejaneiro. mofcom. gov. cn/。

209

（三）巴中间政治交往与经贸合作的主要问题与发展前景

虽然世界格局朝多极化方向发展，但仍存在阻挠这个发展趋势的因素。目前，作为当今世界惟一超级大国的美国，利用其经济、政治、军事上的强大优势，一心追求其全球霸主的地位。拉丁美洲作为美国的"后院"，更是其竭力维持和巩固势力的重点地区。在该地区，美国必将想尽一切办法，采取各种措施配合对中国的遏制战略。巴西是拉美最大的发展中国家，也是在拉美最有实力的国家，在拉美有强大的影响力。巴西与中国的合作，建立战略性伙伴关系，美国不会视而不见，任其发展。它必然利用经济、政治等手段，进行阻挠与干预。当前美国积极促进建立美洲自由贸易区的主要目的之一，就是试图争取利用自由贸易区，对包括巴西在内的拉美国家的政权进行干预，从而控制该地区。巴西与中国无论经济实力还是政治、军事实力都与美国相差悬殊，对于美国的干预，两国都不可能完全置之不理。因此，这种干预将会对两国的交往产生一定的负面作用，是两国政治合作不稳定的主要因素。

在经贸合作上，巴中两国有经济互补的优势与合作的潜力，但由于诸多条件的限制，两国经贸的合作与发展存在很多不利因素，在短期内，两国经贸合作的绝对水平不会很高，双方也难以相互成为对方的主要贸易伙伴。概括来说，主要有下列制约因素。

1. 地理文化因素

巴中两国分处于东西两个半球，相距遥远，同时，巴西的官方语言为葡语，中国缺乏葡语人才，巴西更缺乏懂中文的人才，相距遥远加上语言的障碍使得两国交易成本较高，削弱了双方的互补优势。两国都未能深入了解对方经济发展、法律、市场需求和文化，这也导致了双方经济往来没有更大规模地展开。

2. 贸易保护因素

中国商品由于价格低廉，很受巴西人，特别是中下阶层消费群的青睐。中国商品遍布巴西全国大大小小的商品批发市场。中国商品大举进军巴西引起巴西有关企业的恐慌，他们采取各种措施来抵御，最常用的手段就是"反倾销"。巴西反倾销税（包括补贴）的实施期限为5年，如果申请方认为停止贸易保障措施仍将对民族工业产生损害，巴西外贸秘书处可以重新立案调查，并延长反倾销税征收期。截至2003年12月底，巴西尚在对12种中国产品实施反倾销措施，对1种产品实施贸易保障措施，对5种产品实施调查及复审。对这些反倾销案件，中国企业很少参加应诉，大部分被征税结案。[①]这些贸易保护措施，给巴中经贸的发展设置了人为障碍。

3. 对出口市场的争夺

巴中两国都是新兴发展中国家，都以出口初级产品为主，国际贸易冲突在所难免。美国一直是巴西最主要的出口市场。2003年，美国从巴西进口商品额为169亿美元，遥遥领先巴西的第二大贸易伙伴——阿根廷。后者从巴西的进口额仅为45.61亿美元。同时，美国也是中国最大的出口国。中、巴两国的出口商品都以初级产品为主，由此必然造成双方对美国这个共同大市场的争夺。

4. 贸易转移

由于南方共同市场内部实行自由贸易，且中国与南共市国家经济技术水平接近，产品档次趋同，从而巴西部分商品的进口可能转移到南共市的其他国家。目前正在加紧建立的美洲自由贸易区，将

---

① 资料来源：中华人民共和国驻里约热内卢总领事馆经济商务室，http://riodejaneiro.mofcom.gov.cn/。

会对中国向巴西的出口造成更大的冲击。

5. 吸引外资方面的竞争

巴中两国都是发展中大国，为发展本国经济，需要大量引进外资和技术，由此难免造成引资方面的竞争。为了吸引更多的外资，两国竞相为外资提供优惠政策，造成双方利益蒙受损失。

综上所述，由于两国经济发展程度接近，均处于国际分工链的较低端，因此，双方存在激烈的竞争在所难免，但巴中两国在经贸、科技、文化以及国际事务领域也存在着并将越来越密切的合作。卢拉总统在接受新华社等中国媒体的采访时指出，如果巴西、中国、印度、南非这些发展中大国联合起来，就能有足够的力量改变世界贸易格局，使发展中国家能够与发达国家进行平等的谈判，结束当今世界这种不合理的贸易逻辑；同时他说巴西希望与中国发展真正巩固持久的战略伙伴关系。作为东西方两个最大的发展中国家，巴 211
中两国有很多相似之处，两国在国际事务中持相同或相似的立场，在联合国、世贸组织等国际机构中进行了良好的合作，共同维护发展中国家的利益。鉴于巴中两国的领土面积、经济实力和发展潜力，两国加强合作可以在世界政治、经济、贸易等领域发挥更大的影响。卢拉也认为经过这次访问，"将使巴中战略伙伴关系提升到前所未有的新水平"。①显然，广泛的合作是巴中关系前景的主旋律。

第二节　俄罗斯崛起的战略选择
和俄中的竞争与合作

俄罗斯是全球体系中的独立元素，从政治角度看它处在美国和欧盟之间，从战略角度看它处在美国、中国和欧洲之间。俄罗斯的崛起目标是在欧亚成为一个具有竞争力的成功国家。同为新兴大国，俄中在国际事务上的合作与经济往来日益密切，支持中国稳步发展是俄罗斯国家战略利益的保障。而俄中缺乏战略缓冲的地理位置以

---

① 杨立民："巴西希望和中国一起出线"，《参考消息》，2004 年 5 月 20 日。

及美国等现有大国对俄中关系的影响，决定了两国应审慎地维持"战略合作伙伴关系"。

一、俄罗斯崛起的战略选择

历史上俄罗斯曾经饱受苦难，甚至几次面临亡国的危险，但每逢绝境，它都犹如凤凰涅槃，重新成为地区、乃至全球的"霸主"之一。俄罗斯曾遭受蒙古、波兰、德国、法国等异族的入侵和占领，但它最终都战胜敌人，生存下来。19世纪初俄罗斯险些被拿破仑灭国，但凭着睿智的统帅、英勇的士兵、广袤的国土和寒冷的气候，奇迹般地大败拿破仑，并在随后的十几年内迅速发展成一个欧洲强国，且一度被称为"欧洲宪兵"。第一次世界大战后，沙皇俄罗斯灭亡，新生的苏维埃政权在外来武装干涉和自然灾害面前站住了脚跟，并很快把一个贫穷落后的农业国转变为先进的工业化国家。第二次世界大战时，纳粹德国把原苏联逼到了生死边缘，但英勇不屈、顽强奋斗的原苏联人民最终打败了德国，并一举解放了东欧，成为世界"两超"之一，与美国对峙了数十年直至苏联解体。之后，作为苏联大部分"遗产"的继承者，俄罗斯经济改革并不顺利，俄罗斯已"不属于当代世界经济和社会发展高水平的领先国家"，"面临着十分复杂的经济和社会问题"[1]，俄罗斯与先进国家的差距越拉越大，正在被逐渐推入第三世界的行列，俄罗斯能重现昔日的辉煌吗？

对于恢复俄罗斯大国地位，普京雄心勃勃："俄罗斯惟一现实的选择是选择做强国，做强大而自信的国家。"[2] 在此目标下，俄罗斯"必须尽快快速发展，因为俄罗斯已经没有时间晃来晃去了"，"应保证在比较短的历史时期里消除持续已久的危机，为国家经济和社会快速和稳定发展创造条件"[3]。在普京看来，俄罗斯"光明未来的契机"主要有三点：俄罗斯思想、强大的国家、有效的经济。[4] 基于这样的认识，普京在国内政治与经济以及外交方针上提出了治国政策。

---

① "千年之交的俄罗斯"，《普京文集》，中国社会科学出版社2002年版，第2页。

② "向俄罗斯联邦会议提交的2000年国情咨文"，《普京文集》，中国社会科学出版社2002年版，第78页。

③ "千年之交的俄罗斯"，《普京文集》，中国社会科学出版社2002年版，第6页。

④ "千年之交的俄罗斯"，《普京文集》，中国社会科学出版社2002年版，第7页。

212

（一）以建立有效政府为目标的国家政治战略

俄罗斯的智囊们相信"90年代俄罗斯证明，在法制秩序混乱和国家机关效率低下、政治不稳定的情况下，任何一个经济政策构想的实施都不可能保持其连续性"①，因此，普京改革的一个重要方向就是加强国家的作用。普京认为俄罗斯复兴和蓬勃发展的关键就在于国家政治领域。当然，在俄罗斯建立强大的国家政权并不是要重新建立一个专制和独裁的政权，而是要建立一个民主、法制、有行为能力的联邦国家。为此，普京提出要加强国家权力机关的权威，增强中央的集权，坚持整顿权力机构的秩序，逐步实现国家现代化，并强调巩固国家政权是战略任务，必须通过加强所有机构和各级权力机构来巩固国家。不解决这个关键问题，俄罗斯就无法在经济和社会领域取得成就。②

自普京执政以来，国家权力的整顿与建设方面取得了很大进展：调整了中央与地方的关系，强化了联邦中央的权威，加强了对地方的控制，纠正了大量与中央法规不符的地方法规；加强了对新闻媒体的控制与引导，通过了《新闻媒体法修正案》，推进政党制度建设，通过《政党法》；采取措施排除寡头对政治的干扰，如曾经呼风唤雨与叶利钦有着密切关系的"七大寡头"已有三人落马；实施行政改革，铲除贪污腐败，推进司法制度现代化。

（二）经济稳定和自由化的改革战略

普京"强大的国家"的改革是为了"有效的经济"这一目标。20世纪最后十年的教训向俄罗斯人证明，只将外国课本上的抽象模式和公式简单地照搬到俄罗斯，试图不付出巨大的代价就取得真正的成功是不可能的。俄罗斯仍然要"采用世界多数文明国家都遵守信奉的某些'游戏规则'"③，但不同的是，这种市场经济不是叶利钦时期照抄照搬的市场经济，而是充分考虑了俄罗斯国情之后的市场

---

①　俄罗斯外交与国防政策委员会：《俄罗斯战略：总统的议事日程》，新华出版社2003年版，第7页。

②　"向俄罗斯联邦会议提交的2001年国情咨文"，《普京文集》，中国社会科学出版社2002年版，第271页。

③　俄罗斯外交与国防政策委员会：《俄罗斯战略：总统的议事日程》，新华出版社2003年版，第81页。

经济，突出强调国家的作用。

1. 加强国家对经济的调控

普京指出："俄罗斯必须在经济和社会领域建立完整的国家调控体系。这并不是说要重新实行指令性计划和管理体系，让无所不包的国家从上至下为每个企业制定工作细则，而是让俄罗斯国家成为国家经济和社会力量的有效协调员，使它们的利益保平持衡，确立社会发展最佳目标和合理参数，为达到这一目的创造条件和建立各种机制。"[1] 同时强调应该遵守"需要国家调控的地方，就要有国家调控；需要自由的地方，就要有自由"[2] 这一个原则。

2. 一揽子"最佳的改革战略"[3]

普京的"最佳的改革战略"包括了经济改革和发展的方方面面：刺激经济快速增长、推行积极的工业政策、实施合理的结构政策、建立有效的金融体系、取缔影子经济、打击经营及金融信贷领域中有组织犯罪现象、始终不渝地实现俄罗斯经济与世界经济结构的一体化、推行现代化的农业政策。

214

在一系列的政策中，普京始终强调外部因素和产业战略的重要性，"没有外国投资，国家的振兴将需要很长的时间，步履维艰。我们没有时间慢慢恢复。这就意味着，应该尽一切可能使外国资本投向我国"。[4] 为此，俄罗斯将进一步努力为外国投资者创造一个有力的投资环境，强调市场经济，强调与世界经济结构的一体化，强调加入世贸组织。在产业战略方面，强调必须明确国家的优先发展方向，选择一些部门领域，使之成为加速发展的火车头。在具有竞争优势的各类高科技领域的基础上进行选择。这主要是宇宙火箭和航天领域、各种核能源部门、激光技术、超高频电子学、生物技术和遗传工程，特别是电子计算机程序生产研究领域，通讯系统、多用途医学技术等等。优先任务之一就是建立生产电脑程序产品的国内工业，最大限度地推动与因特网及其他与信息网络相关的国内商业

---

① "千年之交的俄罗斯"，《普京文集》，中国社会科学出版社2002年版，第13页。
② "千年之交的俄罗斯"，《普京文集》，中国社会科学出版社2002年版，第13页。
③ "千年之交的俄罗斯"，《普京文集》，中国社会科学出版社2002年版，第13页。
④ "千年之交的俄罗斯"，《普京文集》，中国社会科学出版社2002年版，第13页。

贸易的发展。①

　　所有这些政策都试图推动扩大俄罗斯商品的出口、鼓励生产和投资，以最终完成俄罗斯经济高速增长，实现普京在 2003 年的总统国情咨文中提出的 2001～2010 年 GDP 翻一番的目标。

　　（三）"以强制强"、"先发制人"的军事战略

　　2003 年 10 月俄罗斯国防部公布了一份题为《俄罗斯武装力量现代化学说》的文件，从文件的内容看，俄罗斯的军事方针有了巨大的变化，主要集中在 4 个方面。一是增强核遏制力量：核遏制力量在今后相当长时期内都将是俄罗斯防务的主要基础，俄将继续发展核遏制力量。二是实施"先发制人"战略。"先发制人"不但适用于核战争，而且也适用于常规战争；不但适用于以核武器对付拥有核武器的敌人，而且也适用于以核武器对付仅拥有常规武器的敌人。三是动武的空间不受限制，只要俄罗斯在世界重要地区的经济利益没有得到尊重，或俄罗斯邻国的社会动荡影响到俄罗斯自身的安全，那么俄罗斯便可在这些地区动武。四是动武时限提前，俄罗斯在感受到敌人对自身与其盟友构成重大威胁时便可动武。

215

　　俄罗斯新军事战略的提出主要是基于两点考虑：首先，应战略对手调整战略之所需。这主要是因为美国和北约仍将俄罗斯视为最大的战略对手。美国在 2002 年公布的《核态势评估报告》中将俄罗斯列入美国可以实施"先发制人"核打击的名单的第二位，而北约新一轮的东扩则将把北约的军事基地扩张到俄罗斯的"家门口"。这样的局势，使得俄罗斯不得不考虑如何加强自己的国防力量。其次，为了恢复军事强国地位之所需。虽然俄罗斯继承了前苏联的大部分军事资源，其军事实力不容小觑。这也是在俄罗斯经济实力衰微的情况下，美国等西方发达国家仍没有对俄罗斯掉以轻心的最重要原因。在经济得到逐渐恢复后，俄罗斯必将进行军事改革，谋求军事优势的保持，恢复军事强国的地位。2002 年军费的增加；2003 年政府批准到 2010 年实现重大军事装备的更新目标是其迈出的第一步，"先发制人"军事战略的提出是其第二步；2004 年一系列的军事演

————————————

① 俄罗斯外交与国防政策委员会：《俄罗斯战略：总统的议事日程》，新华出版社 2003年 8 月，第 80 页。

习，包括 2 月的战略核力量军事演习、6 月开始的"安全—2004"以及即将上演的大规模战役—战略演习和首长司令部演习，则是其迈出的第三步。

（四）灵活务实的外交战略

普京在 2001 年对外交部的讲话中指出：在俄罗斯周围建立稳定的、安全的环境，建立能够让我们最大限度地集中力量和资源解决国家的社会经济发展任务的条件是外交政策要优先考虑的任务。[①] 在如此"务实"的思想指导下，经过不断调整，俄罗斯外交形成完整的战略目标：恢复和发展经济是核心目标、重振世界大国地位是终极目标、维护国家和民族利益是重要目标，形成了注重东西方外交平衡、推行全方位外交战略的特点。

216

全方位外交意味着俄罗斯的外交政策将在各个方向上尽量实现力量的均衡配置，灵活的均势政策将得到更广泛的应用。在大国关系上，该外交战略主要表现为俄罗斯与各大国际力量中心建立"平等、务实"的伙伴关系，如俄美"成熟的伙伴关系"、俄与北约的"和平伙伴关系"、俄日"建设性的伙伴关系"、俄印"战略伙伴关系"、俄中"战略协作伙伴关系"等等。

1. 摇摆不定的俄美关系

冷战结束时，俄罗斯领导人为了巩固自己的政治统治，摆脱国内政治、经济和社会困境，谋求美国的全面支持，俄罗斯一度推行完全倒向西方、特别是美国的外交政策。俄美关系出现短暂的"蜜月"时代。但是，历史的抱负和现实利益的冲突决定了美国不会帮助俄罗斯重新强大，反而会竭力削弱俄罗斯，挤压其战略空间，两国无法建立起真正信任和合作。俄罗斯开始调整俄美关系，谋求现实利益，俄美关系进入不冷不热的状态直至"9·11"事件的爆发。由于共同的反恐目的以及经济发展的需要，普京积极主动地向美国示好，俄美关系重又升温。

但是，俄罗斯始终保持其"大国"的心态，与美国的积极合作是一种有特定目标与内容的合作，俄美在反恐斗争中的合作并没有

---

① "外交政策的优先任务是为社会经济发展创造外部安全环境"：《普京文集》，中国社会科学出版社 2002 年版，第 250 页。

也不可能解决双方存在的根本战略利益分歧。俄罗斯在一些国际问题上，比如建立什么样的世界秩序和国际结构的问题上，仍与美国分庭抗礼。另一方面，对于俄罗斯的退让和对美政策的调整，美国仍不满意。阿富汗战争结束不久，美国国家安全顾问赖斯就重申：由于俄罗斯所处的核地位，它将继续对西方构成威胁。随后五角大楼向美国国会提交了重组核力量计划，并指出俄罗斯与"无赖国家"一样是美核打击的目标；美国充满挑衅的举动激起了俄罗斯的反抗，俄也随之改变其核战略。

尽管俄美关系发展前景并不乐观，但绝不会回到冷战时期美苏的尖锐对抗。其原因主要是俄美关系的中国因素。布什政府外交政策的重点之一就是遏制中国的崛起，而在这一点上，俄美又有了共同的利益。如果美与俄进一步交恶，很有可能导致俄中的联合，基于这样的战略考虑，美国不可能完全抛开俄罗斯。另一方面，俄罗斯的经济发展需要大量的外资和巨大的国外市场，务实的普京也不会全面与美国对抗。

217

2. 努力回归欧洲

苏联的解体，使得以前控制了半个欧洲的俄罗斯，被前东欧国家和前苏联西部共和国在地理上与欧洲中心分离开来，突然成为欧洲最偏远的地区，俄罗斯对欧洲发展变化的影响力急剧下降。因此在跟欧洲的关系上，普京有着强烈的"回归欧洲"愿望，多次重申俄是"欧洲的一部分"。但是普京的欧洲回归之路并不顺利，西欧国家并未放松对俄罗斯的警惕，北约频频东扩。虽然北约秘书长夏侯雅伯宣称北约的行动不会对俄罗斯安全构成任何威胁，但如此外交辞令的保证并没有消除俄罗斯的"忧虑"。俄罗斯国防部部长伊万诺夫2004年4月7日在《纽约时报》上撰文，对北约最新的大规模东扩行动表示担忧，并告诫北约不要置俄罗斯的国家安全于不顾，"北约的空军和陆军军事基地离俄罗斯欧洲部分的城市和防御设施越来越近，我们对此不可能睁一只眼闭一只眼"。

3. 全面参与亚太事务

"俄罗斯全面参加亚太空间的经济协作进程，这是自然的和不可避免的。因为俄罗斯是连接亚洲、欧洲和美洲的独特的一体化枢纽。"① 在欧洲受挫的普京更是加快了这一进程。

中国、印度和日本是亚洲的三个大国，俄罗斯在国际"牌局"中充分发挥了这三张"牌"的制约作用，并同时通过军售取得了经济利益回报。2002 年，俄中两国签署了由中国国家主席提出的《俄中睦邻友好合作条约》，俄印则签署了包括《新德里宣言》和《反恐合作备忘录》在内的 8 个外交文件。在中、印、日三国中，俄罗斯对中国戒心最重，因此俄罗斯还试图利用"石油外交"和"军售外交"以达到牵制或者遏制中国的目的。另外，"作为负责任的伙伴"②，俄罗斯积极地参与了六方会谈，"帮助和促进北、南朝鲜民族和解，促使其向和平的独立自主的统一迈进"③。

正像普京在"俄罗斯：新东方前景"这一讲话中描述的一样，对于俄罗斯而言，它面前呈现出了新的东方前景，俄"将毫无条件地发展和积极参与把这一地区变为我们的'共同家园'的进程"，俄与亚太地区的关系将越来越密切。

218

4. 积极促进独联体一体化

独联体国家作为俄罗斯曾经的盟友，在俄罗斯崛起的过程也将发挥着巨大的作用。一方面，俄罗斯与这些国家稳定的政治与经济联系将为俄罗斯的产品提供广阔的市场，另一方面，加快与这些国家的一体化进程，将有利于俄罗斯在世界市场上地位的提高。正是基于这样的考虑，普京表现出对独联体国家的重视，在独联体国家元首理事会全体会议上的讲话中他强调：第一，独联体是后苏联空间内所有成员实行一体化的必需的和不可避免的形式；第二，独联体是大型的国际区域组织，这个组织具有一定的功能，它是具有联合作用、协调作用和稳定作用的组织。④ 而在 2001 年国情咨文中，普京也强调了"为同白俄罗斯建立联盟国家，我们将继续做深入细致的工作，促进整个独联体一体化进程的进一步发展"⑤。

① "俄罗斯：新的东方前景"，《普京文集》，中国社会科学出版社 2002 年版，第 196 页。
② "俄罗斯：新的东方前景"，《普京文集》，中国社会科学出版社 2002 年版，第 200 页。
③ "俄罗斯：新的东方前景"，《普京文集》，中国社会科学出版社 2002 年版，第 200 页。
④ "独联体十年的基本经验"，《普京文集》，中国社会科学出版社 2002 年版，第 503 页。
⑤ "向俄罗斯联邦会议提交的 2001 年国情咨文"，《普京文集》，中国社会科学出版社 2002 年版，第 290 页。

（五）纵横捭阖的能源战略

俄罗斯是世界上重要的能源大国，近年来油气年产量曾一度达到世界第二和第一位。在今后较长时期内，俄罗斯将利用能源的资源优势，开展纵横捭阖的大国外交。随着国际国内形势的发展，俄罗斯出台了新能源发展战略，即 2003 年 5 月 22 日俄罗斯联邦政府正式批准的《2020 年前俄罗斯能源战略》。该文件明确指出俄罗斯对外能源战略的主要目标是采取外交手段使国家参与平等的国际能源合作，巩固俄罗斯在世界能源市场中的地位，同时要确保国家能源安全。在独联体、美国、欧洲和亚太，俄罗斯的能源外交的具体战略有所不同。

1. 与独联体国家建立统一能源市场

独联体国家不仅是俄罗斯外交的优先方向，也是其能源外交的优先方向。2002 年 10 月 23 日，第一次独联体国家能源峰会在莫斯科召开，达成了加强组织内各国能源合作的共识，确立了建立统一燃料能源委员会的问题。俄罗斯将独联体列为能源外交优先方向的一个重要原因是希望通过与独联体国家，主要是中亚、环里海国家的合作，控制里海丰富的油气资源，主要包括油气的开发和运输。

2. 俄美能源合作新时代

在油气领域，俄美曾展开过激烈的较量，其斗争的主要区域是环里海地区，斗争的焦点是里海石油天然气开发和运输。但"9·11"事件后俄对美的态度发生了一些新的变化，表现在俄主动与美国接近，达成了能源合作的战略意向，开始了具体的能源合作。如 2002 年 5 月签订了《能源对话声明》；2002 年 7 月俄首批 200 万桶石油运抵美国；美国有意帮助俄罗斯勘探开发东西伯利亚的油气资源。

3. 扩大欧洲和亚太市场

欧洲是俄罗斯能源传统的需求地，目前整个欧洲从俄罗斯进口的能源占其总需求量的近 25%。为了自身的能源安全，欧洲各国都在积极寻求多元的供应途径。因此，俄罗斯在积极开拓欧洲市场的同时，也把目光转向了日益兴起的亚太（主要是东北亚）地区。俄罗斯在东北亚地区的外交手段主要有：发展与中、日、韩及其他国家之间的双边和多边油气国际合作，主要包括天然气的开发和天然气管道的建设两方面。如吸引日本、韩国的大石油企业投资开发西伯利亚和远东的油气田等。但是由于这些合作项目的各方利益调整难度较大，如安大线和安纳线之争，俄在亚太地区的能源外交进展缓慢。

俄罗斯的崛起战略是在对本国状况和世界局势客观认识的基础上，采取务实而开拓的态度制定的，其政治、经济、军事、外交和能源等方面的脉络已经日渐分明，与中国相比，"俄罗斯特色"的道路出现有些姗姗来迟，但从历史上俄罗斯多次崛起的经历可以认为，一切才刚刚开始。

二、俄中之间的竞争优势及劣势比较

俄罗斯近年来经济表现不俗，但主要是靠出口军工产品和自然资源来实现的。石油价格的居高不下进一步扩大了俄罗斯资源出口优势，经济保持了高速增长。2002 年俄罗斯国家经济实力竞争力可比排名第 22 位，GDP 达到 3465 亿美元。2003 年俄罗斯国家经济竞争力可比排名第 25 位，GDP 达到 3673 亿美元。相比较与中国第二的可比排名，俄中差距明显（详见表 6-10、图 6-1）。

表 6-10　1999～2003 年俄中国家经济竞争力对比

国家＼年份	1999	2000	2001	2002	2003
俄罗斯	25	26	16	22	25
中国	2	3	3	4	2

资料来源：世界银行在线数据库，http：//devdata. worldbank. org/data-query/。

根据世界银行的排名，俄罗斯的国际竞争力远远弱于中国（详见图 6-2）。主要原因是俄罗斯的总体经济实力一直未得到恢复。同时，俄罗斯国内仍存在很多问题，首先，安全隐患多，车臣问题成为其心病；其次，俄罗斯经济正处于转型期，各种制度改革还没见效，腐败问题极其严重，各种配套设施不完备，国内的投资环境受到西方国家的歧视；再次，北约东扩，美国和西欧势力进入格鲁吉亚等造成外部威胁。

但是，不能简单地判定俄罗斯在国际市场上与中国无法竞争。事实上，与中国相比，俄罗斯在许多方面都有优势。

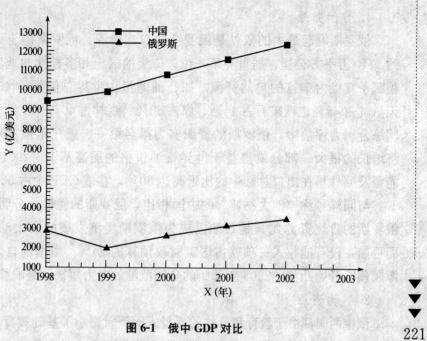

图 6-1　俄中 GDP 对比

资料来源：世界银行在线数据库 http：//devdata. worldbank. org/data-query/。

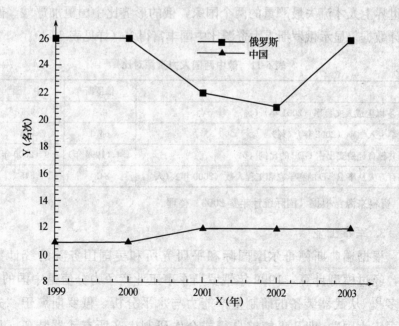

图 6-2　俄中国际竞争力对比

资料来源：世界银行在线数据库 http：//devdata. worldbank. org/data-query/。

1. 自然资源

俄罗斯崛起最大的依仗是俄罗斯的自然资源。俄罗斯国土面积约1710万平方公里，居世界第一位。广袤的国土和多样性的地质地貌赋予其极为丰富的自然资源，如石油储量占世界总储量的40%、天然气占45%、铁矿石占44%、煤占30%、森林占40%。在世界各国综合国力评估中，俄罗斯的资源实力排名第一。近几年俄罗斯经济增长的很大一部分就得益于世界石油价格的居高不下。2001年，能源及原材料在出口总额中的比重高达80%，在俄GDP中占50%。

与同样号称"地大物博"的中国相比，俄罗斯的优势十分明显。俄罗斯的自然资源尤其是石油已成为俄罗斯经济发展的一大动力，而目前，仅石油收入一项就占国家财政预算的25%。中国的自然资源瓶颈已开始凸显，2003年开始的全国范围的电力短缺已敲响警钟。

2. 人力资源

俄中两国都由于教育和科技的低投入而严重影响了基础教育、素质教育和精英教育，同时两国的人才流失都很严重。有数据显示俄中是世界上人才流失最严重的两个国家，俄的形势比中国更加严峻。但统计数据仍显示俄罗斯人力资源比中国丰富得多（详见表6-11）。

表6-11　俄中两国人力资源对比

	俄罗斯	中　国
15岁以上成人文盲率（2001年）（%）	0.4	9.1
大学生入学率（2002年）（%）	64.1	7.5
公共教育经费支出占GDP的比例（%）	4.4（1999年）	2.9（2000年）
每百万人从事R&D的科学家和工程人数（2000年）（人）	3481	545

资料来源：根据《国际统计年鉴2003》整理。

3. 军事工业

根据瑞典斯德哥尔摩国际和平研究所和美国国务院的统计数据，经过模型计算，1999年俄罗斯军事工业竞争力分值是中国的5倍多[①]。从武器装备的研制生产能力与水平分析，俄罗斯属于"先进军工大国"，即几乎能够自行或合作研制生产所有武器装备，且

---

① 美国的分值为100；俄罗斯排名第二，分值约为16.4；中国约为3。

水平接近一流，而中国仅属于"军工大国"，即能够自行或合作研制生产大部分武器装备，但水平一般。

军事上的优势不仅使俄罗斯仍能保持"大国"的威严，而且对俄罗斯的经济也有极大的好处，军售收入已是俄罗斯消除债务和实现 GDP 增长的一大来源。比如韩国自 1995 年开始从俄罗斯购买直升机和弹药等，以抵消俄罗斯由原苏联继承下来的 19.5 亿美元的债务。印度军队 80% 的武器装备也都来自俄罗斯，包括最先进的坦克、驱逐舰和潜艇、"苏"式歼击机和强击机。2003 年俄罗斯武器和军事装备出口首次突破 50 亿美元，达到 55.8 亿美元，成为世界上五大武器出口国之一。而此时的中国还在国际武器市场上寻寻觅觅，为欧盟是否取消对华军售禁令而牵肠挂肚。

三、俄中两国政治安全、经贸关系中的主要问题

在科索沃、伊拉克、阿富汗、朝核等问题上，俄中两国的立场非常一致，因为上述问题既不利于俄罗斯的和平与安全，也不利于中国的和平与安全。两国的军事关系引人注目，主要表现在俄罗斯对华的武器出售、反恐合作等方面。相比之下，俄中之间的经济关系却是低水平的。俄中贸易总额远不及美中和日中，俄中经贸联系与两者间的政治交往是不对称的，这与经济关系是政治关系的基础这一政治经济学原理相悖。另外，俄中关系存在很大的不确定性，美国因素、台湾问题等等都会影响俄中关系的走向。

（一）俄中两国合作基础

俄中两国历史上曾三次签订盟约，分别为 1896 年 6 月 3 日签订的《御敌互相援助条约》（即《俄中密约》）、1945 年 8 月 14 日签订的《中苏友好同盟条约》和 1950 年 2 月 14 日签订的《中苏友好同盟互助条约》。以上三次盟约的最基本内容是，中俄两国对来自威胁双方安全的外部侵略，两国之间不是相互给予一般性的支援、同情，而是将所有能调遣的"水陆各军"、"尽行派出"；"彼此互给一切必要之军事及其他援助与支持"；"尽其全力给予军事及其他援助"。三次同盟都是毫无保留的军事—政治同盟。除三个盟约外，俄中两国还签订了其他一些互相支持的文件与协定，如 1923 年不亚于条约作

用的《孙越宣言》，1924 年的《中苏协定》（又称中苏《解决悬案大纲协定》），1937 年的《互不侵犯条约》。随着苏联解体、冷战的结束，在世界格局向多极化发展的今天，俄中两国又结成了战略协作伙伴关系，签订了《俄中睦邻友好合作条约》。

各种盟约的订立都说明俄中之间存在着巨大的合作空间和共同利益。当下，双方的共同利益主要有以下几点：首先，同为转型国家，双方都需要一个和平与安定的内外环境。其次，两国在经济上有较大的互补性。俄罗斯的钢铁、化肥、木材和石油为中国所需，中国的日用品和纺织品为俄罗斯人所喜爱。第三，双方在东亚，特别是东北亚需要开展地区合作。俄罗斯虽已不是超级大国，但它作为惟一横跨欧亚大陆的版图世界第一大国，自然不会放弃其在东亚的影响力。中国要成为亚洲强国，而使亚洲保持多边力量平衡。在最近解决朝鲜核危机问题上，俄中两国立场相对接近，证明双方在地区合作有较多共同利益。第四，俄中军事关系在加强。随着经济发展，中国国防现代化显得更为必要。中国目前无法从西方获得先进的武器装备，因此俄罗斯的武器系统成为中国的首选目标。而俄罗斯目前可供出口的产品不多，武器输出是其主要外汇来源，因此也愿意与中国合作。

但是，在共同利益存在的同时，俄中之间的不确定因素也十分明显，阻碍了俄中之间政治经济关系的进一步发展。

（二）俄罗斯对中国统一的态度

随着俄中关系提升到战略合作伙伴的高度，台海局势也日渐微妙，台北对莫斯科是否介入台海冲突忐忑不安。代表台湾当局的学者曾向俄罗斯学者提出这样的问题：俄罗斯是否会和大陆一起进攻台湾？这样的担心并非无的放矢。据外电报道，2001 年 2 月下旬，中共中央军委副主席张万年访俄时，普京曾表示"如果外国军事集团侵略中国，俄罗斯会采取军事行动支持中国"。[①]

但是普京首先是一个现实主义者。无论是俄中联手攻台，还是当台海战火燃烧到大陆时俄罗斯以军事行动来支持中国，这些的承

①　张临涛："台海局势与俄国角色"，新加坡《联合早报》2004 年 1 月 16 日。

诺都超越了国际现实。一方面，俄罗斯不可能冒着与美国、日本发生冲突的危险，在台海局势中以军事行动支持中国；另一方面，俄罗斯向中国出售先进武器的战略意图不仅是在战略上支持中国，而且也希望利用中国来牵制美国和日本，以缓解其在东部和中亚地区的压力。同时，俄罗斯国内如车臣问题等也需要中国的支持，因此，俄中之间在台湾问题上达成共识的空间仍然很大。

（三）俄中关系的美国因素

冷战之后，俄美中之间仍有矛盾，甚至是战略性矛盾，但俄美中关系的性质同冷战时期相比已发生了根本变化。俄美、俄中、美中关系都已不是完全的战略对抗性关系。俄中在联合抵制美国单边主义的同时，又都与美国存在着战略性的共同利益。美国因素在俄中关系中的影响越来越复杂。

冷战后为了重新确立在世界格局中的地位，俄罗斯经历了一个曲折、迷茫和痛苦的过程。1993 年，俄美建立了战略伙伴关系，使俄美关系达到高潮。不过，这种趋势没有持续多久。美国和北约的势力渗透到高加索和中亚地区，北约"和平伙伴计划"囊括了高加索和中亚的大部分国家。伊拉克问题、南斯拉夫危机、科索沃战争、车臣问题等一系列重大事件使俄罗斯与美国的战略性矛盾充分显露。与此同时，经济上嗷嗷待哺的俄罗斯没有得到预期的西方大规模援助，更未被接纳到西方的经济体系之中。在这种情况下，俄罗斯对外政策开始调整。1996 年 4 月，俄罗斯和中国宣布建立战略合作伙伴关系。"9·11"事件之后，反恐怖主义的斗争、伊拉克战争等等事件又使得俄美关系忽热忽冷。在这些过程中，中国其实是最被动的一方，俄中关系总是与俄美关系呈反向变动。

但是，伴随着中国经济的持续稳定增长和俄中经贸关系的发展，普京政府已认识到一边倒外交政策的严重问题并决意加以改善，俄中关系有望不受或少受美国因素干扰。

（四）俄中围绕石油供给上的相关问题

石油自广泛应用以来，就不再是单纯的经济问题，它在一定程度上反映出石油国家的外交走向，"安大线"和"安纳线"之争，明白无误地告诉世人：石油问题是俄中关系的软肋。

225

俄中石油贸易能给中国带来巨大的利益。在当今世界格局趋向多极化形势下，从地缘政治考虑，中国必须把能源（包括石油、天然气和核能）作为巩固和发展与俄罗斯及中亚国家长期战略协作伙伴关系的物质基础，而从经济因素考虑，加强与俄罗斯能源合作可保证中国经济的可持续发展。

把能源优势，特别是丰富的石油资源优势作为撬动东亚、西欧乃至整个世界政治经济的工具，这就是俄罗斯的能源外交本质。当前中东局势动荡不安，占世界石油供给十分之一的俄罗斯成为左右世界石油市场的一个决定性因素。在俄中关系方面，俄罗斯为了改变自身在经济上面对中国的巨大劣势，不断调整对中国的能源供给。左右逢源的俄罗斯有其自身的能源战略图谋。普京政府正在策划"第二欧佩克"集团，即组建由里海地区各产油国参加的石油输出国组织，意图在里海能源走向问题上获得更多发言权。

226

因此，在中国"能源危机"已露端倪的背景下，俄罗斯更有可能以石油作为谈判的筹码，使自身利益最大化。

（五）俄中军售问题

俄罗斯对华军售问题一直以来就不仅仅是俄罗斯与中国的问题，它是一个世界问题。它关系到俄罗斯、中国、美国、欧盟、日本、中国台湾以及印度等国家和地区的国家利益。因此，虽然俄罗斯十分垂涎中国巨大的军火市场，但是在与俄罗斯的交易中，中国仍处于弱势，俄罗斯有许多的理由可以不向中国出售其军事武器产品。

俄罗斯在对华军售中最大的考虑就是中国崛起后对俄罗斯的威胁。毗邻着中国的俄罗斯一直对中国这个庞然大物怀有戒心，不敢将最先进的武器售予中国。从这点上看，俄罗斯对印度的容忍度比中国大得多。此外，西方国家尤其是美国的直接或间接的阻挠也是对华军售的一大障碍。即便如此，处在恢复发展阶段的俄罗斯又不甘心完全放弃中国市场，这直接导致了在俄罗斯对华军售中经常出现的一波三折的场面，令人无从适应。当前，面对日益增多的竞争对手，比如，欧盟开始考虑取消对华武器禁运，俄罗斯开始尝试性地向中国出售较先进的武器。但是，未来发展如何，还须看俄中关系的发展和俄中力量对比的演变。

　　（六）俄中经贸摩擦

　　据中国海关统计，2003 年中俄贸易额达到 157.6 亿美元，同比增长 32.1%，中俄贸易已经连续第五年保持增长，连续第四年创历史新高。目前俄为中国第八大贸易伙伴，中国为俄第四大贸易伙伴。但是在此背景下，也存在着不和谐音符，俄强力部门查抄莫斯科中国商人总额高达上千万美元货物一事引起广泛关注。

　　目前中俄经贸合作中主要障碍是高关税和灰色清关，这一障碍已成为中国产品进入俄市场的主要问题。俄罗斯存在多年的灰色清关是在 20 世纪 90 年代初特定历史条件下形成的。俄罗斯清关公司得到国家海关委员会许可后为货主代办进口业务，提供捆绑运输和办理海关手续的服务，这种服务被称为"包机包税"、"包车包税"、"包柜包税"。同清关公司的合作，货主虽然可免去办理海关手续的麻烦，缴纳关税也比正规清关要相对低一些，但货主为此承担了很大风险。由于从清关公司那里拿不到清关单等正式文件，遇到俄相关部门检查时，以"来路不明，非法走私"被查抄，为此中国商人付出了沉重的代价。

　　"灰色清关"这一非正规贸易方式所带来的弊端已经引起俄中两国政府的高度重视。2003 年 9 月，卡西亚诺夫总理和温家宝总理在北京举行中俄总理第八次定期会晤时讨论了这一问题。会晤发表的联合公报指出，两国应在规范非正规贸易方面开展合作，尽快启动中俄规范贸易秩序联合工作组。俄罗斯也制定了新的《海关法典》，自 2004 年 1 月 1 日实施。

第三节　印度崛起的战略选择和印中的竞争与合作

　　纵观印度独立以来 50 多年的发展史，是努力向其开国总理尼赫鲁所描绘的"有声有色的大国"方向迈进的历史，伴随着经济、军事、科技等多方面力量的不断增长，印度早已不满足其南亚头号强国的称谓，成为世界大国的心情愈发迫切。印度领导人发出了"21世纪属于印度"、"印度总理要与八国首脑平起平坐"的豪言壮语。

　　而印中关系在 2003 年的改善，为印度崛起营造良好国际环境奠定了基础。印度前总理瓦杰帕伊在北大发表的演讲中说："两个临近的平等的邻居之间具有竞争意识是不可避免的人类天性。但我们必须清楚了解良性竞争和分裂竞争之间的不同……我们应该集中地看到这个简单的事实，即我们之间没有不和的客观原因，也没有对对方构成威胁的理由。这些简单但意义重大的原则应成为我们印中两国未来伙伴关系的基石。"

一、印度崛起的战略选择

（一）印度崛起的条件和潜力

　　印度在很多领域内的独特优势使其拥有了崛起的巨大潜力。如今这些潜力有的尚在萌发之中，有的已经转换成印度的"骄人资本"。

　　1. 自然资源

　　南亚绝大部分自然资源都集中于印度，除石油外，其他矿产可谓应有尽有。煤、铁、锰、铬、钛、菱镁、铍、锆、钍、独居石、云母和白云石等矿产资源的储藏量均居世界前列。水电资源也较充足，发电潜力可达 6000 亿度，目前，已开发利用的不到 20%。印度国土面积为 300 多万平方公里，排世界第七，耕地面积却高达 160 多万平方公里，居世界第二，灌溉面积则为世界第一。

　　值得一提的是，印度拥有漫长的海岸线和 200 万平方公里的专属经济区。南面的印度洋、东面的孟加拉湾、西面的阿拉伯海尽在印度的可控制范围之内。浩瀚的印度洋中蕴藏着极为丰富的生物、矿物和能源资源，开发、利用海洋资源将大大提升印度的自然资源优势。

　　2. 整体经济实力

　　1991 年印度进行了以自由化、市场化、私有化和全球化为导向的经济改革，在此之前，印度经济发展缓慢，主要原因是其经济政策窒息了经济活力。改革后，虽然没有取得"中国奇迹"式的成效，但也获得了不小的成果。据印度《金融快报》2003 年 12 月 8 日报道，1992～1993 年度到 2002～2003 年度间印度 GDP 平均增长率为 5.9％，在 1994～1997 年期间，印度经济表现最佳，每年 GDP 增长率均超过 7％。按照购买力平价计算，印度的 GDP 总量已是世界第五。

在工业领域，印度已经建立起种类齐全的并具有相当规模的工业体系，绝大部分的资本货物实现了自给。农业在"绿色革命"后取得了显著的成就，粮食和主要农产品也基本实现了自给。但是，印度最引人注目的是软件业的成功。目前，印度软件出口约占全球市场份额的 30％。据印度政府估计，到 2008 年，其软件业可以获得 1000 亿美元的年收入，2009 年 IT 业及其相关服务业收入将从 2003 年的 120 亿美元增长到 620 亿美元，从事 IT 业及相关服务业的人员将从 2003 年的 70 万人发展到 220 万人，IT 业及其相关服务业收入每年增长 25％，将成为印度国家收入的主要来源。[①]

3. 军事实力和地缘战略环境

自 20 世纪 60 年代以来，印度的军事力量迅速扩大，现在印度已建成一支兵力庞大，装备比较先进，具有一定现代化水平的军队。军队人数 100 多万，居世界第四位。核试验的成功、近程和中程导弹的发射、洲际导弹的研制、世界领先的军事装备，预示着不久的将来，印度将具有海、陆、空三位一体的核威慑力量。

229

印度和主要军事工业大国都有着良好的关系，其军事装备现代化步伐十分快捷。比如，2004 年 1 月，持续了近 10 年的有关印度购买俄罗斯航母的谈判落下了帷幕，双方签署了购买"戈尔什科夫元帅"号航空母舰和 28 架米格-29 战斗机在内价值 15 亿美元的军事协定，为此，印度朝野无不欢欣鼓舞，认为该航母将大大提高印度的深海和远洋作战能力。而在购买了航母之后，印度的下一个目标是租赁核潜艇，以解决有核弹却无法可靠运载和投放的问题。另外，美国和欧洲国家为牵制中国和俄罗斯的发展以及占据印度巨大的防务市场，与印度军事上的合作也是越走越近。2004 年 2 月美印的联合空演，以及欧洲最大的军火商 EADS 向印度抛出的绣球，称其为"重要的可信赖的市场"等等都表明了这些国家的战略改变。凭借自

---

① 资料来源：中华人民共和国驻孟买总领事馆经济商务室，http：//bombay.mofcom. gov.cn/。

身努力再加上外部的帮助，印度扩展军事能力的潜力无限。

一位美国将军曾说过"谁控制了印度洋，谁就可以主宰亚洲"，而印度恰恰拥有控制印度洋的最佳战略位置。印度国土像一艘巨大而又永不沉没的航空母舰，向印度洋纵深1600多公里，扼守着印度洋的战略要冲。印度的历史学家 K·M·潘尼伽认为，孟加拉湾和阿拉伯海两个要害区域都在印度的掌握之中，理想的军事实力和有力的地缘战略位置，使印度有可能成为印度洋上霸主，成就其世界大国的目标。

4. 在大国关系中的战略价值

作为南亚地区的大国，印度在世界大国的力量均衡中具有重要的分量和战略价值。印度是"不结盟运动"的一个积极响应者。现在看来，印度在大国关系中的"摇摆不定"很可能使其成为大国竞相争取的对象。对西方国家而言，印度是制衡中国的一支重要力量。冷战时期，印度就与苏联关系良好，冷战后，印俄关系并没有降温，相反，由于俄罗斯经济发展的需要，两国在军事上的合作进一步升级。同时美国也与印度建立战略伙伴关系。

但同时也有很多问题制约着印度成为世界大国。现行政治体制的内在弊端难以克服、国内社会矛盾尖锐和传统负担众多、地区安全环境不容乐观等问题都有可能是印度的致命伤。

（二）印度崛起的战略选择

印度独立半个世纪以来，对外战略和政策几经更替，但其总体战略目标——成为有声有色的大国——并没有发生改变，"立足南亚，面向印度洋，放眼全球"仍是印度基本的战略。

1. 立足南亚

印度把南亚视为自己理所当然的势力范围。无论从地理位置，还是历史文化，亦或是从综合国力来看，印度都是当仁不让的"老大"。印度的地区战略目标就是在南亚排除一切外来干扰，保持自己在南亚的"老大"地位。而巴基斯坦作为惟一一个能与印度地区战略相抗衡的南亚国家，自然也就成为印度的眼中钉、肉中刺。

印巴之间的冲突根源很多，阻碍两国之间达成和解的最主要问题是克什米尔争端。克什米尔问题一直是印巴两国间的一个大问题，两国间的 3 次战争中有两次是因之而起的。1998 年的核试验使印巴进入自 1971 年第三次印巴战争以来的又一个持续紧张时期，克什米尔争端再趋激化。1999 年 5 月，印巴在克什米尔控制线卡吉尔一带爆发了 1971 年战争以来最大规模的武装冲突。由此两国和平进程严重受挫，而且促成了两国政坛的重大变化。巴基斯坦发生军事政变，军方领导人穆沙拉夫建立军事政权，而印度人民党及其盟党赢得大选，再次上台执政。印巴国内局势的变更使克什米尔争端得到一定控制。巴基斯坦军事政权为求稳定，集中精力解决国内问题，宣布从克什米尔控制线撤军，表示愿同印方重开对话。2003 年以来印巴关系每每稍有和谈迹象又立刻因克什米尔地区的武力冲突而急转直下。

印度同以色列的武器交易又使印巴关系再起波澜[①]。巴基斯坦于 2004 年 3 月 1 日称，以色列 2 月 29 日批准向印度出售 11 亿美元的先进军事装备，会破坏该地区的稳定和印巴两国的和平进程。在这项交易中，印度将从以色列和俄罗斯获得三架"费尔康"预警飞机，可能会引起两国的军备竞赛。巴政府发言人马苏德汗说："向印度出售先进武器，会进一步加剧南亚战略和常规方面的不平衡，从而瓦解巴、印和国际社会所推行的和平稳定的精神。"印度官员不愿对巴的反应发表评论。但他们指出，印度的防务对象还包括在 1962 年边界战争中打败过印度的中国。一位官员说："印度的防御需要并不是完全针对巴基斯坦的。"伊斯兰堡真正担心的是美可望在今后几个月内批准向印度出售以色列"箭式"反弹道导弹系统。美印在 2004 年 1 月份签署了一项里程碑式的协议。根据这份协议，华盛顿同意逐步放宽向印度出口"两用"技术的限制。可以预见，印度引进反弹道导弹系统会迫使巴基斯坦发展核导弹能力，这反过来又会促使印度发展核导弹能力。印巴在 1998 年核试验后形成的核均衡在外力的影响下，渐渐地朝有利于印度的方向倾斜。

但从总体上来看，2003 年以来，印巴关系有明显的缓和迹象。印度前总理瓦杰帕伊于 2003 年 5 月 2 日在议会宣布，印度政府决定

---

① 引自英国《金融时报》2004 年 3 月 2 日报道：印以军贸激怒巴基斯坦。

恢复同巴基斯坦的大使级关系，任命新的驻巴高级专员（大使）。巴基斯坦政府立即做出积极反应，表示也将任命新的驻印高级专员。分析人士认为，印巴同意恢复大使级外交关系是两国在改善关系方面迈出的重要一步。2004 年 1 月 5 日在南亚 7 国首脑会议上瓦杰帕伊与巴基斯坦总统穆沙拉夫进行了 2002 年以来的首次会晤，并使这次会晤保持了积极的基调。瓦杰帕伊和穆沙拉夫都没有在会晤中提及有争议的问题，巴基斯坦没有提出历时数十年之久的克什米尔争端，印度也没有就克什米尔地区的武装叛乱分子问题指责巴方。国际社会认为这次会晤代表了印巴两国对寻找解决问题的方法的渴望，将给印巴地区的稳定带来无法估量的作用。

2004 年 5 月，曼莫汉·辛格就职印度总理之后，为南亚的区域合作引来了新时期。新政府出台了"团结进步联盟"政府的《最低共同纲领》，其中论述到："对于南亚其他邻国发展更加紧密的政治、经济和其他领域的关系给予最高度的重视，并致力于加强南亚区域合作联盟。"在这一战略思想的指导下，印度将寻求与巴基斯坦发展"最友好的关系"。辛格在 5 月 20 日的一次新闻发布会上就曾表示"我们必须竭尽全力和平解决印巴之间存在的所有问题"。印度的睦邻外交政策有望迎来一个新的活跃期。

2. 面向印度洋

自拿破仑以来，印度洋成为兵家必争之地。自"9·11"以后，横跨西亚到东南亚的印度洋更成为具有全球意义的战略要地，具有称霸印度洋潜力的印度当然不会放过这一能大大提升国际地位的绝好机会，印度在印度洋上的部署正在紧锣密鼓地展开。印度政府始终高度重视保持强大的海军，不惜重金购买俄罗斯航母，其用意就在于维持印度洋上的霸主地位，实现海洋大国梦。当然，要实现印度的"有声有色"的大国梦，印度的战略目标就不仅仅是使印度洋成为"印度之洋"或者"印度之湖"，印度还有更宏伟的海洋战略。尼赫鲁曾指出"在将来，太平洋会代替大西洋成为全世界的神经中枢。印度虽然不是一个直接的太平洋国家，却不可避免要在那里发挥重要影响"。一前印度海军参谋长声称"印度的战略边界包括整个印度洋地区，西部大西亚包括波斯湾、红海及西部的沿海地区，东部太平洋的南中国地区"。① 印度前总理瓦杰帕伊公开表示，印度的"势力范围是从西部的曼德海峡到东部的马六甲海峡"。

要控制如此大的势力范围，自然需要一支强大的海军。尽管印度有得天独厚的地缘优势，但如何保持这种优势就要看印度的海军实力了。印度军事分析家认为，印度至少需要 5 艘航母、15 艘核潜艇和上百架海上巡逻战斗机，才能在辽阔的印度洋海域占据霸主地位。但印度要实现这一目标还有相当的距离。在印度现有的 140 艘战舰中，有近 80 艘已经陈旧或将在今后几年内退役，而能执行任务的海洋巡逻飞机目前印度只有 11 架。为了尽快跨越这一段距离，印度加紧了军工生产对民营企业的开放，鼓励更多的民营企业参与军工产品的生产、设计和开发。②

伴随着印度经济的进一步发展，印度成为海洋大国的趋势已不可阻挡。

3. 放眼全球

印度 1991 年开始的改革赢得了国际社会的赞赏。美国等西方国家看好印度的发展潜力和广阔的市场前景，将印度列为"十大新兴市场"之一。1998 年印度核试验后，曾一度遭到以美国为首的西方社会的制裁，陷入孤立。为摆脱孤立的态势，印度政府积极推行大国外交战略，采用灵活和务实的外交手法，积极改善与美国等大国的关系，取得令人瞩目的成果。

（1）东向政策

印度自 20 世纪 90 年代初就提出了"东向政策"（Look East Policy），经过十几年的磨砺，发展与东盟的全面合作关系。2003 年 10 月 9 日，印度与泰国签署了双边自由贸易协定，这是印度与首个东盟国家的自由贸易协定，将开辟印度进军东盟的"门户"。这也是迄今印度达成的南亚之外首个自由贸易协定，足见印度对东盟地区的"另眼相看"。从目前双方的谈判进展来看，两国八十多种产品，诸如水果、蔬菜、化学原料等等，可能在 2005 年先行实现零关税贸

---

① 转引自王新龙："印度海洋战略及其对中国的影响"，《国际论坛》2004 年第 1 期，第 43～46 页。

② 江亚平："解析印度海洋大国梦"，《参考消息》2004 年 1 月 29 日，第 15 版。

易。而自由贸易协定的全面运作则可能要等到 2010 年前。实际上，在第九次东盟领导人峰会暨东盟与印度领导人峰会上，印度已紧随中国的脚步，加入了东南亚友好合作条约，成为第二个签署该条约的东盟对话伙伴，被认为"将扩大经济合作，促进亚洲的和平与安全"。除了经贸领域的合作以外，印度还积极与泰国、缅甸、老挝等东盟国家展开肃毒合作，携手反击、组织和控制各种形式的恐怖行动，以消灭国际恐怖主义。印度将继续积极推行"东向政策"，直至印度实现从"南亚大国"向"亚太大国"以及"世界大国"的转变。

（2）积极发展与西方发达国家特别是美国的关系

印度和美国的关系曾一度越走越近，这出于双方各自的利益考虑。从印度的角度来说，在突破国际军控条约机制问题上，印度和美国有着强烈的共同愿望，在导弹防御问题上迎合美国、争取获得美国的支持而成为世界大国是印度的战略构想。根据联合国《核不扩散条约》，印度在这一国际军控机制之下根本不可能获得合法拥有核武器国家的地位。印度把自己的希望寄托在美国身上，一旦美国推翻了《反导条约》，印度也可以寄希望推翻或者修改《核不扩散条约》，让国际军控和裁军机制接受印度成为合法第六核大国的事实。同时，还可以获得美国的支持。从美国的角度来看，拉紧同印度的关系，一方面，希望可以恩威并施地对印度的战略力量发展和战略动向施加影响；另一方面，也可以借此从战略上牵制中国和俄罗斯。

但印度成为大国的愿望注定印美关系不会更进一步地走近。一方面，印度想摆脱成为美国新帝国大战略棋局中的一个棋子；另一方面，印度对美国的南亚及全球战略有着全面的认识，印度不会认同美国单边主义的强权作风。

印度和欧盟的关系也有积极的发展。2003 年 11 月下旬，第四次印欧首脑会议在新德里举行，印度前总理瓦杰帕伊与欧盟委员会主席普罗迪举行了首脑会晤，印度是除中国外，惟一与欧盟举行年度首脑会晤的发展中国家，这对扩大印度国际影响和地位有重要意义。印度不仅与欧盟建立了形式上的战略伙伴关系，而且给这种关系赋予了越来越多的实质性经济内容。此次首脑会议的重要成果之一是印度外长辛哈与欧盟外交事务专员彭定康签署的贸易协定，此次协

定使印欧今后的双边贸易有了新的突破。一是印度同意购买价值 3
亿欧元的欧盟伽利略卫星导航系统；二是欧盟同意向印度提供 1400
万欧元的援助帮助印度出口商应对日益严格的欧盟进口标准；三是
双方同意对各自出口的货物给予优惠，消除在货物流通中的非关税
贸易壁垒。另外，双方在军事上的合作也日益升温，欧盟国家不甘
巨大的印度防务市场由俄罗斯独占，开始积极地与印度寻求合作。

（3）重视印俄传统友谊

印度十分重视苏联时代就建立起来的"友谊"，在苏联解体之
后，仍积极加强与俄罗斯的战略伙伴关系，密切双边军事交流与合
作，推动印度原有苏式武器的更新，购进西方不愿意或不会出售的
一些战略性武器。2000 年 10 月 3 日，俄罗斯总统普京访印期间，与
印度前总理瓦杰帕伊签署了俄印《战略伙伴关系宣言》。宣言指出，
俄罗斯联邦和印度共和国"寻求为它们多方位的双边关系增添新的
性质和长远目标，在今后和 21 世纪中在政治、经济、科学、技术、
文化和其他领域积极发展双边关系"。宣言说明，印俄之间除了继续
政治外交之外，双方的经济外交也要进一步地展开。

235

另外，印度也十分重视依托发展中国家的国际组织，如不结盟
运动和"七十七国集团"等。印度曾试图充当发展中国家的领袖，
但自身实力的局限和国际格局的制约，使其心有余而力不足。冷战
后，印度一度放弃不结盟运动"旗手"地位，但 1998 年核试验带来
的国际制裁，改变了印度的立场。2003 年年初，前总理瓦杰帕伊参
加了第十三次不结盟运动首脑会议，为革新和发展不结盟运动提出
"五大要务"，意图从组织上和理论上改造不结盟运动，使其焕发生
机，从中取得更大发言权。

二、印中之间的竞争优势及劣势比较

世界上再也没有比印度和中国更相似的国家了，曾有学者将其
共同点概括为"老、大、多、穷"。"老"者，都有五千年悠悠历史；
"大"者，都是幅员辽阔；"多"者，人口多，民族多；"穷"者，人
均 GDP 与发达国家均相距遥远，属世界穷国行列。其实相似之处远
不止这些。它们都有被西方列强长期欺凌和奴役的历史；都是二次

大战后同时走上民族和国家独立的道路；独立后虽然一个是社会主义一个是资本主义，但经济形态上都有苏联计划经济的深深烙印；20世纪80、90年代先后走上改革的道路并实现经济起飞；都拥有核武器和成功发射人造卫星；在取得引人瞩目成就的同时，都面临着一系列的经济和社会难题；两国都有"大国梦"、"强国梦"。如此之多的相似性最终使得印中成为最具可比性和最具竞争性的竞争对手。

（一）经济规模和发展水平

一系列指标表明，印度的经济增长形势良好。根据最新预测，近年来一直徘徊不前的经济2004年有望增长7%，接近20世纪90年代中期的最高水平。通货膨胀也得到了控制，2003年的通胀率约为4%。国民收入将突破5000亿美元大关，外汇储备达900亿美元。继连年旱灾后，2003年的农业产量大增，进而带动工业生产。此外，服务业、软件业（一些跨国集团的信息部门纷纷迁移到印度）继续保持强劲增长。印度财政部部长贾斯万特·辛格说，强劲的农业生产和坚实的宏观经济基础使印度经济发展迎来"黄金时代"。① 由表6-13可以看出，印中两国经济都取得了出乎意料的好成绩。在GDP的增长速度上，1990～2000年间中国的增长速度为10.10%，印度为5.66%，2003年中国GDP增长率为9.1%，印度为7.8%，单就目前的增长率来看，中国的形势好于印度（详见表6-12）。

表6-12　印中GDP增长率　　　　　　　　　（单位：%）

年份 国家	1970～1980	1980～1990	1990～2000	1995	1998	1999	2000	2001	2002	2003
印度	2.90	5.80	5.66	7.7	5.8	6.8	5.4	4.1	5.0	7.8
中国	6.23	9.29	10.10	10.5	7.8	7.1	8.0	7.3	7.5	9.1

资料来源：IMF：World Economic Outlook Database，2003年数据根据有关新闻报道。

由于人口结构的变化，就增长的潜力而言，中国将在不久的将来被印度超越。根据高盛的预测，印度的劳动力人口占总人口的比重在2025年之前都会持续上升，随后才会有一个缓慢的下降过程，

---

① 引自法国《世界报》2003年11月18日文章：印度出现历史性的高增长。

但一直到 2050 年，其劳动人口比例都不会低于当前水平。与此相反，中国将面临严峻的人口老龄化问题，劳动人口比例将一路下滑。据此，高盛预测中国的优势只能保持差不多 10 年时间，即在 2015 年以后，印度的 GDP 增长率将高于中国，且到 2050 年都一直保持在 5% 以上，而中国在那时的增长率只在 3% 左右（详见表 6-13）。

表 6-13　印中 GDP 增长率：5 年平均

年份 国家	2000～ 2005	2005～ 2010	2010～ 2015	2015～ 2020	2020～ 2025	2025～ 2030	2030～ 2035	2035～ 2040	2040～ 2045	2045～ 2050
印度	5.3	6.1	5.9	5.7	5.7	5.9	6.1	6.0	5.6	5.2
中国	8.0	7.2	5.9	5.0	4.6	4.1	3.9	3.9	3.5	2.9

资料来源：Dominic Wilson & Roopa Purushothaman：Dreaming With BRICs：The Path to 2050，Goldman Sachs Global Economics Paper No：99，1st October 2003.

237

（二）人力资源

印度在全世界赢得了培养高水平软件专家的声誉，其原因在于印度的高等教育很发达，在第三世界国家里名列前茅。自 1947 年独立以来，印度培养的科技人才有 300 万之多，仅次于美国和俄罗斯，每年涌现的信息技术人员大约有 8 万名。印度的许多大学，特别是那些受到国家和政府重视的重点综合性大学和理工大学，教学科研水平较高，在国际上享有一定的声誉。如新德里大学和印度大学 6 所理工学院（IIT）被公认可以与世界先进国家同类院校相媲美。不仅如此，印度还大力鼓励民间办学和软件产业公司办学，培养信息技术专业需要的专门人才。因此，它们不仅受到国内政府部门和工商企业的重视，也受到了国际上用人单位的青睐。

廉价的高素质人才吸引了一批跨国集团将信息部门迁移到了印度，通用电气公司是印度规模最大的外商，通用电气印度公司首席执行官员说："本公司的所有制造事业，在印度的工程部门都已有相当规模。"通用电气在印度有研发、制造、客户服务中心和软件开发等部门，员工共 2.2 万人，年营业额约 10 亿美元。另外，高盛、微软和雷曼兄弟公司等美国企业也纷纷赴印度投资。印度在软件人才上的绝对优势使印度的软件业遥遥领先于中国，成为仅次于美国的第二大软件出口国，2000 年软件产值 60 多亿美元，出口额 57 亿美元；而中国软件业产值只有不到 28 亿美元，出口值仅有 2 亿美元。软件业直接带动了印度经济的起飞。

（三）基础设施

对发展中国家而言，基础设施的发展有利于更充分地开发和利用资源。工业的发展需要有不间断的电力供应，也需要公路、港口、铁路、机场等基础设施来满足生产要素的快速流通以及商品和服务的及时分配，以实现经济快速运转并形成规模经济从而起到降低成本的作用。如果一个国家基础建设不足就会成为经济增长的"瓶颈"，严重阻碍经济发展。印度的基础设施一直比较滞后，对经济发展起着严重的制约作用。印度电力供应远远跟不上需求增加的速度，世界银行官员说："这里大部分工厂几乎都必须设置自己的发电系统。"印度虽然有亚洲最庞大的铁路网，但陈旧不堪，大部分是国家独立以前殖民地时代建设的，铁轨按照宽窄不同还要分成三类，在印度旅行，换车换轨是家常便饭，交通事故频繁，很难实现现代化的运输任务。在通讯上，中国在 2001 年每千人拥有电话主线 133.3 条，印度只有 32.0 条，中国电话装机等待时间为 0.05 年，印度需要 0.75 年。印度 2000 年的国际电信带宽只达到每秒 780 兆比特，只有中国的 1.4%。[①] 印度的公路状况极差，缺少高速公路，港口与机场设施陈旧，交通运输极端落后，使货物流通困难，增加了厂商的成本，在很大程度上抑制了外商投资。

（四）国际化程度

印度由于长期采取内向型经济发展战略，对进口实行严格的数量限制，对进口商品征收高额关税，导致对外贸易发展缓慢，印度在世界出口贸易的比重 1950～1951 年度为 2.1%，1980～1981 年度下降至 0.42%。20 世纪 80 年代印度政府不断放宽进口限制，逐步走向进口自由化，进出口贸易取得较快发展，出口额从 1980～1981 年度的 84.9 亿美元增至 1989～1990 年度的 166.34 亿美元，出口值占 GDP 的比重为 4.6%，占世界出口的比例为 0.48%；进口额由

238

---

① 资料来源：《世界经济论坛 2002～2003 年全球信息技术报告》。

1979～1980 年度的 113.3 亿美元增至 1989～1990 年度的 212.27 亿美元，进口值占 GDP 的比重为 7.2％。20 世纪 90 年代以来印度启动了由内向型进口替代发展战略向出口导向型经济发展战略的转变，加快了印度经济全球化进程，进出口贸易增长迅速，出口额从 1990～1991 年度的 184.77 亿美元升至 1999～2000 年度的 375.42 亿美元，出口值占 GDP 的比重上升到 7.8％，占世界出口的份额 0.58％；进口额从 1990～1991 年度的 279.15 亿美元增至 1999～2000 年度的 553.83 亿美元，进口值占 GDP 的比重提高到 9.3％。2001 年出口额达 448.94 亿美元，占世界出口的份额升到 0.8％，进口额为 592.64 亿美元，对外贸易依存度增至 19.5％。[①]

印度在 20 世纪 90 年代以前由于对外国投资采取严格限制的政策，利用外国直接投资的规模很小，1992 年以来印度加快了金融自由化改革，积极鼓励外国投资，不断放宽对外国投资者的限制，外国投资发展很快。外国直接投资从 1990～1991 年度的 0.91 亿美元上升到 1999～2000 年度的 51.914 亿美元，2001～2002 年度更高达 59.25 亿美元，证券投资从 1990～1991 年度的 0.64 亿美元增至 1993～1994 年度的 35.67 亿美元，因东南亚金融危机影响，1998～1999 年度为 −0.614 亿美元，但 2001～2002 年度回升到 40.9 亿美元，证券投资流入规模在大部分年度大于直接投资。

但与中国高达 50％的外贸依存度相比，印度的国际化程度明显偏低。但同时，较低的外贸依存度和较少的外国直接投资说明印度在对外贸易和招商引资方面还有许多空间。

（五）国际竞争力

根据世界经济论坛（World Economic Forum，WEF）发布的《全球竞争力报告》，可以对印中的竞争力做一个全面的比较。

从表 6-14、表 6-15、表 6-16 可以看出，印度在经济增长竞争力方面长期落后于中国，但却在微观竞争力方面与中国不相上下，在当前竞争力方面领先于中国。这些比较说明印中两国之间不是简单的孰优孰劣问题，两国都需要在许多方面进行加强。印度更需要注

_____

①　资料来源：《世界经济年鉴 2002/2003》。

意宏观环境的改进，而中国则更需要在如何促进微观经济主体绩效上做出努力。

表 6-14　印中 WEF 全球竞争力比较

	经济增长竞争力				微观竞争力				当前竞争力 *	
	1999	2000	2001	2002	1999	2000	2001	2002	2000	2001
印度	52	49	57	48	42	37	36	37	36	37
中国	32	41	39	33	49	44	43	38	47	44
参评国家数	58	59	75	80	58	59	75	80	59	75

　　*　当前竞争力指标是建立在微观竞争力指标基础上，旨在区分影响劳动生产率的主要因素，通过衡量人均 GDP 水平来考察当前经济成就。

　　资料来源：WEF 1998～2002 年全球竞争力报告。

表 6-15　2002 年印中经济增长竞争力构成成分指数排名的比较

	GCI 排序	技术指数排序	公共机构指数排序	宏观经济环境指数排序
印度	48	57	59	18
中国	33	63	38	8

　　资料来源：WEF 2002～2003 年全球竞争力报告。

表 6-16　2002 年印中微观经济竞争力构成成分指数排名的比较

	MICI 排序				公司经营与策略排序				国家商业环境质量排序			
	2002	2001	2000	1999	2002	2001	2000	1999	2002	2001	2000	1999
印度	37	36	37	42	40	43	40	48	37	34	37	43
中国	38	43	44	49	38	39	38	31	38	46	45	50

　　资料来源：WEF 2002～2003 年全球竞争力报告。

三、印中两国政治安全、经贸关系中的主要问题

　　印度和中国都是四大文明古国之一，历史上两国在文化、宗教、艺术和思想方面交流频繁。印度独立和新中国诞生之后的 50 年代是两国关系最好的时期，两国在国际政治舞台上紧密合作，共同创立了和平共处五项原则等世界性的原则。但是到了 50 年代末期，由于西藏问题和边界问题，两国关系渐渐恶化，直至 1962 年边界战争爆发。两国对立状态直到 80 年代中期以后才开始好转。1987 年拉·甘地总理访华，被称为两国关系史上的"破冰之旅"，启动了两国关系

的正常化过程。但是，印度的对华政策明显具有两面性①。一方面，印度重视中国的大国地位和影响，希望通过与中国发展友好关系，为自身经济发展创造良好的周边环境。另一方面，印度又把中国视为竞争对手，对中国在南亚的影响非常敏感。综合考虑，影响今后印中政治安全、经贸关系的主要问题是边界问题、中国在印巴问题上的态度以及印中在经贸上的竞争与合作。

（一）印中边界问题

印度是关系到中国西南地缘安全与和平的最重要国家。在安全层面上，影响印中关系的首要问题乃是边界问题。至今在中国的陆地边界中，中国与印度的边界争议最大，涉及的领土面积也最多。印中两国有着 2000 多公里的边界线，地理上分为西、中、东三段，历史上印中边界从未被正式划定。1954 年印度出版的地图将历来由我国控制的大片领土划入印度，形成涉及面积达 12.55 万平方公里的 8 处争议地区。20 世纪 80 年代末以来经过印中双方的共同努力，两国关系趋于好转，两国高层领导人实现互访，边境局势明显缓和，

1993 年和 1996 年两国先后签订了《关于在印中边境实际控制线地区保持和平与安宁的协定》和《关于在印中边境实际控制线地区军事领域建立信任措施的协定》，在以政治手段解决边界问题这一原则上达成共识。

在印中边界争议问题上，印度过去缺乏灵活性和务实性。"寸土必争，寸土不让"是印度人古板的原则。近年来，印度一些政要开始转变观念，如印度驻华大使馆前外交官帕兰杰佩曾一度坚守"寸土必争，寸土不让"，但他 2003 年年初在《印度斯坦时报》中说到，由于边界争端，印度人对中国持有偏见，现在是印度放弃不友好政策的时候了。印度应该学习中国的政策——无论是对内还是对外，都务实而有活力。国家利益至上是中国政策导向的动因。这种务实的现实主义做法值得印度学习。在此背景下，近两年印中关系开始回暖，两国人员交流日益增加，边境局势不断缓和。印中海军还在上海举行联合救援演习。

---

① 张蕴岭主编：《未来 10～15 年中国在亚太地区面临的国际环境》，中国社会科学出版社 2003 年版，第 205 页。

2003 年，印中开始小心翼翼地修复 20 世纪 60 年代由于边界争执留下的伤口。这也是中国新一届国家领导人"与邻为善，以邻为伴"的外交调整的重要成果之一。6 月 22 日，印度前总理瓦杰帕伊访问中国，成为 10 年来首位访华的印度总理。在此行中，瓦杰帕伊向温家宝总理建议："让我们任命一位'特别代表'来解决两国之间的边界争端吧！"这就产生了中国外交部副部长戴秉国与印度国家安全顾问米什拉这两个"特别代表"。10 月下旬，印中边界问题印方特别代表布拉杰什·米什拉和中方特别代表戴秉国会合印度首都新德里，举行了首次会晤。首轮谈判主要内容有两方面，一是为印中边界谈判确立一些原则；二是就双方关心的国际和区域问题交换意见和看法。两国特别代表第二次谈判于 2004 年 1 月 12～13 日在北京落下帷幕。双方在友好的和有建设性的气氛中举行了边界问题谈判，双方同意下轮会谈在彼此都能接受的时间在新德里举行。印度外长辛哈在 2003 年年初召开的第五届亚洲安全讨论会上表示，"1962 年冲突中留下的伤口已缓慢愈合"。

与边界问题相关联，西藏问题也是影响印中关系的一个障碍。印中两国在西藏问题上的主要分歧在于，印度官方和民间有一部分势力支持西藏分裂主义分子的活动，渲染西藏与印度的特殊关系，鼓吹使西藏成为印度北部安全的缓冲区。尽管印度官方曾多次承认西藏是中国的一个部分，但实际上印度国内一部分人对流亡印度、以达赖为首的西藏分裂主义集团给予支持和纵容，达赖集团在印度境内进行的分裂活动仍是印中关系改善的一大障碍。

（二）中国推动印巴和解

印巴和解的首要问题就是克什米尔问题。冷战期间，在印中关系明显对立和十分冷淡的情况下，中国同巴基斯坦建立了战略性的关系，在政治、经济和国际问题上进行过长期有效的合作。印度就此指责中国帮助巴基斯坦发展核及导弹能力，对印度的安全构成威胁。在克什米尔问题上，中国支持巴基斯坦的立场，即主张按照联合国决议解决印巴间悬而未决的争端。冷战结束后，中国在克什米尔问题表态时，采取了比较均衡的立场，适当照顾到印度的要求，即希望按照联合国决议，通过双边协商的方式解决克什米尔问题。

中国劝说巴基斯坦就有争议的克什米尔地区与印度进行和平谈判。此举促进了新德里和伊斯兰堡关系缓和。中国认为可以与南亚这两个敌对的国家都保持密切的关系，并利用其经济和外交影响引导伊斯兰堡和新德里走向和解。2003年11月，在印度前总理瓦杰帕伊向伊斯兰堡宣布一系列新和平建议包括提议恢复2001年12月因伊斯兰好战分子袭击印度议会大厦而中断的航空和铁路联系。在几天后巴基斯坦总统穆沙拉夫访华的过程中，中国领导人敦促穆沙拉夫接受印度的建议，从而建立互信。一位随同访问的巴基斯坦官员说，"中国领导人建议穆沙拉夫总统往前看，积极回应印度最近提出的建议"。在10月底，印度和巴基斯坦已经宣布在克什米尔地区实现停火，而且中断两年的巴基斯坦和印度航空联系于2004年1月1日正式恢复。2004年1月初于伊斯兰堡举行的南亚区域合作联盟首脑会议期间，巴基斯坦总统穆沙拉夫和印度前总理瓦杰帕伊举行了具有历史意义的会晤，双方同意开始两国间的全面对话，以推动解决它们之间的所有突出问题，包括克什米尔问题。虽然印巴和解还远未达成，但中国在其中起的积极意义将有利于今后印中关系的走向。

243

（三）印中在经贸中的竞争与合作

印度和中国经过近些年的快速发展，已被认为是世界上最有潜力的新兴市场，同时，两国又分别被称为"世界办公室"和"世界工厂"，两国在世界市场上的竞争与合作在所难免。

1. 印中商品在世界市场的竞争

由于中、印两国出口商品结构比较一致，二者在世界市场上构成一种竞争关系。

闫成海（2003年）根据《联合国国际贸易统计年鉴》按照SITC三位码分类的中、印两国1985～2000年的进、出口数据，计算出各商品组的净贸易比NTR值，进而对全部商品、初级产品、工业制成品做了相关分析，得出三类商品在分析年份均表现为一种正的相关关系，说明中、印两国的初级产品、工业制成品和全部商品的贸易结构表现为竞争关系，两国具有比较优势（或劣势）的商品具有相当的重合程度[①]。中、印两国的商品在世界市场上表现为一种竞争关系，并且竞争的激烈程度先升（1985～1997 年）后降（1997～2000年）。

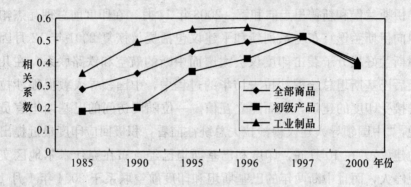

图 6-3　印中商品相关性分析

资料来源：闫成海："从贸易结构看中国与印度经济间的竞争关系"，《世界经济》2003 年第 1 期，第 57～60 页。

中、印两国具有比较优势或比较劣势的产品组较为一致，两国具有比较优势的商品多为低附加价值的劳动密集型产品，如纺织品、服装制品等，具有比较劣势的商品多为高附加价值的资本、技术密集型的产品，如机械产品、精密仪器等。

2. 印中双边贸易和经济合作

近年来，随着印中经济的发展和政治关系的改善，两国经贸关系已从一般商品贸易逐步扩展到包括工程承包、投资和技术合作等在内的广泛经贸合作领域。目前印度已成为中国在南亚地区最大的贸易伙伴。尽管目前印中经贸合作的规模同两国经济发展需要还很

---

① $NTR_i = \dfrac{X_i - M_i}{X_i + M_i}$，其中，$X_i$ 是 i 产品的出口额，M_i 是 i 产品的进口额。

每个国家各商品组的 NTR 值组成一个向量，分别设为向量 X、Y，然后，根据公式 $Y_i = \alpha + \beta X_i + \varepsilon_i$，运用最小二乘法，对两个向量做相关分析，求出对应向量的皮尔逊相关系数。如果相关系数是正的，说明中、印两国在贸易结构上是近似的。如中国在某类商品组上具有比较优势（或劣势），印度在该类商品组上也具有相近等级的比较优势（或劣势），两国具有比较优势（或劣势）的商品组重合程度较高，意味着两国在对外贸易关系上表现为一种竞争关系。相关系数越大，表明两国的贸易结构相似程度越高，在贸易上体现的竞争态势愈明显。如相关系数是负的，说明两国在贸易结构上是相反的，即一国拥有比较优势的商品组，在另一国可能不拥有比较优势，两国在对外贸易关系上表现为一种互补关系。摘自闫成海："从贸易结构看中国与印度经济间的竞争关系"，《世界经济》2003 年第 1 期，第 57～60 页。

不相称，但是已显示出一定的发展潜力。

（1）双边贸易增长明显，保持基本平衡，但规模仍较小

印中两国在 20 世纪 90 年代初正式恢复边境贸易，1991 年，印中双边贸易总额为 2.64 亿美元，并长期低于 10 亿美元，到 2000 年也仅达到 29.1 亿美元。两年前，中国商品还一度成为印度商人眼中的"洪水猛兽"。在印度商界普遍存在着这样一种担心：中国廉价商品大批涌入印度市场会对印度民族工业造成巨大冲击。据统计，在印度过去 10 年 153 起反倾销调查案件中，就有 66 起针对中国。而伴随着反倾销措施的则是甚嚣尘上的"中国威胁论"。这一状况终结于 2002 年。2002 年 1 月，朱镕基总理对新德里进行了友好访问，为两国关系的发展注入了新的活力。朱总理在谈及印中经贸关系时曾说过两句话："印中贸易在 2008 年应该达到 100 亿美元"，"印度软件是世界第一，中国硬件是世界第一，如果印中合作，就能成为世界电脑软硬件的领导者"。同年底，印度前总理首次公开表示，印度和中国是"健康的竞争关系"。2002 年两国贸易额近 50 亿美元，比2001 年增长 37.5%，增速高于中国全国平均水平（21.8%）。2002年中国与印度的贸易额比与南亚其他 6 国贸易额的总和还多 15.8 亿美元。印中贸易基本保持平衡。

2003 年 6 月 24 日，瓦杰帕伊在其演讲中指出，如果印中双边贸易能以每年 30% 的速度增长的话，双边贸易额达到 100 亿美元的目标很快就能达到。25 日，中国商务部部长吕福源在会见印度工商部部长阿伦·贾伊特莱伊时说，印中双方应共同努力，争取使双边贸易额到 2005 年实现 100 亿美元的目标。毫无疑问，印中经贸关系正驶入一个"快车道"。

印中经贸关系之所以发展迅速，主要基于两国互补性产品的贸易。印度从中国进口的商品主要是制成品和半成品，出口的则多是初级产品和半成品。近几年，两国工业制成品贸易额增长速度高于初级产品，双方贸易结构的这种发展变化，有利于两国贸易的均衡扩大。目前印度主要从中国进口的商品是电信设备、有机化学品、纺织品、医药产品、电力设备、煤和焦炭、纺织原料、轻工产品、金属制品等，机电产品则跃居榜首，表明中国附加价值高的工业制

成品，已受到印度消费者喜爱和欢迎，今后有望在印度市场上进一步巩固和发展。中国从印度进口的主要商品是：铁矿砂及其他金属矿物、塑料、钢铁、有机化学品、纺织品、非金属矿物、医药品、海产品、皮革等，多年来中国从印度进口的商品结构变化不大，但近年来初级产品增速放缓，工业制品增长很快。

（2）两国经济合作稳步发展，开始走向正轨

印中两国的经济合作虽然发展速度落后于商品贸易，受政治关系制约较多，但印中经济合作从无到有，正在稳步发展，并已出现良好的发展势头。

印度对中国投资步伐明显加快，软件、化工、咨询等行业开始投资中国。印度软件业巨头 TCS、Infosys、Satyam 等已抢滩中国，设立办事处或分公司，印度 Aptech 公司投资的北大青岛软件教育公司已在华建成了 50 多个分支机构。2002 年印度在中国的投资有 2000 万美元，主要投资在制药、软件、化工和咨询服务等领域。印度还在辽宁营口投资炭黑生产厂（总投资额约 2 亿元人民币），在江苏太仓投资粘合剂制造厂（投资额约 140 万美元）。

中国在对印度工程承包业务上曲折发展。由于种种原因，中国在印度工程承包业务起步较晚。2002 年是转折点，在印度承包工程营业额 5.96 亿美元，印度承包工程市场一跃升为中国第五大国和地区市场。2003 年 1 月贵阳铝镁设计院向印度提供铝厂设计咨询服务，合同价 1200 万美元。2003 年 2 月中兴中标印度 BSNL 公司 50 万线 CDMA 项目。2003 年 4 月山东电建成功签约价值 2.3 亿美元的印度巴库电站项目是建交以来最大的合作项目之一。

在对印度投资合作上，中国则是从挫折中起步。根据印度工商部公布的数据，印度 1991 年到 2001 年共批准 28053.7 亿卢比的外资，中国投资仅 71.29 亿卢比（约合 1.5 亿美元），占 0.25%，列第 24 位。中国在印度的投资领域主要包括家电、软件、信息技术、化工和汽车等。据中国商务部统计，2002 年中国对印度投资 2 个项目，投资额 230 万美元。2002 年下半年印度曾停止受理所有中国投资申请，直到最近出台针对中国的投资政策后才重新受理海尔、TCL 和华为等提出的投资申请。华为（印度）软件公司、中远印度公司等

自成立以来，发展很快。中国和印度的渔业捕捞合作业务发展很快，形势走好。

中国加入 WTO 后，两国相互关税大幅降低，非关税进口限制减少，市场更加开放，贸易的互补性与互惠性也得到了充分体现。这极大地促进了印中两国贸易额的迅速增加，紧密了双方的经济合作关系，同时也有效地防止了政治不确定因素对两国关系的困扰。

参考文献

1. Dominic Wilson & Roopa Purushothaman：*Dreaming With BRICs：The Path to 2050*，Goldman Sachs Global Economics Paper No：99，October1，2003.

2. IMD：*World Competitiveness Yearbook 2003*，http：//www01. imd. ch/wcy/.

3. Manjeet Kripalan：*Commentary India Is Raising Its Sights At Last*，BW Online December 8，2003.

4. Manjeet Kripalani & Pete Engardio：*The Rise Of India*，BW Online December 8，2003.

5. Robert D. Hof & Manjeet Kripalani：*India And Silicon Valley：Now The R&D Flows Both Ways*，BW Online December 8，2003.

6. World Ecnomic Forum：*Global Competitiveness Report*，http：//www. weforum. org/.

7. CCTV《经济信息联播》：《世界经济年度报告 2002》，中信出版社 2003 年版。

8. 杜塔等编：《世界经济论坛 2002～2003 年全球信息技术报告》，中国机械工业出版社 2003 年版。

9. 冯玉军等编译："2020 年前俄罗斯能源战略（上）"，《国际石油经济》2003 年第 9 期，第 38～42 页。

10. 冯玉军等编译："2020 年前俄罗斯能源战略（下）"，《国际石油经济》2003 年第 10 期，第 24～28 页。

11. 董洁："核对峙下的印巴和平"，《环球》2004 年 2 月 1 日，第 26～29 页。

12. 李明德:《拉丁美洲和中拉关系——现在和未来》,时事出版社 2001 年版。

13. 李五一等:《大国关系与未来中国》,中国社会科学出版社 2002 年版。

14. 江时学、高川:《拉丁美洲和加勒比发展报告 2002～2003》,社会科学文献出版社 2003 年版。

15. 江亚平:"解析印度海洋大国梦",《参考消息》2004 年 1 月 29 日,第 15 版。

16. 孔寒冰:"石油管道之争背后的俄中关系不均衡",《世界知识》2003 年第 21 期,第 25～26 页。

17. 吕银春:《经济发展与社会公正——巴西实例研究报告》,世界知识出版社 2003 年版。

18. 普京:《普京文集》,中国社会科学出版社 2002 年版。

19. 俄罗斯外交与国防政策委员会:《俄罗斯战略:总统的议事日程》,新华出版社 2003 年 8 月。

20. 世界经济论坛:《2002/2003 全球竞争力报告》,中国机械工业出版社 2003 年版。

21. 世界经济年鉴编委会:《世界经济年鉴 2002/2003》,经济科学出版社 2002 年版。

22. 世界银行:《2003 世界发展报告》,中国财政经济出版社 2003 年版。

23. 世界银行在线数据库,http://devdata.worldbank.org/data-query/。

24. 斯蒂芬·科亨:《大象和孔雀——解读印度大战略》,新华出版社 2002 年版。

25. 王新龙:"印度海洋战略及其对中国的影响",《国际论坛》2004 年第 1 期,第 43～46 页。

26. 雅尼丝、伊利克:《巴西与中国——世界秩序变动中的双边关系》,世界知识出版社 2001 年版。

27. 闫成海:"从贸易结构看中国与印度经济间的竞争关系",

249

《世界经济》2003 年第 1 期，第 57～60 页。

28. 杨京英、王强、铁兵："中国与世界主要国家技术成就指数比较"，《中国统计》2002 年第 8 期，第 57～58 页。

29. 杨立民："巴西希望和中国一起出线"，《参考消息》，2004 年 5 月 20 日。

30. 张临涛："台海局势与俄国角色"，新加坡《联合早报》，2004 年 1 月 16 日。

31. 张幼文：《当代国家优势——要素培育与全球规划》，上海远东出版社 2003 年版。

32. 张蕴岭主编：《未来 10～15 年中国在亚太地区面临的国际环境》，中国社会科学出版社 2003 年版。

33. 赵渤："印度信息产业全球扩张及对中国的启示"，《南方经济》2003 年第 4 期，第 59～61 页。

34. 赵建军："中国与印度经济发展比较"，《中国国情国力》2003 年第 4 期，第 28～31 页。

35. 中华人民共和国国家统计局编：《国际统计年鉴 2003》，中国统计出版社出版 2003 年版。

36. 中华人民共和国驻里约热内卢总领事馆经济商务室：http：//riodejaneiro. mofcom. gov. cn/。

37. 中华人民共和国驻孟买总领事馆经济商务室：http：//bombay. mofcom. gov. cn/。

38.《中苏友好文献》，人民出版社 1953 年版。

250

第七章　中国和平崛起的战略

综观历史，放眼世界，能否顺应时代潮流、把握发展机遇，依靠人民的智慧和力量，走出一条适合自己国情的发展道路，是一个国家在日趋激烈的国际竞争中赢得主动、加快发展的关键。

——中国国家主席胡锦涛

251

中国是个发展中的大国，我们的发展，不应当也不可能依赖外国，必须也只能把事情放在自己力量的基点上。这就是说，我们要在扩大对外开放的同时，更加充分和自觉地依靠自身的体制创新，依靠开发越来越大的国内市场，依靠把庞大的居民储蓄转化为投资，依靠国民素质的提高和科技进步来解决资源和环境问题。中国和平崛起发展道路的要义就在于此。

——中国政府总理温家宝

中国的崛起就像另外一个太阳进入了太阳系，它影响着这个系统的重力以及磁场，也影响着周边的每一个小星球，中国崛起之后每个国家都要重新计算自己的政策得失。中国曾遗忘世界，但世界从未遗忘中国。无论是在中国"沉睡"的昨天，还是在中国崛起的今天，国外关于中国的研究都使我们深感震撼。在世界文明冲突日显紧张的时代，在世界政治经济的大棋局中，中国为什么要采取"和平崛起"的战略，中国能否实现"和平崛起"，中国如何实现"和平崛起"，这是当前迫切需要解答的三个问题。

第一节　中国为什么要和平崛起?

　　21 世纪最初的 20 年给中国的发展提供了千载难逢的战略机遇期,在中国人看来,这是实现"中华民族伟大复兴"的关键时期,而在世界看来,这是面对中国崛起必须做出及时调整的重要时期。世界对中国的"复兴"或曰"崛起"是存有疑虑的,周边国家有理由担心中国的"复兴"是否会恢复全盛期的"朝贡体系",现有大国有理由担心中国的"崛起"是否会导致自身地位的衰微。但中国的崛起已成必然,就其国际影响而言,中国崛起的方式比崛起的结果更加重要,因为世界需要据此决定该如何做出恰当的调整。

　　中国领导层适时地提出了"和平崛起"战略。"和平崛起"蕴涵着中国传统文化的辩证思想和政治智慧,是中国崛起的最优战略,符合中国人民的长远利益,同时也符合世界人民的共同利益。"和平崛起"的精神贯穿了中国二十多年来的改革开放历程,并融入了独特的、内敛而开放的中国发展模式。

一、中国发展模式——"北京共识"

　　始于 1978 年的改革开放翻开了中国经济发展史上新的一页,从最初的农村家庭联产承包责任制到建设有中国特色社会主义目标的确立,中国走出了一条史无前例的改革开放之路——"中国发展模式"。"中国发展模式"的成功推行,使中国经济建设取得了举世瞩目的巨大成就,总体经济实力和国际地位迅速提高。

　　(一)"中国发展模式"的探索历程

　　改革开放至今,中国的发展走过了三个阶段:

　　1. "中国发展模式"的探索时期(1978～1991 年)

　　在这个阶段,正值文化大革命结束,国民经济受到严重破坏,百废待兴,中国正处在一个转变的关口。中国的国民生产总值在1960 年时与日本大体相当,但到 1975 年,就只相当于日本当时的1/4 了。在短短的 15 年时间里,中国经济就大大落后于世界发达国家经济的发展水平。"经济发展水平才是最终决定一个国家实力的标准",邓小平以惊人的胆略和魄力,提出了改革开放大战略,打开了中国封闭已久的大门,使中国经济融入到世界经济发展的大潮,走上了快速发展的轨道。但是这一时期的改革开放还仅仅是从小局部试点开始,是"中国发展模式"的探索时期。

在这个时期,改革开放对人民最大的冲击不是物质生活的提高和改善,而是传统思想观念的改变。"中国发展模式"的探索使人们认识到改革开放的根本目标是发展生产力,提高人民的生活水平。在 20 世纪 80 年代末,东欧剧变、苏联解体,"中国发展模式"遭遇了第一次重大考验。但中国坚定不移地走社会主义道路,坚持中国共产党的领导,坚持"中国发展模式",从而成功地避免了东欧巨变和苏联解体的冲击,使社会主义中国得以继续屹立于东方世界。

2. "中国发展模式"的成熟时期(1992 年邓小平南方谈话~ 253
2000 年)

这个时期中国经济实现了持续的高速发展,"中国发展模式"逐渐步入成熟时期,越来越受到世界的关注。1992 年 1 月 18 日~2 月 21 日,邓小平先后视察了武昌、深圳、珠海、上海等地,并发表了重要谈话;党的十四届三中全会确立了建设有中国特色社会主义市场经济改革的目标,将改革开放推向新高潮;1997 年 9 月 12 日,党的十五大召开,中国经济稳步发展。此间,中国改革出现了重大进展和突破:国有企业改革和股份制试点的加快、分税制、汇率的并轨、所得税统一、价格改革等。同时,一国两制的伟大构想逐步成为现实。1997 年 7 月 1 日,中国对香港恢复行使主权;1999 年 12 月,对澳门恢复行使主权。

在这个时期,中国发展模式取得了巨大成功,综合国力大大提高,人民生活水平普遍改善,并且成功应对了 1997 年东亚金融危机的考验,树立了负责任的大国形象。

3. "中国发展模式"的新时期(2000 年以来)

进入 21 世纪以来,"中国发展模式"进入了新的发展时期。这个时期中国经济的发展特征表现为经济平稳增长,在严峻的国际经济形势下,仍然保持了 8% 的年均增长速度。2003 年党的十六大和十六届三中全会明确了完善社会主义市场经济体制的任务，提出了"科学发展观"。在这一时期，面对国际社会"谁来养活中国"，"谁来支持中国经济的高速发展"等种种疑虑，中国正式提出了"和平崛起"战略，这是"中国发展模式"进入新时期的标志。顺应经济全球化和区域一体化的大潮，中国自信而从容地发展与亚洲及世界其他国家的关系，取得了显著成果。

（二）"中国发展模式"的界定

25年来改革开放与经济社会的发展蕴涵了中国发展和崛起的清晰轨迹，初步形成了一个适合自身国情的"中国发展模式"，这一模式已得到国际社会的广泛认同，并以其特有的吸引力为许多处于不同发展阶段的国家包括转型经济国家所思考、参照和仿效。

所谓"中国发展模式"，就是指以"和平崛起"战略为核心，在政治体制不发生激烈变革的情况下，通过富有成效的改革开放，实现经济的跨越式发展，并成功地融入世界体系。其主要特点可以概括为：

254

1. 坚持依靠自身力量，通过制定宏伟的、思想连贯和富于远见的国家战略指导经济社会发展全局。在扩大对外开放的同时，更加充分和自觉地依靠自身的体制创新，依靠开发越来越大的国内市场，依靠把庞大的居民储蓄转化为投资，依靠国民素质的提高和科技进步来解决资源和环境问题。这是中国和平崛起发展道路的要义。

2. 坚持以"和平崛起"战略为核心，通过独立自主的、务实的外交政策，注重经济外交、大国外交、周边外交，在发展中国家广交朋友，为经济社会发展创造和平有利的国际环境。根据客观需要，灵活而有原则地执行邓小平提出的"冷静观察、稳住阵脚、沉着应付、韬光养晦、善于守拙、绝不当头、有所作为"28字方针；尊重历史，以务实的态度处理历史遗留问题；与邻为善，以邻为伴，开展多种形式的"睦邻、安邻、富邻"的经济技术交流与合作。

3. 坚持渐进式经济改革道路。在经济改革路径选择方面，采取自下而上的区域性改革试点和制度创新与自上而下的政府宏观调控和全面推动相结合的方式；在经济改革的模式取向方面，逐步建立中国特色的现代市场经济体制，充分发挥市场机制配置资源的基础性作用和必要的政府规制的作用；在经济改革的进程方面，以社会稳定为前提，恰当地把握好改革的次序、力度和进程，避免激进式改革可能带来的经济社会的剧烈动荡。

4. 坚持审慎的政治改革方式。即以一种循序渐进、摸索和积累的方式，从易到难进行改革，并吸取中外一切优秀的思想和经验。中国自1978年以来的历程可被描述为"重大的经济改革和较小规模的政治改革"。尽管变革是大势所趋，但对于中国这样一个人口众多、有过数千年封建历史、民主观念和现代意识薄弱的大国而言，在政治改革方面审慎行事是明智的。

5. 坚持自主式对外开放。立足于中国国情，顺应全球化趋势，通过坚持不懈地自主性开放，既有效释放了中国生产力解放所带来的巨大能量，又富有成效地吸收了外部资源，也成功地规避了1997年东亚金融危机那样的外部冲击。

255

6. 坚持"以人为本"的科学发展观。发展中大国在现代化进程中表现出很强的二元经济特征，因此执政党的改革开放政策必须注重民众利益，协调各阶层的利益关系。中国领导层较好地把握了这一原则，使全体人民——包括"草根"阶层与弱势群体都能从经济社会的发展和进步中受益。在中国逐步形成了"改革开放——民众生活水平提高——更深层次、更高水平的改革开放"这样的良性循环。"以人为本"的科学发展观对于执政党的重要性毋庸置疑，最近瓦杰帕伊在印度大选中的失败正是因为印度前政府的工作疏远了百姓，只为少数精英服务，即使瓦杰帕伊领导的经济改革取得了很大成功，最终仍然被印度人民所抛弃。

"中国发展模式"对世界的特殊吸引力在于：中国改革开放的起点与众多发展中国家和转型经济国家有着诸多的相同之处，中国发展模式的成功对众多发展中国家具有借鉴意义。首先，这些国家都处于相对落后的经济发展水平，面临着人口、资源等硬约束；其次，原有的经济发展模式都遇到不同程度的困难，而西方发达国家的发展模式又不适合本国的国情，因此它们将目光投向中国。"中国发展模式"的"特殊吸引力"也引起了美国的高度关注。因为随着"中国发展模式"认同度的提高，很多发展中国家似乎正在放弃

"美国民主模式"而转向重视经济的"中国发展模式";如果"中国发展模式"是可持续的,那么会在不远的将来,对美国模式构成莫大的威胁,这种威胁可能不是中国力量本身,而是中国的发展经验。[①]

"中国发展模式"的另一个特殊吸引力在于它是以"和平崛起"战略为核心的,"中国发展模式"的进一步成熟、"和平崛起"道路的进一步探索将向世人展示史无前例的发展路径和强国更替新范式,摆脱大国政治的悲剧。

当然,当前"中国发展模式"也面临着可持续性的挑战,主要是高投入、高能耗、高污染的粗放式经济增长方式所带来的资源瓶颈压力和环境压力,以及地区发展失衡、收入分配差距扩大而社会保障体系又远未完善,经济飞速发展而政治体制改革相对滞后等经济社会问题。这些问题不仅将困扰中国经济的可持续发展,也将考验中国的和平崛起。如果这些问题得不到有效解决,就无法打消国际社会对中国崛起过程中"谁来养活中国"、"谁来支撑中国的高速发展"等疑虑。中国经济过热的问题已引起世界警惕。2003年中国经济增长所需能源已超过日本,成为世界第二大能源消费国,中国的石油缺口已超过需求的1/3,形成进口高度依赖格局。2003年中国的钢铁、水泥的消耗量约占世界的25%和50%。日益增长的经济规模使中国成为世界需求大国,推动了世界市场的价格上涨;各种原料如稻米、大豆、原油、铜、铁、钛、木材,无一不涨,一个新的通货膨胀时代悄然来临。根据英国商品研究局针对17种主要原料、商品所做的价格变动研究,认为这波原料涨价为20年来幅度最大的一次。尽管美元贬值对世界通胀难辞其咎,但西方媒体却再次将问题简化为"中国输出通胀"。

(三)世界舆论中的"北京共识"

早在 2002 年,Kavaljit Singh 在 *From Beijing Consensus to Washington Consensus:China's Journey to Liberalization and Globalization* 一文中通过对中国发展模式的研究和与"华盛顿共识"的

---

① 郑永年:"中国模式概念的崛起",香港《信报》,转引自《参考消息》2004年4月23日,第1版。

比较，提出了"北京共识"的概念①。而在 2004 年中国和平崛起成为世界话题时，Joshua Cooper Ramo 再次提出"北京共识"概念②，引起强烈反响。

　　Kavaljit Singh 在他的文章中指出，不少人认为中国的发展模式是一种新的"华盛顿共识"，以私有化、放松管制、全球化为主要特征，但事实上中国走的是一条完全不同于"华盛顿共识"的改革之路，而"华盛顿共识"在前苏联和东欧的实验遭到了失败。他把中国的改革模式归纳为以下几个特征：第一，中国 1978 年的改革是在原有政体基础上进行的，并未在一夜间改变原有的在一些方面已取得巨大成就的政体；第二，中国实施经济改革的动因不同于其他发展中国家，一些发展中国家（如印度、巴基斯坦和巴西）的经济改革是迫于金融危机的压力，而在中国没有类似的问题，中国领导人则出于改变经济增长缓慢、现代化程度较低的现状的需要而启动经济改革，因此中国改革在国内得到广泛的支持；第三，中国经济改革采用的方式不是一蹴而就，而是将改革措施分阶段地引入不同的经济领域，首先是农业，然后是外贸，接着是投资领域和工业，最后才是在严格控制下的金融自由化进程；第四，中国经济改革没有立即在全国范围进行，而是先通过经济特区试点，获取成功经验后再行推广；第五，中国改革国有企业采用的方法是，在一个合理的制度框架下引入来自乡镇企业的强有力竞争，从而迫使其提高效率，以确保促进竞争、抑制垄断，这不同于俄罗斯和东欧的做法，后者在缺失相应制度框架的前提下以极低的价格抛售国有资产而造成了"黑手党资本主义"，中国国有企业改革的政策不仅有助于在经济中引入竞争，也有助于缓解对保护私有产权的政治阻力。由于中国发展模式与"华盛顿共识"存在巨大差别，Kavaljit Singh 把这种模式定义为"北京共识"，这充分显示了国际社会对中国发展模式的高度认同。

257

---

　　① Kavaljit Singh："From Beijing Consensus to Washington Consensus：China's Journey to Liberalization and Globalization"，APRN Journal，Volume 7 December，2002.

　　② Joshua Cooper Ramo："China Has Forged its Own Economic Consensus"，*Financial Times*，May 6 2004.

进入 2004 年，随着中国崛起话题在全球范围内升温，值温家宝总理访问欧洲之际，《金融时报》刊登了美国《时代》杂志前任编辑 Joshua Cooper Ramo 题为 *China Has Discovered its Own Economic Consensus* 的评论文章。文章认为 1990 年世界银行经济学家 John Williamson 有感于拉丁美洲国家的债务问题而创建的"华盛顿共识"（即新兴经济体应遵循"走向透明化、私有化和自由化的同时，让资本自由流动"的经济发展模式），由于管理不当、政府腐败等因素，效果适得其反，在过去 10 年来阻碍了一些国家的经济发展，而当初"最无视这种压力的两个国家"中国和印度，都根据本国的实际情况发明了自己的发展模式。文章把中国这种不受银行家们的意图驱动、切合基本需要并寻求公正及高质增长发展模式再次定义为"北京共识"以与"华盛顿共识"相对照。文章指出，"北京共识"要求私有化、自由贸易等进程须遵循极为慎重的原则，它被定义为：艰苦、主动地创新和试验（如中国经济特区）；坚决捍卫国家疆土和利益（如中国台湾）；深思熟虑、不断精心积累不对称力量（如 4000 亿美元的外汇储备）。其主要目标是在坚持独立的同时寻求增长。Ramo 认为"北京共识"是实现"和平崛起"的工具，并基于对中国经济模式及经济成就的分析，进一步指出"北京共识"是更适合中国、印度等新兴经济体的经济发展模式，并逐步成为其他发展中国家学习的榜样。

Ramo 在 *The Beijing Consensus*[1] 一文中作了更深入的论述，指出"北京共识"还包括许多非经济思想，涉及政治、生活质量和全球力量平衡等问题。"北京共识"取代了人们已广泛不信任的"华盛顿共识"。平等、和平和高质量的发展愿望取代了指手画脚和盛气凌人。显然"北京共识"比"华盛顿共识"更能在 Heisenberg[2] 式社会中发挥应有的作用。"北京共识"简单地说就是如何使一个发展中国家在世界立足的三个原理：其一，把创新的价值重新定位，创新是中国经济发展的发动机和持续进步的手段。用创新可以减少改革

---

[1] http：//www.fpc.org.uk.

[2] Werner Heisenberg，20 世纪最伟大的物理学家之一，是量子理论的奠基人，因在量子理论的不确定性原理领域内的成就而闻名于世。

中的摩擦损耗。其途径主要是通过大力发展教育，提高政企领导人和普通人的知识水平，调整企业结构，引进外资和外国技术，解决知识鸿沟问题。其二，众多的社会矛盾和复杂局面不能通过至上而下的方式得到控制，要把眼光超越诸如人均国内生产总值的衡量尺度，集中于人们的生活质量。这是处理中国发展过程中出现的大量矛盾的惟一途径。新的领导人正在超越邓小平的"白猫黑猫论"，提出了科学发展观，其核心是注重环境保护和可持续发展，强调 GDP等中国经济发展的所有数据都应该是透明而且经得起检验的，其重心是维持稳定、减少污染和惩治腐败，这可称为"绿猫"（Green Cat）和"透明猫"（Transparent Cat）的发展理念。其三，"北京共识"坚持一种独立自主的外交理念，强调利用杠杆原理把挑衅自己的霸权大国搬开。洋为中用，根据当地适应性需求融合全球思想，构建中国特色的全球化。中国特色的全球化之路，具有磁石效应，259中国的经济特区样板正在被全世界效仿。目前中国已经成为仅次于美国的进口拉美和亚洲商品的大国，中国的增长支撑着全球钢材、石油和其他原料的市场。对于发展中国家来讲，支持中国的增长就是支持自身的增长。这种情况使中国与发展中国家经济利益之间形成了前所未有的经济联盟。中国正处于建设有史以来世界上最大的"不对称"大国，而不是建设成靠武力而不允许其他观点的美国那样的国家，中国的力量建立在自己的模式、自身经济地位的力量和坚决捍卫主权的基础上。

二、和平崛起——中国崛起的最优战略

（一）和平崛起战略的形成及其内涵

1991 年，国际风云变幻，开启中国改革大门的邓小平告诫人们："中国永远不称霸，中国也永远不当头。"此后，中国领导人在众多场合重申了上述观点。在 2003 年的最后 3 个月里，中国总理温家宝曾在不同场合阐述了中国的和平与发展理念。在博鳌亚洲论坛会议上，温家宝使用了"亚洲崛起"的提法。中共中央党校常务副校长郑必坚发表了题为"中国和平崛起新道路和亚洲的未来"的演讲，首次系统地阐述了"和平崛起"理论。紧接着，原中国外经贸部副

部长、中国入世谈判首席代表龙永图在武汉大学发表演讲时，再次提出"中国的崛起将是和平的崛起，而不是挑战和威胁"。在 12 月的访美之旅中，温家宝作为中国高层领导人，第一次公开提出了中国"和平崛起"的思路并阐述了"和而不同"的理念。他反复强调，"中国的发展和崛起是和平的崛起，我们要走一条和一些大国不一样的道路，这条道路就是和平崛起的道路"。他进一步解释说："因为我们有自己的文化，源远流长的文化，这种文化的核心又是以和为贵，就是和的文化，当然我们还要和而不同，这种不同是相互补充，是相互借鉴，而不是冲突的来源。"在 12 月 9 日晚，温总理在题为《共同谱写中美关系新篇章》的演讲中，提出"中国的崛起，是和平的崛起，是依靠自己的力量来发展自己。在对外关系中，我们一贯主张以邻为伴、与人为善，同各国发展友好合作关系"。12 月 26 日，胡锦涛总书记也明确提出，坚持中国特色社会主义道路，就要坚持走和平崛起的发展道路。2004 年 1 月，在欧洲和非洲访问的胡锦涛又阐述了这一庄重承诺，"中国走和平崛起的发展道路"。2 月 23 日，在中共中央政治局第 10 次集体学习中，胡锦涛总书记又一次强调，要坚持"和平崛起"的发展道路和独立自主的和平外交政策。博鳌亚洲论坛年会上，胡锦涛总书记再次强调，中国的崛起是和平崛起，中国的崛起有助于亚洲乃至整个世界的稳定。至此，"和平崛起"思想基本形成。

中国领导人在不同场合对"和平崛起"理念的阐发，充分表明和平崛起战略是具有鲜明中国特色的、蕴涵中国传统历史文化的、符合中国以及世界人民全体利益的国家战略体系。中国"和平崛起"的理念反映了新一代领导集体战略思维的重要突破，将指导中国未来的经济、政治及外交方向，具有丰富的内涵：

首先，和平崛起战略是中国传统文化在现代的集中体现。温总理在哈佛大学演讲中反复提到"和平崛起"与"和而不同"。"和而不同"出自儒家经典《论语》，"和"与"同"是一对哲学范畴，最能体现中国古代辩证思想和政治智慧。"和平崛起"及"和而不同"，是同一理念的两个方面。"崛起"源自和平，而"和平"又推进崛起。和谐而不千篇一律，不同又不冲突；和谐以共生共长，不同以相辅相成。中国传统文化思想是内敛式的，己所不欲，勿施于人，反求诸己，提倡自省。因此，具备两千多年儒家文化的中国，有着打破人类历史大国兴衰规律的天然优势。

第二，和平崛起战略是中国崛起方式的高度概括。前文已述及，"中国发展模式"是和平崛起战略的平台，这是就崛起战略提出的国内背景而言的。事实上，改革开放后的中国，以独特路径实现了经济高速增长，而这一初步的崛起正是在和平的环境与前提下实现的。中国崛起的方式和途径是和平的，不是通过非和平的战争、征服和掠夺方式，而是通过和平的建设和经济发展实现自身状态和地位的变化。由此可见和平崛起正是"中国发展模式"的精华，而这一战略的正式表述，使得和平崛起范畴从自在层面转向自为层面，从而必将有力推动"中国发展模式"的可持续和不断升级。

第三，和平崛起战略是中国崛起的价值指向的完整表述。中国领导层一贯宣示维护和平是中国外交政策的宗旨，反对用战争的方式解决国际间、民族间、宗教间的争端，并身体力行。改革开放20年来，中国在整体上成功地塑造了中国"温和而坚定"的大国国际形象，全方位地确立了中国外交的新格局，积极推动、改善调整及构筑了相对稳定的大国关系框架，为维护世界的整体和平做出了贡献。而中国同与其接壤的各国相继解决了领土划界问题，自我消弭了日后向外扩张的绝佳借口，更是充分表明了中国崛起的和平价值取向。

（二）和平崛起是中国最优及惟一的崛起战略

和平崛起战略是中国领导层在总结"中国发展模式"的基础上、结合对世界经济政治变化趋势判断做出的战略选择，它不仅是中国最优的崛起战略，同时也必然是惟一的崛起战略。

1. 大国博弈均衡的推论

根据本书第三章的分析，大国博弈的均衡战略具有明显的和平特征。这一和平特征不是简单地以不发生战争为表征，没有战争本身就是博弈的基本前提，而是以博弈双方为求长期利益都以某种程度的退让和妥协为表征的。第三章的模型充分表明，退让与妥协随博弈双方的政治影响力、扩张偏好（第三章中定义为边际政治力量

261

演变倾向)、经济依存度的不同而有所区别,并且可能由于受到第三国博弈的影响而发生进一步的改变。

如果博弈的一方是新兴大国,分析结果表明只有采取较多的退让与妥协,也即采取相对和平的战略,才能获得最高的长期收益。所谓较多的退让与妥协,主要指在新兴大国与现有大国的博弈中,前者将比后者采取更为妥协的战略,如果前者指代的是中国,那么在与其他新兴大国的博弈中,由于美国因素的影响,很可能中国也要采取比其他新兴大国更为妥协的战略。

从以上分析可以看出,和平崛起战略可保证中国获取最高的长期国家利益,从而是其最优崛起战略。同时这一战略是在"获取最大收益"目标下的惟一选择,如果不采取该战略,轻则无法获得最大收益,重则可能无法崛起,甚至将导致大国战争。

2. 国际政治经济研究的结论

262

对国内和国际政治经济环境演化的研究也可以得出与上相同的结论:"和平崛起"是中国最优且惟一的崛起战略。

从中国崛起的国际环境来看,积极营建和平的国际大气候有利于中国综合实力在一个较长时期内得到持续发展,从而实现真正的崛起。从这个意义上来看,和平崛起战略是中国崛起的最优选择。20 世纪 80 年代,邓小平同志就高瞻远瞩地指出,和平与发展是当今世界的时代主题。正是基于这一判断,在过去 20 年的和平时期中,中国获得长足的发展。中国的发展不仅是自力更生、充分发挥国内市场功效的结果,也是日益融于世界经济、积极参与全球化的结果。作为最大的新兴市场之一,中国市场规模已居世界前列,成为世界第三大进口市场。

表 7-1 中国在其他国家出口市场中的份额   (单位:%)

年份\国家	1960	1970	1980	1990	1995	2000	2001	2002
日本	0.5	1.4	3.1	5.1	10.7	14.5	16.6	18.3
美国	—	—	0.5	3.2	6.3	8.6	9.3	11.1
欧盟	0.8	0.6	0.7	2.0	3.7	6.2	6.7	7.5

资料来源:IMF:World Economic Outlook 2004。

从表7-1中可以看出，世界越来越依赖中国。但与此同时，我们更应该看到，中国要取得进一步的发展，也将越来越依赖世界。2003年中国外贸进出口总额8511.9亿美元，GDP为116693.6亿元人民币，外贸依存度超过60%，即使这种简单的计算方法可能高估了中国外贸依存度，但这仍然充分表明了中国经济对外依存程度的上升。

当中国所处的国际政治经济环境较为和平时，与各国正常的经济往来将有力地推动中国的发展。那么如何实现有利于中国发展的国际环境呢？和平崛起战略的"和而不同"内涵给出了最好的答案。只有搁置争议，树立"温和而坚定"的国家形象，处理好"大国关系、周边关系、第三世界关系"，才能形成和平的国际大气候，才能最终实现崛起。而中国选择的和平发展路径不同于历史大国的扩张式崛起道路，这种内敛与开放相结合的经济增长方式必然决定了中国的和平崛起。

从崛起方式的选择来看，在单极国际格局下，惟有和平地崛起才能获得最广泛的支持。在国际政治语汇中，"崛起"（Rise）往往与"衰亡"（Decline/Fall）相联系，用以探讨大国兴衰的规律。西方语境下的"崛起"，隐含了"霸权交替"、"权力转移"的潜在逻辑，因而新兴大国的崛起往往引起现有大国尤其是霸权国的不安。"而笃信'民主和平论'的西方人对中国能够走向民主的未来表示怀疑，因而他们更能认同'中国威胁论'……中国的政治语汇更多选择'中华民族的伟大复兴'来替代'崛起'，但'复兴'一词同样会引起周边国家对中国试图恢复朝贡体系的疑虑。正所谓'如果你不能表达自己，就必然被别人所表达'。"[1] 因此，选择强硬的对外政策只会导致更多的猜疑和不安，一方面无异于直接向现有的霸权国发起挑战，另一方面也不能获得其他大国与周边国家的支持，从而为国际冲突甚至"新冷战"埋下伏笔，更谈不上国内发展了。

和平崛起战略的适时提出，正在改变现有大国与周边国家的疑虑。崛起方式的和平不仅指崛起不会导致主要大国之间由于霸权更

---

① 王义桅："和平崛起的三重内涵"，《环球时报》2004年2月13日，第15版。

替和利益分配而发生战争，更代表了在"和而不同"的基础上搁置争议，甚至在不影响全局利益前提下做出让步。中国政府不仅是这么宣称的，在国际事务的处理上也是这么贯彻的。对于"轰炸大使馆"和"中美撞机事件"，中国都采取了忍让而坚定立场的态度；为了更快地融于全球一体化经济，在中美签署的 WTO 双边协议中，中国做出了极大的让步；中美间从经贸到安全领域的共同利益日益增多，两国的合作机会越来越多；中国目前已同绝大多数周边国家解决了陆地边界问题，同越南签署了《北部湾划界协定》，与东盟制定和平解决南沙群岛领土纷争的《南海行动宣言》并加入《东南亚友好合作条约》；中国在诸如此类的国际问题上采取的搁置争议做法，为赢得和平安定、有利于自身发展的国际环境创造了条件。

可见，崛起的和平方式有助于获得最广泛的支持，如果没有采用和平方式，在全球日益一体化的今天，将因受到各国（集团）的抵制而无法实现最终崛起。因此，和平崛起也是中国惟一的崛起战略。

三、和平崛起——世界意义

维护世界和平、促进世界共同发展是世界人民的共同利益。对中国急速崛起的种种疑虑主要就是从中国崛起对世界和平和发展的影响的角度提出的。正如美国前助理国务卿温斯顿·洛德所说"问题不是中国是否将成为全球和地区安全事务上的主要大国，而是何时和如何成为这样的大国"[①]，选择何种发展模式，以何种姿态崛起，不仅对中国人民至关重要，对世界人民也关系深远。"和平崛起"的道路正是符合中国人民的根本利益和世界人民的共同利益的最优选择。

无论是根据本书第三章的博弈分析，还是根据第四章的政治经济分析，我们都可以得出这样的结论：在全球化的时代背景下，和平崛起是强国更替的最优范式。博弈分析认为通过采用"两面调整

---

① Winston Lord："For China, Not Containment but True Intergration"，International Herald Tribunne，October 13，1995. 转引自阎学通："西方人看中国崛起"，《现代国际关系》1996 年第 9 期，第 37 页。

（缓慢）战略"可以使大国博弈的双方收益比陷入"囚徒困境"时多得多。即使现有大国面对新兴大国的挑战，只要该新兴大国是偏好"和平"的，现有大国的最优战略就仍是"合作"而非"对抗"和"遏制"。政治经济分析则认为在"第四种视角"看来，在世界多极格局的形成和发展是当代无法阻挡的历史潮流的背景下，新兴大国的崛起顺应了世界多极化格局的潮流，并强化了多极化的趋势。综合两种分析，在全球化的时代大背景下，"和平崛起"能够"避免狭隘的现实主义学说指导下的博弈困境"[①]，大国崛起能在经济上促进全球经济繁荣、人类共同发展，在政治上能促进多极化格局、维护世界和平，这对世界无疑是最优的。"和平崛起"将成为当前和未来大国崛起的新范式。

265

在中国发展模式的基础上，"和平崛起"是中国崛起的核心战略已毋庸置疑，这不但对中国是最优的选择，对世界也是最优的。

1. 中国"和平崛起"有利于世界经济的繁荣

中国的发展首先会使本国人民受益，全球各国也会分享中国发展的成果。中国经济的稳定增长，会带动很多国家发展——中国大量的进口意味着世界经济多了一个增长引擎，中国价廉物美的商品增进了他国消费者的福利。因此，中国的崛起是一个积极因素，各个国家都可能从中受益，而非威胁。国际货币基金组织根据1995年到2002年间各国国内生产总值增加值计算了各国对全球经济成长的贡献百分比，显示出中国的贡献比率为25%，高居全球第一，成为世界经济成长的双引擎之一。[②] 此外，中国对外贸易迅速发展，近3年来已从世界排名第八飙升至第三，其中进口大幅增长，如2003年进口增长率40%，是全球进口增长率的三倍；进口额增加1100多亿美元，占全球进口增加值的近14%，稳居世界第一。中国进口的扩大，带动了世界其他国家和地区出口的扩大及经济的复苏。

日本《产经新闻》载文称，2003年日本向中国的出口总额比上年增长了38.7%，对华贸易顺差达148亿美元，而同期日本对美出

① 王逸舟："中国崛起与国际规则"，《国际经济评论》1998年3～4月版，第34页。
② "中国'和平崛起'：对世界经济贡献最大"，泰国《世界日报》2004年3月8日，第2版。

口减少 9.8％，因此日本经济开始复苏的背后是"中国因素"在起作用。这家报纸认为，中国市场的扩大强有力地拉动着日本经济，"中国已经成为日本经济的'增长中心'"。日本学者藤井博文也承认，中国的持续繁荣将为日本乃至亚洲地区经济的发展提供强劲动力。

中国经济增长对世界的贡献得到了国际社会的进一步肯定和赞赏。世界贸易组织总干事素帕猜认为："在中国讨论全球化的意义比在世界上任何一个地方都更有意义。无论是环境、军事，还是国际事务、经济全球化，中国的选择都将对亚洲和世界产生重大影响……如果中国能成功地发展成为一个相对富足开放的社会，那么她将成为其他国家的榜样和带动世界经济发展的火车头。"[①] 新加坡贸工及外交部政务部长林双吉也说道："中国的'富邻'思想不仅是有远见的，而且对区域经济的融合、稳定及繁荣都做出了贡献。……只要中国积极地与邻国保持贸易和经济合作，将造福于中国和本地区。"

266

2. 中国"和平崛起"可以更好地维护地区和世界的和平稳定

中国"和平崛起"的道路选择给中国外交注入了新的内涵[②]：1. 对周边国家提出"以邻为伴、与邻为善"和"睦邻、安邻、富邻"的政策方针；2. 在国际安全领域大力倡导新安全观，积极探索以和平方式消除外部威胁，防止国际军事冲突的方式和途径；3. 积极倡导超越意识形态和狭隘民族主义的国际合作理念；4. 积极探索新的国际关系理念，推动世界格局多极化；5. 积极推动建立公正合理的国际政治经济新秩序。

中国在朝核问题六方会谈、反恐怖主义、防武器扩散等方面的努力都是中国外交新内涵的表现，都证明了中国的确是为"和平"而崛起的，中国的崛起对世界的和平稳定有着积极的作用。哥伦比亚的中国问题专家吉列尔莫·普亚纳说："中国成为世界上的一个超级大国，这个世界才第一次成为名副其实的多极世界。"他说，中国在历史上从来没有当过霸权大国，相反，它总是善于融合其他文化，

① 赵卫、顾钱江：《和平崛起前模式所未有，聚焦中国发展新"路线图"》，新华网 2004 年 3 月 12 日。

② 徐坚："和平崛起是中国的战略选择"，《国际问题研究》2004 年第 2 期，第 1～8 页。

发展自己的文化。中国的崛起是和平崛起，中国过去不当霸权大国，将来也不会成为霸权大国。

　　3. 中国"和平崛起"为世界其他新兴大国的崛起提供了一种新范式

　　自地理大发现以来，意大利城邦、伊比利亚半岛（葡萄牙和西班牙）、荷兰联合省、法国、英国、美国分别享有 15 世纪、16 世纪、17 世纪、18 世纪、19 世纪、20 世纪的世界经济霸权。[①] 然而，历史上这些国家的崛起，是在竞逐霸权的现实主义理论指导下实现的，并不可避免地导致了国际关系的紧张，甚至战争。如果说这些国家的崛起代表了世界大国更替的旧的回忆，那么中国的和平崛起代表的则是当今世界对未来的憧憬。

　　作为新兴大国的一员，中国的和平崛起可以为世界上其他新兴大国的崛起提供一种新的范式。虽然我们的博弈分析和政治经济分析都已证明了和平崛起作为当今新兴大国崛起的最优范式这一命题，但历史上"和平崛起"从未真正实现过。中国"和平崛起"的成功实践将是对这一命题理论分析的有利补充，为世界其他新兴大国的崛起提供学习和借鉴的对象。

267

第二节　中国能否实现和平崛起？

　　拥有 13 亿人口、日益融入全球的中国的和平崛起，既给其他国家的发展带来了重大机遇，也构成了冲击与挑战。尽管中国和平崛起对其他国家的冲击可因长期福利的增加而得以平衡，但大多数国家都将在中短期为此做出较大的调整，其内容不仅包括产业结构和经济政策，还包括外交战略与全球政治视角。调整必然带来阵痛，阵痛则可能导致干预。对现有大国、霸权国的经济和政治地位的冲击，可能促其催生旨在遏制中国和平崛起的国家战略；与新兴大国在崛起中不可避免的竞争关系，则可能会使双方陷入恶性竞争的怪

—————————
　　① 详细分析参见本书第二章。

圈；而当代国际问题国内化的趋势，又有可能使来自国际社会的压力破坏国内稳定的改革与发展局面。这一切，不但威胁着中国的崛起，也考验着中国崛起的和平方式。

一、中国崛起对世界的冲击与挑战

中国崛起在构成对世界其他国家的经济冲击的同时，也必然对现有国际格局形成挑战，从而影响到霸权国与现有大国的国际地位。

（一）中国崛起对世界的经济冲击

全球经济一体化构成了中国崛起对世界造成经济冲击的背景。改革开放以来，中国开始迅速融入全球经济，在成为世界加工厂的同时，也成为最大的新兴市场。中国与世界经济的相互依存关系，决定了崛起中的中国在给其他国家带来长期福利的同时，也将带来短期的冲击。作为融入全球经济的重要里程碑，中国加入 WTO 对全球经济影响深远，如表 7-2 所示，到 2020 年，中国大陆及台湾加入 WTO 将给其他国家带来不同程度的负面影响，尤其是与中国存在竞争关系的其他新兴大国和新兴工业化国家。

表 7-2　中国大陆及台湾加入 WTO 后对全球经济的影响（2020 年，单位:%）

国　家	实际 GDP	出口量	进口量	福利（10 亿 1995 年美元）
中国（大陆）	4.2	17.6	16.7	10.5
北美	−0.1	0.9	1.9	7.6
西欧	−0.1	−0.0	0.2	3.8
日本	−0.1	0.8	1.0	1.6
中国台湾	3.4	12.9	14.2	6.4
其他新兴工业化国家	0.1	0.5	0.6	1.0
东南亚	−0.6	−0.8	−0.8	−1.6
南亚	−0.8	−3.3	−3.5	−2.5
拉美	−0.2	−0.6	−0.2	−0.4
非洲与中东	−0.2	−0.6	−0.4	−0.0
其他国家	−0.1	−0.1	0.1	−0.0

资料来源：Walmsley and others, 2001。

显然，短期内中国崛起带给全球经济的冲击是不可避免的，如果其他国家对此缺乏有效的应对，缺乏积极及时的调整，这种冲击将更为明显，尤其对与中国在国际市场上构成竞争关系的发展中国特别是南亚国家。同时，对各国非熟练劳动力的就业也形成一定的威胁。如表 7-3 所示。

表 7-3 在其他国家体制不变前提下中国加速融入全球经济的影响（2020 年）

国 家	福利	GDP	非熟练劳动力（占全部就业人数比率）
世界	5.1	5.6	2.8
中国	126.1	140.5	27.8
发达经济体	0.1	—	−0.1
新兴工业化国家	0.1	—	−0.2
东盟	—	−0.1	−0.3
南亚	−0.5	−0.4	−0.9
非洲撒哈拉以南地区	0.1	−0.2	−0.5
墨西哥、哥伦比亚和委内瑞拉	−0.1	−0.1	−0.4
其他西半球发展中国家	−0.1	−0.2	−0.5
中东和北非	0.2	−0.4	−1.3
其余国家	−0.3	−0.3	−0.8

注释：（1）本表数据是指，在各国体制不变的背景下，中国加速融入全球经济情况下的各项数值与中国较慢融入全球经济情况下的各项数值的比值。表示这些国家体制不变的方法是，在中国之外其他国家非熟练劳动力实际工资不变的基础上来计算在中国较慢融入全球经济情况下的各项数值。

（2）福利是与 GDP 有关的相应变量。

资料来源：IMF："The Global Implications of the U. S. Fiscal Deficit and of China's Growth"，*World Economic Outlook 2004*，Chapter Ⅱ。

根据 IMF 的分析，中国加快融入全球经济背景下的崛起，对全球经济的影响主要通过两种途径，一是通过贸易条件效应。中国的劳动力比较优势将导致出口产品价格的下降，而一些国家在面临中国产品的竞争时，可能会发生"产业空心化"现象，贸易条件效应还将进一步影响全球的产出结构和收入分配结构。二是通过金融渠道。在过去的 15 年中中国吸引了大量的 FDI，2003 年更是成为世界最大的 FDI 流入国，这一趋势很可能会给一些发展中国家造成损失。

（二）中国崛起对现有大国的政治挑战

如果说因中国崛起而在短期可能蒙受福利损失的国家主要是新兴工业化国家与发展中国家的话，那么直接感受到中国崛起带来政治挑战的国家将主要是现有大国。

中国崛起对当今国际格局的挑战显然可分解为两个层面：一是崛起的中国日益发挥对周边国家影响力，成为地区大国乃至占据地区主导地位的态势日益凸显；二是中国的崛起，将改变当前全球力量对比，使国际格局加速向多极化方向发展，从而对美国领导下的实质性单极格局构成重大挑战。

日本在战后经济腾飞的过程中，成为亚洲地区实质上的领导者。但在 20 世纪 90 年代以来日本经济持续低迷和中国经济一枝独秀的强烈反差下，日本已深切感受到中国对亚洲国家影响力的不断扩大。在谋求成为世界政治大国的目标指引下，日本必将首先力图保持其地区大国的地位，这一目标显然客观上正遭遇中国崛起的挑战。"安大线"与"安纳线"的争夺、对东盟的争夺等都是这种挑战的具体表现。

作为世界霸主的美国，于"9·11"事件后开始加快推行所谓的"新帝国大战略"，美国成为"人类历史上永不没落的帝国"的意图呼之欲出。为了维护其全球范围的利益，美国将极力维护当前本质上是单极的世界格局。中国的崛起无疑为国际格局多极化注入新的活力，在推动自身与"多强"上升的同时，必将构成对美国超霸地位的挑战。

二、中国和平崛起可能面临的障碍

（一）来自现有大国的遏制

既然客观上中国的崛起对其他国家在短期构成经济上的冲击，对现有大国的国际地位又构成挑战，来自现有大国不同程度的遏制就不可避免。

在第三章的模型中，我们给出了等式 $\dfrac{P_1^{T+1}}{P_2^{T+1}}=\dfrac{P_1^T}{P_2^T}$。该等式的含义是，博弈中的两国政治力量会发生变化，只有下一部分博弈的政治

（军事）力量对比与本部分博弈的政治（军事）力量对比保持一致，双方才能在本部分博弈中达到均衡，否则必然有一方将在本部分博弈中调整行动组合、寻求更有利于自己未来利益的均衡点。该等式以简练的方式表达了博弈参与国保持自身国际地位的主观愿望。如果参与一方是现有大国，另一方是崛起的中国，那么面对力量不断上升的中国，现有大国为了保持自身国际地位，主观上将竭力保证上式的成立，从而将采取种种带有更强烈对抗色彩的行动组合，即遏制战略。

如果把现有大国分为美、日、欧三个国家（集团），那么根据第五章的分析，对于致力于推进世界多极化、希望自成一极的欧盟来说，中欧之间从经贸到安全领域具有广泛的共同利益，且目标高度一致，与中国保持良好关系有助于其利用新兴大国崛起的契机实现更好发展，因此，来自欧盟的遏制力量相对较弱。对中国的遏制将主要来源于以下三类：

第一，"中国威胁论"。"中国威胁论"伴随着中国的发展长达十几年，在国际上有一定的市场。这种论调将"中国强大"等同于"中国威胁"，把地区不安、世界经济不景气、环境恶化等归为中国的"罪过"。这一方面是西方文化对"民主和平论"盲目崇拜和对中国政治体制偏见的结果，另一方面也是某些别有用心的利益集团推波助澜的结果。如果任由"中国威胁论"这种论点继续下去，中国崛起势必遇到更大的阻力，甚至可能形成对中国的全球性软制约。

第二，美国的遏制。作为当今世界惟一的超级大国，美国崇尚强权，在"新帝国大战略"指导下推行单极独霸，坚持冷战思维，把防止出现可能挑战其"独超"地位的国家或国家集团作为其全球战略的核心目标。"支持人类自由的和平"常常成为美国粗暴干涉别国内政的冠冕堂皇的理由，这也给美国遏制中国这样在其看来不是民主政体的国家提供了绝佳的借口。总之，美国把正在崛起的中国看做其永葆全球"独超"地位的主要障碍和潜在对手之一，加以防范和遏制。

第三，日本的遏制。本书第五章已经分析，面临中国的崛起，日本将在经济上加强与中国的贸易与投资往来，在政治上则试图遏

271

制中国的崛起。日本的对华战略具有明显的双重特征,这是与其在经济上日益与中国相互依存、在政治上追随美国并与中国争夺亚洲领导权的事实相对应的。从日本对俄与对印的关系可看出其遏制中国的意图,日本与中国争夺石油管道以削弱中俄的战略伙伴关系,加大对印、减小对中经济援助力度以扶植印度遏制中国。

(二)新兴大国可能的恶性竞争与周边环境恶化

同为新兴大国,巴西、俄罗斯、印度与中国由于处在相似的发展阶段,在国际市场、吸引外资方面的竞争在所难免。第六章的分析指出了新兴大国之间除了竞争之外,也拥有广泛的合作基础。但作为可能出现的崛起障碍,还是有必要分析新兴大国之间出现恶性竞争和周边国际环境恶化的情形。

中国与其他三个新兴大国的竞争关系不能一概而论。

中国已成为巴西在亚洲的最大贸易伙伴,巴西也成为中国在拉美最大的贸易伙伴。中巴两国都将对方作为实现市场多元化的重要市场之一。但由于中巴两国都是新兴发展中国家,都以出口初级产品为主,在国际市场上的冲突在所难免,如美国同时是中国和巴西的主要出口市场,两国产品的相似性导致在美国市场上的激烈竞争。而中国向巴西出口的产品价格低廉,已有12种产品遭遇了反倾销措施。中巴之间的贸易竞争与争端是由两国的发展阶段所决定的,因而注定无法在短期内得到妥善解决,冲突与争端的升级也并不是完全没有可能。

俄罗斯与中国经济互补性很强,俄罗斯需要中国的轻工业品,中国需要俄罗斯的能源和其他重要工业原料;当前阶段两国在俄罗斯的车臣问题和中国台湾问题上又取得一致,并已建立"战略性伙伴关系",因此,两国之间出现恶性竞争的可能性不大。值得关注的是从"安大线"事件所透露出的俄罗斯能源外交战略,把握俄罗斯以能源优势作为撬动东亚、西欧乃至整个世界政治经济关系的工具的战略思维。如果对此没有充分的思想准备,在能源问题上中国有可能深受俄罗斯的牵制而陷入被动地位。

直至2003年以前,印度与中国是所有新兴大国之间关系最不稳定的一对国家。中印1962年边境战争之后,两国之间大约4000公里的边境线多数都没有正式划定。双方都发展起了可以瞄准对方城市的远程核导弹。抛开历史问题不谈，尽管2003年印度总理瓦杰帕伊访华后两国关系迅速良性发展，但两国在各个领域的竞争却依然不可避免。由于中印都是人口大国，廉价的劳动力都是最具有比较优势的资源，也都是其产品参与国际竞争的资本，因而两国的初级产品、工业制成品和全部商品的贸易结构均表现为竞争关系。如果说来自劳动力比较优势的竞争是过去及当前应注意的问题，那么印度在服务业（包括软件设计、IT 咨询、电话服务、金融分析、工业工程设计、医药研究等方面）的崛起则对中国未来的第三产业发展构成了巨大挑战。印度目前已经显示出其在服务业中对中国的压倒优势，而服务业的发展正是中国最终崛起不可跨越的一步，印度在当前的领先势必将影响到中国服务业国际化发展的前景。

中国20多个周边国家的情况较为复杂，它们的发展水平千差万别，社会制度具有多种形态，宗教文化背景也各有千秋。尤其是中国紧临的南亚和朝鲜半岛的局势紧张、动荡，危机频频。世界上没有一个大国处在如中国这样复杂的周边环境中，可见，周边环境的恶化可能影响中国的崛起。

（三）国内障碍

任晓在《中国和平崛起的历史方位》一文中指出："国际问题国内化，国内问题国际化，将来必定更甚于今。其中国内问题对我们的冲击可能更甚于国际问题。假若真的出现了比较大的干扰，其来自于国内的可能性大于来自于国外的可能性，因此，事情的关键在国内。"这一观点是极富洞见的。可能会对中国的和平崛起构成障碍的国内因素有：

第一，国企改革难度加大，资本市场发育不完善。我国社会主义市场经济体制虽然已经初步建立，但这个新体制还很不完善，在制度层面还有缺陷，需要深化改革。

第二，经济发展不均衡，居民收入差别悬殊。近年来，农民增收困难，城乡收入差距持续扩大。如果不能采取措施，有效地提高农民的收入水平，中国就无法实现真正的崛起。此外，地区差别的日益扩大，也是当前我国经济社会协调发展无法回避的问题。

第三，政府职能不到位，政治体制改革滞后。在世界经济论坛发布的《2003～2004年全球竞争力报告》中，中国总体竞争力的排名从2002年的第33名跌落到2003年的第44名[1]，主要原因就是中国的公共制度品质在恶化，特别是在司法独立和公共部门贪污腐化等类别上表现不佳。如果政治体制和上层建筑的改革进程跟不上经济体制改革的步伐，势必导致经济领域的一些重大改革难以展开，甚至产生局部逆转。

第四，能源危机可能制约中国经济发展。多年来，我们一直走的是"高消耗，低产出"的经济发展模式，而我国的能源储备总量并不能长期支撑这样的发展模式。中国是世界上人均石油资源水平极低的国家之一，经济总量占世界总量的20%，而石油资源只占世界总量的2.3%，石油生产量占世界总量的5%，石油消费量占世界总量的6%，而且成为世界石油消费增长最快的国家之一，平均年增长率为4%左右，石油资源严重短缺始终是制约中国发展的主要瓶颈。而且，到2040年前后中国将达到15亿人口，如果让中国人全部达到发达国家的生活水平，将有可能消耗全世界的大部分资源。因此，中国对能源需求的不断增加可能引起国际政治上的矛盾。

第五，粮食安全问题日益突出。我国的粮食安全问题主要来自于三个方面，即粮食种植面积持续下降，单产提高趋势受阻和自然灾害严重。我国2003年粮食种植面积为建国以来最少，总产量为10年来最低，人均粮食占有量（仅为335公斤）为20年来最低。加入WTO后，农业发展既面临着人口与资源的双重压力，又面临着国际与国内两个市场的制约，这对新阶段我国粮食安全问题提出了严峻的挑战。从粮食安全的整体性因素考虑，特别是随着人民生活水平提高，我们所面临的不仅是粮食安全问题，还涉及质量安全与生态安全问题；不仅涉及到居民粮食安全（买得起与能买到）问题，更涉及到国家粮食安全（总量供给与收入分配）问题。

第六，台湾问题可能成为制约中国"和平崛起"的重要因素。台湾的战略地位非常重要，中国和平崛起最要紧的问题还是台湾问

---

① 王庆东：《和平崛起要应对挑战》，《环球时报》2004年3月5日，第15版。

题。尽管美国并不挑战"一个中国"原则，并且承认中华人民共和国是"中国的惟一合法政府"，但美国并没有进一步确认这个"中国"究竟是什么。在台湾问题上，美国明确表态的只有两点，即反对台湾独立、反对中国大陆使用武力解决台湾问题。根据美国学界的解释，美国对台政策是一种刻意的模糊政策，这给了美国更大的灵活性应对发生在台湾海峡的任何危险情况。美国对台湾的模糊战略不可避免地增加了我国在解决台湾决策过程中的不确定性，也是影响我国和平崛起的一个重大障碍。

三、和平崛起需要具备的条件

从历史上看，强国崛起从来都是天时、地利、人和的产物。

（一）国内条件

早在 20 世纪 80 年代，保罗·肯尼迪就极其深刻地预见到中国 275 崛起的两大条件。一是中国领导人形成了"一个宏伟的、思想连贯和富于远见的战略，这方面将胜过莫斯科、华盛顿和东京，更不必说西欧了"；二是中国将"保持经济发展持续上升，这个国家可望在几十年内发生巨大变化"。

21 世纪，对中国的和平崛起而言，这仍然是两大基本条件。首先，从发展战略层面分析，从邓小平同志的"解放思想、改革开放"到江泽民同志的"三个代表、与时俱进"再到胡锦涛同志的"求真务实、和平崛起"，从温饱到基本小康，再到全面建设小康社会，直至基本实现现代化，可以说中国领导层确实形成了宏伟的、思想连贯和富于远见的发展战略，并已获得高度认同。其次，发展的可持续性仍然是中国 21 世纪实现和平崛起的关键。2004 年，我们从来没有像今天这样强烈地感受到我国维持高投入、高消耗、高污染、高增长的经济增长方式所面临的生产要素制约。国际社会继 20 世纪 80 年代"谁来养活中国"之后，也再次发出了"谁来支撑中国的高速增长"的疑虑。

当然，就目前发展状况而言，中国的和平崛起还必须处理好两大关系、一大挑战。

一是要比较好地处理改革、发展和稳定这三者之间的关系。到

2020年,中国14亿以上人口要全面建设小康社会和基本实现工业化,这是世界史上规模最大、最深刻的社会转型,必须实现三个根本性转变:经济体制的根本性转变、经济增长方式的根本性转变、从二元经济结构到现代社会经济结构的根本性转变。从近代世界经济发展的历史看,已经实现工业化社会的国家和地区的人口大约有15亿,其工业化是在产业革命以来200多年时间内分批完成的,每一个50年内新迈进工业化社会的人口不超过3亿。要顺利实现这场深刻变革,避免社会大变革过程中可能发生的剧烈社会震动,必须正确处理改革、发展和稳定的关系,保持社会稳定。

在中国崛起的过程中,必然会遇到国家制度建设和社会财富再分配这两大难题。首先,成功的政治体制改革将为中国崛起提供有效的内部缓冲机制。崛起是一个长期持续的高速发展过程,这种发展必然对现存制度带来巨大的压力。回顾26年的发展历程,中国的渐进式改革成效显著,但也遗留了两大问题:政治体制改革相对滞后于经济改革、渐进式改革已进入"深水区"。21世纪的第一个十年中国正处在"一个水流最快、最变化莫测的点的附近","在中国经济的改革部分与未改革部分势均力敌时,危险最大"。这是中国崛起过程中的制度障碍。另外,市场经济的发展带来财富的加速集聚使地区之间、城乡之间、社会阶层之间的分配收入差距急剧拉大,但与此相适应的社会财富再分配机制尤其是社会保障机制远未建立。吴敬琏先生经常借用英国作家狄更斯《双城记》的开篇语来表达对当前中国改革的看法:我们所处的时代就是这样的时代,是最好的时代,也是最坏的时代,我们很快就要上天堂了,我们也要下地狱了。所谓天堂就是说中国改革的目标是建立一个市场化、法制化的国家;所谓地狱,就是说我们现在的改革任务依然任重道远。当前的中国或许就处在这样一个交叉口上。"1978年我们告别了个人崇拜,1992年我们告别了计划崇拜,而2001年我们告别了所有制崇拜。我们渐行渐远,我们已经回不去了。"[①]

二是处理好物质文明建设(硬力量)与精神文明建设(软力量)

276

---

① 钟伟:"我们已经回不去了",《南风窗》2001年第1期。

关系。硬力量和软力量相互作用并相互加强。软力量是作为一个大国和强国必不可少的基本要素。当前，中国的硬力量有了较快、较大的提升，但软力量发展的滞后将对今后中国的和平崛起形成制约。因为，软力量发展的滞后不仅不利于提高对全中国人民，包括港澳台同胞的感召力、凝聚力和认同感；而且将影响外部世界对中国和平崛起的认同度、不利于中国改善和推进与世界各国的关系。因此，在中国和平崛起的大战略中，应当使硬力量和软力量、制度因素和文化因素平衡协调地发展。

"台独"是中国和平崛起最直接、最棘手的挑战。所有大国崛起都会经历一两次力量、意志和决心的考验。尽管我们要尽最大诚意、尽最大努力争取实现中国的和平统一，但是我们绝不能容忍"台独"。在崛起过程中，中国必须做好意志、体制和力量的准备，一旦迫不得已，就要用武力制止"台独"。

（二）国际条件

和平崛起的提出是建立在一定的国际条件基础之上的。有利的国际条件将保证、加速中国的和平崛起；不利的国际环境，将大大延缓中国和平崛起的进程，甚至使和平崛起半途夭折。中国和平崛起的国际条件主要包括：

1. 基本和平的世界环境，中国与周边国家不发生热战，或者至少战争不在本土进行

从外部环境看，很少有国家像中国这样有那么多"强邻"，有那么多一旦关系处理不慎就会变得很头疼的大小邻居。另外，中国所处的东亚地区有多项"安全两难"，而中国在其中作为一个角色的"两难"占一半以上。不仅如此，东亚地区正面临多项"权势转移"，国际关系和力量对比正在多方面地显著变动。中美、中日、中印之间的"权势转移"将产生不稳定和不确定因素，潜伏紧张和危机。中国要和平崛起，就必须处理好这些关系。

2. 现有大国对中国的遏制逐步弱化或至少维持现状

崛起中新兴大国的综合国力提高速度显著快于现有大国，极易引起现有大国、特别是霸权国的警觉。如果崛起国能够努力与多数大国构建和维持基本友好的关系，那么其崛起的政治环境就是有利

的，否则就非常不利。因为，如果较多大国共同遏制新兴大国的崛起，其崛起目标就有可能被扼杀。即使不被扼杀，也会给它们的崛起带来巨大的困难和障碍。在与现有大国的博弈中，美国对中国的遏制是中国崛起进程中最大的"拦路虎"。即使中美之间不爆发新的"冷战"、"热战"，想方设法遏制中国仍会是美国的"最优战略"。因此，有效地打破美国的遏制将是中国和平崛起必须迈过的一道坎。

3. 中国成功树立起包容、负责任的建设性国际形象，国际社会对中国和平崛起的认同度和信任度不断提高，中国在各类国际组织有着更多的发言权和影响力

中国要实现这一目标，首先必须顺时应势，构筑新的富有亲和力的外交战略和国际关系理念；其次，必须努力提供、分担与自身国力相当的国际公共产品；再次，从自身国家利益和国际社会的共同利益出发，必须尽可能提高有效参与"规则制定"的能力。这除传统的外交技能外，还包括对互相依赖的政治实施多方面的复杂操作能力、对各专业领域的大量专门知识的把握和熟练应用能力，以及对"规则制定"方面的敏感度和行动效率。

4. 与其他新兴大国不发生的恶性竞争

在巴西、俄罗斯、印度三个新兴大国中，中国与印度有着太多的相似性，最有可能发生恶性竞争。印度既有中国的低成本优势，也有比中国更为有效的微观市场机制，以及更多的受英语教育的精英人才。最近印度起飞势头渐见明显，可以预见，未来中国将面临着印度的急起直追。如果中国不能处理好国内发展中存在的问题，在对外部资源的争夺中又被印度占先，中国在新兴大国中一枝独秀的风景不再。

5. 国际战略机遇期如约而至，经济全球化不发生大的逆转

历史上三次国际战略机遇期伴随着三个霸权国的崛起。国际战略机遇期是后进国实现跨越式发展的绝好良机。中国的和平崛起离不开经济全球化的历史背景，经济全球化是中国和平崛起必须把握的重要机遇之一。经济全球化推动的全球经济结构调整和要素的优化重组，有助于中国发挥劳动力优势，成为世界加工厂；全球化潮流中"全球性问题"、"非传统安全"问题增多，有助于各国在国际

事务中摒弃前嫌，加强合作。这也在一定程度使美国全面遏制中国崛起的战略企图成为不可能。当然，这都建立在中国对经济全球化的有着良好的适应和调整能力的基础之上。

第三节　中国如何实现和平崛起？

现阶段，中国如何把握机遇，创造崛起的环境和条件？胡锦涛同志对此做了高度的概括，指出我们要"从国际国内形势的相互联系中把握时代发展的趋势，从国际国内条件的相互转化中用好发展机遇，从国际国内资源的优势互补中创造发展条件，从国际国内因素的综合作用中掌握发展全局"。就国际因素而言，应当从地缘政治出发探寻"非岛国崛起"模式，并不断提升软实力以参与国际制度 279 的制定和协调，就国内因素而言，应以新儒家文化为依托，创造良好的国内政治生态，推进经济市场化，树立新的开放观，不断创新，从国内国际的战略互动中把握发展全局。

一、地缘政治：探寻"非岛国崛起"模式

所谓"地缘政治"，就是指以地理分析为基础的国际政治力量与地球自然性质的内在联系。地缘政治学把国家视为国际政治力量的单元，而气候、植被、土壤、位置、矿物资源、海拔高度、陆块分布等因素构成"地球自然性质"的内涵。地缘政治理论提供了观察国际问题的重要视角。①

从地缘政治的视角出发，一个国家的地缘政治环境主要由全球地缘政治环境和区域地缘政治环境组成。国家所处的全球地缘战略层次，以国际格局的分析为主；国家所处的区域地缘战略层次，以区域格局和地理因素的综合分析为主。回顾英、美这两个近代史上的"全球霸主"的崛起经历，不难看出，独特的"岛国"地理优势在其崛起过程中起着至关重要的作用。中国的崛起之路，就是探寻

---

① 王逸舟：《国际政治析论》，上海人民出版社 1995 年版，第 181 页。

"非岛国崛起模式"之路。

（一）中国崛起的地缘政治分析

1. 历史强国崛起的地缘政治环境

世界史进入近代以来，虽然西班牙、葡萄牙、荷兰等国依次成为世界强国，但真正可以称得上是"地区霸主"和"全球霸主"[①] 的国家只有英国和美国。前者依靠其强大的海军力量、广阔的殖民地、富有战略眼光的贸易政策和外交政策，借第一次科技革命的力量，成功登上人类历史舞台上第一个"全球霸主"的宝座；后者在其崛起过程中，不仅全盘"克隆"了前者的崛起经验，而且由于后者崛起中所面临的地缘政治环境与前者并非完全相同，因此，其崛起又表现出新的特征。

孟德斯鸠说过，"岛国更容易维护自身的自由"[②]。英国和美国的地缘政治位置都相对孤立，有天险相隔。相对孤立的地理位置，对于当时还不是很发达的交通技术来说，首先可以提供安全。安全是崛起的首要条件之一。英国和美国在本土安全的情况下可以比较放心地发展自己的经济。拿英国来说，它在确立了新的更具有优越性的政治体制之后、国内比较安全的情况下，短短的 50 年它就成长为世界强国。对于美国来说，它崛起的过程是很短的。因为美国的政策重心一直在国内。到 19 世纪 60 年代，美国的经济力量就已经可以和英国、法国一争高下了。即使是在科学技术已经很发达的今天，相对孤立的环境仍然具有极大的好处。从地缘政治学的观点来看，相对孤立意味着和相邻国家的利害关系更加清晰明朗，往往也更容易处理，可以腾出更多精力于内政。相邻国家越多，利害关系越复杂，往往会造成对敌我认定的错误判断，导致不可挽回的失败。

除了上述的共同点外，英美两国崛起的地缘政治环境又表现出如下两个不同的特点。首先，英美两国的疆域和自然资源状况不同。英国的疆域和资源决定了英国纯粹是一个海洋国家。这同时也是决定英国霸权短暂性的一个根源。英国曾拥有广大的殖民地，建立了

---

① "地区霸主"和"全球霸主"的区别在本书的第四章曾有过详细论述，在此不再赘述。

② 宋伟："中国崛起与英美崛起的地缘政治比较分析"，《世界经济与政治》2002 年第 6 期，第 34 页。

强大的全球投送力量，但这种力量的根基是不稳固的。一旦殖民地爆发起义，英国就难以维持其霸权的巨大消耗。而美国本身丰富的自然资源和广大的疆域，使得它的武力并不是基于海上或陆上，而是基于其强大的综合实力。其次，与英国和美国相邻的周边国家强弱情况不同。对于英国来说，它所相邻的主要是比较发达的欧洲强国，因此，英国很难避免卷入欧洲大国的斗争之中。这种斗争最后促成了它的霸权崩溃。对美国而言，它所处的地缘政治的特点是：尽管美国建国时国力并不强盛，但其周边一些国家包括西部的印第安人部落却弱小得多。在不足一百年的时间里，美国的领土由建国时的 90 多万平方公里扩至 930 万平方公里，行政区域从 13 个州增加至 50 个州。这种领土扩张的速度令人咋舌。由于美国的周边不存在强国争斗的情况，美国得以独大美洲，并肆无忌惮地侵占一些老殖民帝国鞭长莫及的领地。

281

2. 中国崛起的地缘政治环境

与英美两国相比较，无论从全球地缘层次或是区域地缘层次来看，中国崛起的地缘政治环境都要恶劣得多。

从全球地缘层次来看，中国所面临的是美国主导的单极的全球地缘政治格局，这和英国、美国崛起时所面临的局面是完全不同的。这一格局对中国的崛起具有重大负面影响。这种影响首先体现在中美之间不对称的双边关系上。长期以来每当总统大选临近，中美双边关系就会出现波折，美国总会利用贸易摩擦、人权问题、台湾问题等牵制中国。其次，它强大的影响力还牵制着中国与其他国家发展良好关系，单极格局对中国的崛起施加了相当大的国际压力。尽管中国和很多欧洲强国相隔甚远，利害关系清晰，比较容易发展政治上的合作关系，但是，这种强国远隔的好处被美国无处不在的压力所淡化了。这种淡化的一个突出的例子就是美国通过它在欧盟内的亲美力量阻止欧盟与中国走得过近，正因为如此，欧盟对华军售禁令的解除被反复"慎重考虑"和拖延。最后，一极的全球地缘结构对于中国崛起的影响，更重要的在于它极大地影响着中国所处的区域地缘政治结构。美国希望通过"全球主义"的地缘政治战略，维持各个地区的平衡，从而阻止有可能完全主导某一地区的大国的崛起。这种地缘政治战略对于每一个霸权都是必然的，但是只有在今天的时代才真正具有世界性和可操作性。[①]

从区域地缘层次来看，中国所处的区域地缘政治状况与英国和美国崛起时相比更为不利。这种不利主要表现在两个方面。首先，中国处于亚洲大陆的东部，与多个陆地国家为邻。国家间关系历史悠久，错综复杂。历史的关系和现实的利益矛盾交织在一起，使得中国在处理周边国家关系上颇费心思。从地缘政治学的角度来看，古代中国之所以能在少数民族部落和外国的轮番攻击下生存并保持中央大国的地位，关键在于中原先进的技术和文化。这种先进的技术使得中央政府在竞争中保持主导的优势。否则，强敌频频进攻之下的中原是不可能发展壮大成为中央大国的。而今的中国，在与周边国家的关系中有着不少纠葛，南海争端、钓鱼岛问题、台湾问题、中印边界争端，诸多的现实问题使得中国政府想要像英国和美国一样全力来处理国内问题变得日益困难。其次，更为不利的是中国与多个强国为邻。在古代，中国周边的国家都比较落后、相对弱小，因此中原的开疆拓土是卓有成效的。当前中国与较多的地区强国为邻，主要是日本、俄罗斯、印度。较多的周边强国必然制约中国发挥主导作用。按照国际关系理论，在国际关系中存在所谓的权力差距是影响国际关系的主要原因。[②] 国与国之间的力量差距越小，相近力量的国家的安全感就越小。这种差距不断缩小，所引发的必然是军备竞赛。通过对地缘政治的分析，可以发现，力量相近的强国隔得越远，它们之间的安全感就越大；力量相近的强国隔得越近，它们之间的安全感就越小。而如果两个国家存在比较具体的现实冲突，那么两国想要进行有效的合作几乎是不可能的。美国的地缘政治特点就有效地避免了这个困境；而对于中国来说，同俄罗斯有着根深蒂固的猜疑，同印度有着现实的边界冲突，同日本在历史问题、钓鱼岛、地区事务的诸多方面都存在争议，地理上的相邻无疑加重了

282

---

① 宋伟："中国崛起与英美崛起的地缘政治比较分析"，《世界经济与政治》2002 年第 6 期，第 35 页。

② ［美］肯尼思·沃尔兹：《国际政治理论》，中国人民公安大学出版社 1992 年版，第 228 页。

这些不和谐，使得中国周边地区的安全形势不容乐观。

一言以蔽之，中国所面临的地缘政治环境可以用"强者伺环，如履薄冰"① 八个字来形容。

（二）中国崛起的地缘政治战略

由于中国所处的地缘政治环境质量远不如昔日的霸主英国和如今的霸主美国，因此中国崛起的地缘政治战略必然有别于它们。对于中国而言，"有理有节"地处理好与现有大国和其他新兴大国的关系是首要；根据"与邻为善、以邻为伴"、"睦邻、安邻、富邻"的原则解决好周边问题，开展多种形式的经济技术交流与合作是关键；"有情有义"地与广泛分布在全球各大洲的发展中国家进行交往是基础。

1. 大国是首要

"有理有节"地处理好与大国的关系包含三个层次。第一，必须注意处理好与现有霸权国美国的关系。美国既是中国崛起的最大阻碍因素，也是中国崛起必须借助的力量。出于推行"新帝国大战略"的需要，美国必然会对中国采取遏制战略。对此，崛起中的中国必须有清醒的认识。但在经济全球化和政治全球化的背景下，美国在很多国际事务中又离不开中国的支持，因此，这种遏制必然具有较大的弹性。只要中国能够充分地利用这种弹性，就可以最大限度地淡化美国遏制的影响。第二，必须注意处理好与其他现有大国的关系。在这类国家中，欧盟与中国距离较远，因而少有地缘政治冲突，中欧在诸多国际问题上有着相同的观点，这些都构成两者形成战略性伙伴关系的基础。尽管仍有不和谐音符的出现，但欧盟在中国崛起过程中是一个可以信赖的伙伴。比较而言，中日两国是近邻，历史因素给两国关系的发展蒙上一层阴影，现实中，日本又是美国遏制中国最有利的一张牌。中日关系的走向很难预测，但保持目前不冷不热局面的可能性较大。第三，必须注意处理好与其他新兴大国的关系。中国必须重视俄罗斯在政治上的"西倾性"，但同时要继续加强双边政治对话、安全合作和经贸关系；要认识到印度对华政策

---

① 宋伟："中国崛起与英美崛起的地缘政治比较分析"，《世界经济与政治》2002 年第 6 期，第 36 页。

的两面性，正确处理中印边界问题，在竞争与合作中加强中印经贸关系；需进一步密切与巴西的政治联系，加强与巴西在国际事务中的合作，注重双边经贸关系的发展。

2. 周边是关键

历史地看，任何一个大而强的国家，其政治地理区域都由以下几个部分组成，即核心地带、边缘地带、缓冲地带、战略疆域。战略疆域不是领土，不是法律规定或承认的边界，不是国家当局行政治理的区域；但战略疆域以主权范围、领土边界为基础，它与核心、边缘、缓冲各地带有内在联系，它的范围直接影响到国家政治区域上述各部分的坚固和安全程度。[①] 对于中国而言，中国的战略疆域狭义上可以指"大中华经济圈"，广义上则是指中国的整个周边。

中国的周边地区存在俄罗斯、日本和印度三个大国。这进一步加强了"周边"的关键地位。此外，朝鲜半岛成为中国对抗美日所编织的"天网"的天然屏障；东盟国家与中国有着良好的经济和政治合作关系；与中亚国家的交往不仅关系着中国西北内陆的稳定，且关系到中国的能源战略。中国的周边经略是崛起的重要梯阶，它同时涉及到对以下几对相互关系的精确把握：一是挑战者与追随者的关系；二是韬光养晦与有所作为的关系；三是外交与内政的关系；四是全方位外交与周边外交的关系。[②] 总之，中国应根据"与邻为善，以邻为伴"的原则解决好周边问题，开展多种形式的"睦邻、安邻、富邻"的经济技术交流与合作。

3. 发展中国家是基础

中国是世界上最大的发展中国家，也一直是发展中国家最值得信赖的朋友。发展中国家是中国崛起的基础。"有情有义"地与全球最广大的发展中国家交往是中国一直以来奉行的一个原则。

20世纪70年代，正是发展中国家的努力使中国恢复联合国常任理事国的地位，将中国推向全球政治的核心；今天，崛起的中国更可以通过与广大发展中国家的合作实现政治经济利益的双赢。比如在非洲，中国成为该地区政治舞台上的一个重要角色，尽管整体来

---

① 王逸舟：《国际政治析论》，上海人民出版社 1995 年版，第 225 页。

② 范晓军："中国周边经略与中国的崛起"，《北方论丛》2002 年第 2 期，第 68 页。

看中国仍是一个贫穷国家，但中国通过开发援助和私人投资与资源丰富的非洲国家发展关系。此外，在四个崛起的新兴大国中，中国、印度、巴西都是发展中国家，在追赶过程中，它们既是具有共同目标的竞争者，也是经济发展中的合作者，更是许多共同利益的捍卫者。

二、国际制度：世界不是中国的世界

"中国是世界的中国，世界不是中国的世界"。这是目前的中国与目前的世界体系之间关系的最好写照。当今的世界是一个由软硬实力共同主导的世界，软实力在国际制度建设和国际协调方面所发挥的作用尤其突出。对中国而言，无论是塑造内在软实力还是外在软实力，都需要很长的一段时间。因此，中国与国际制度接轨的战略只能是"积极融入，相机而动"，同时要特别注重自身软实力的提 285 升。

（一）软实力与现行国际制度

软实力是小约瑟夫·奈在其《注定领导：美国力量的转变》（1990 年）和《软实力》（1990 年）中首先提出来的。奈在与罗伯特·基欧汉合著的《信息时代的权力和相互依赖》（1998 年）一文和《美国霸权的困惑：为什么美国不能独断专行》（2002 年）一书中又进一步发展了他的软实力理论。在第二章中已有对软实力相关概念的界定，软实力是指一个国家在国际事务中通过吸引而非强制就能达到自己目的的能力。一般来讲，软权力发挥作用依靠的是说服别人跟进、效仿或者使其同意遵守由拥有巨大的软力量的国家主导下的国际规则、国际制度和国际体系。软实力可以进一步地划分为内在软实力和外在软实力。前者是指制度更新、人力资源、文化辐射力、凝聚力和亲和力、高科技研发能力；后者包括国际形象、国际机制控制力、国际规则的创制力和国际义务的承担能力。[①]

国际制度或国际规则，是指国际社会为稳定国际秩序（不管是经济秩序、政治秩序、安全秩序，或者是环保秩序、救助秩序、交

---

① 黄仁伟："论中国崛起的国内外环境制约"，《社会科学》2003 年 2 月。

往秩序）、促进共同发展或提高交往效率等目的而建立的有约束性的
制度性安排或规范。由于国际间缺乏统一的政府和法律，也因为各
国都感受到国际无政府状态的严重性，各国约定了国际协调与合作
的各种方式，并以"国际规则"的形态将这些约定固定下来，使之
成为在国际事务中共同遵守的东西。

　　国际社会中制度的建立以及规则的制定，是世界大国对于国际
事务的一种软性而精致的控制行为。大国通过这种形式，将自己的
意志转化为国际社会成员须共同遵循的规则和程序，以此提高追求
自身利益的合法性，并降低操作成本。一国的软实力成为执行"控
制"的重要保证。就当今世界而言，美国的软实力成为其控制国际
制度的制定和协调的底蕴。关于这一点，本书非常赞同中国社科院
世界经济与政治研究所副所长王逸舟先生的观点。他认为，"今天的
霸权，主要表现为政治、经济和安全领域的一种精致的控制权，一
种有时难以言状的霸气，一种'裹着橡皮的钢鞭'或'沾着白糖的
大棒'式的东西；它可以用利弊并存、软硬兼施、任你选择、咎由
自取的方式，迫使弱小国家最终不得不接受大国强国制定的规则或
提出的条件，它也可能以完全'利他式'的承诺在一定时期内负担
前者无法承受的债务或防务，从而在长远来看实现对后者的控制。"①
另一方面，软实力帮助控制国际制度的制定和协调的能力是有限的，
霸权国无法凭此独断专行。也就是说，尽管霸权国可以通过软实力
对国际制度的制定和协调进行软性而精致的控制，但这种控制必须
建立在一定的合理基础上。受到全面而长时间抵制的国际制度是无
法维持长久的。

　　（二）中国崛起的国际制度战略

　　由于软实力方面的比较劣势，中国不可能像美国那样对现行国
际制度起主导作用。中国目前与国际制度接轨的战略只能是"积极
融入、相机而动"，同时要特别注重自身软实力的提升。这是对邓小
平同志"韬光养晦，有所作为"思想的最好诠释。

　　1. 积极融入

　　自从 20 世纪 80 年代以来，中国一直在加速融入国际社会，中

---

① 王逸舟："中国崛起与国际规则"，《国际经济评论》1998 年 3～4 月。

国参与多边国际组织的数量不断增多。自 1977 年到 1996 年，中国参加的政府间国际组织从 21 个增加到 51 个，非政府组织从 71 个到 1079 个[①]。从国际经贸、社会文化、政治法律到多边安全合作机构，中国参与的国际组织几乎覆盖了当代国际机制的各个领域。从 20 世纪 90 年代后期开始，中国在军备控制、不扩散、人权等领域也逐渐接受国际规则，参与多边机制，进入国际体系中最敏感的核心部分。中国加入世界贸易组织（WTO）是其参与国际体系的历史性转折点。

尽管现行国际制度存在着很多不合理的地方，但一直以来，中国国际制度战略首先考虑的都是积极融入而不是改造或是"另起炉灶"。

2. 相机而动

融入现行国际体系之后，中国的策略变得更加自主和灵活。随287
着中国自身实力的不断增强，中国国际制度战略逐渐由"韬光养晦"向"有所作为"过渡，但这与"相机而动"的原则并不矛盾。所谓"相机而动"，是"韬光养晦"和"有所作为"的有机结合。具体的选择要服务于为中国经济发展创造一个良好的国际环境，为中国在全球经济合作中谋得更大利益，为中国不断提升国际地位这些大原则。

3. 提升软实力

随着中国在物质力量上与发达国家的差距逐渐缩短，软实力方面的差距就成为中国崛起过程中最突出的弱点。就中国国际制度战略而言，它制约着中国对国际制度的影响力，因而也就限制了中国利用国际制度为自身发展谋取利益的能力。中国在提升自身软实力方面仍然面临着艰巨的任务，需要解决的问题很多，包括制度建设相对滞后、基础研究和人文素质亟待提高、国际形象仍有欠缺等。但也应该看到，中国在软实力提升方面已经取得了一定的成绩，如中国独立自主和平外交政策、中国经济发展模式等已经广为国际社会所接受、认同和赞赏，这对于中国更好地参与国际组织、融入国

---

① 黄仁伟："论中国崛起的国内外环境制约"，《社会科学》2003 年 2 月。

际体系是大有裨益的。

三、国内战略：雄关漫道从头越

中国和平崛起的国际战略将为中国崛起创造良好的国际环境，而中国崛起的重中之重则是实施富有成效的、政经互动的国内战略。

（一）加快推动经济市场化进程，提高崛起的质量

中国改革开放的历史就是不断探索经济市场化的历史。为了实现和平崛起，中国需要进一步推动经济市场化进程，建成完善的社会主义市场经济体制，建成更具活力、更加开放的经济体系。

1. 经济市场化的基本定义及我国经济市场化的程度

"市场化"是指资源配置方式由政府分配向市场调节的转化，具体地说，就是取消或放松国家对商品和生产要素数量和价格的管制。经济市场化程度的定量与定性判断则可以划分为：市场化在15％以下的为非市场经济，15％～30％为弱市场经济，30％～50％为转轨中期市场经济，50％～65％为转轨后期市场经济，65％～80％为欠发达市场经济或相对成熟市场经济，80％以上为发达市场经济或成熟市场经济。

由于我国从事农业的劳动力中，大多数人缺乏进入市场的意识与内外条件，总体上仍然属于自给自足的经济；而城镇劳动力中，国有单位职工所占比重约为55％，综合城镇与乡村，我国劳动力的总体市场化程度在40％左右。

通过对资本市场化主体结构、资金结构、利率结构等因素测算分析，可以认为我国资金市场化程度在40％左右。我国粮食生产的商品率仅为30％左右，而粮食种植面积占农作物播种总面积的73％以上；同时各级政府机构对工业等产品生产仍有很强的干预能力，一半以上的能源仍由国家垄断，铁路、电信、卷烟、盐业、汽车、飞机、船舶等基本上为国家垄断，多数国有企业经营者仍由主管部门任命。综合我国农业生产与第二、三产业生产的市场化程度，可以认为我国生产市场化程度大致为55％。我国目前真正放开而由市场决定的价格，实际份额不会超过60％。

综合我国劳动力、资金、生产、价格的市场化程度，再考虑我

国庞大的政府机构对经济生活的干预，我国经济的总体市场化程度不会超过 50%，大致在 45%～50%，属于转轨中期市场经济。预计2005 年以后，我国市场化进程会加快，2010 年以后，可以达到 80%以上，转轨改革的任务基本完成；在 2020 年左右可以跻身于成熟的市场经济国家。

2. 加快经济市场化的主要课题

在看到我国经济市场化宝贵经验的同时，也要看到我国经济市场化程度与现代市场经济体制的要求还有很大差距。需要进一步明确社会主义市场经济体制的内涵及建设重点。完善的社会主义市场经济体制应该是多种经济成分共同发展的、追求社会公正和共同富裕的、面向世界贸易体系的、法治的市场经济体制。完善的社会主义市场经济体制必须着重解决以下重点问题：深化国有资产管理体制和国有企业改革，抓紧完善国有资产监督管理相关法规和实施办法，研究建立国有资本经营预算制度和企业经营业绩考核体系，进一步落实国有资产经营责任；大力发展和积极引导非公有制经济；推进金融体制改革，强化金融监管，维护金融稳健运行；推进投资体制改革，合理界定政府投资职能，加强政府投资管理，建立起市场引导投资、企业自主决策、银行独立审贷、融资方式多样、中介服务规范、宏观调控有效的新型投资体制；加快社会信用体系建设，抓紧建立企业和个人信用信息征集体系、信用市场监督管理体系和失信惩戒制度；加大整顿和规范市场秩序的力度，重点是继续抓好直接关系人民群众身体健康和生命安全的食品、药品等方面的专项整治，严厉打击制售假冒伪劣产品、非法传销和商业欺诈行为。

（二）积极推动政治民主化进程，创造良好的政治生态环境

针对世界上众多苦苦挣扎的不发达国家，印度的经济学家、诺贝尔奖得主亚马蒂亚·森说："自由不仅是发展的首要目的，也是发展的主要手段。"20 世纪的历史有力地证明了，市场经济、法治下的民主、和平的国内外环境，是自由最好的保证，同样也是一个国家崛起成为世界大国的思想和制度前提。[1]

---

① 任东来：《大国崛起的制度框架和思想传统——以美国为例的讨论》，世纪中国，http://www.cc.org.cn。

在积极推动经济市场化，为中国和平崛起奠定物质基础的同时，中国应加快推动政治民主化进程，为中国和平崛起提供政治保证。

1. 中国政治民主化的进程及成果

所谓政治民主化就是政治从专制集权向民主过渡，以建立民主政治，实现政治民主的过程。政治民主的实现途径要求法治和法治国家的建立。

中国改革初期，目标指向就是全方位的改革，正如邓小平同志所说："我们提出改革时，就包括政治体制改革。现在经济体制改革每前进一步，都深深感受到政治体制改革的必要性。不改革政治体制，就不能保障经济体制改革的成果，不能使经济体制改革继续前进，就会阻碍生产力的发展，阻碍四个现代化的实现。"而政治体制改革就是政治民主化的主要手段，所以，改革开放以来，我国政治民主化的步伐从没有停止过，可以分为这样几个阶段：初步改革阶段（十一届三中全会至十三大前）、以消除权力过分集中为目标的改革阶段（十三大至 1989 年 6 月）、改革停滞阶段（1989 年 6 月至1992 年年初）、以坚持和完善优势为前提的改革阶段（邓小平南方谈话至十六大前）、政治民主化的新阶段（十六大以来）。

经过二十多年的探索和改革，我国政治体制正在从传统的集权模式向适应于社会主义市场经济发展的民主模式过渡，取得了很大的成就，主要是人民代表大会制度进一步完善，其地位和职能得到强化；党的执政方式发生变化，提出了依法治国的方略，实行党政分开，党政关系进一步规范；健全了民族区域自治制度，开创了"一国两制"下的特别行政区制度，建立了香港特别行政区和澳门行政区；城乡基层民主建设广泛展开，推广了企业职代会制度，创立了村民委员会制度，健全了城市居民委员会制度；推进政府机构改革，实行公务员制度；进行干部人事制度改革；进一步完善多党合作制度等等。尤其是经过二十多年的改革，我国民众的政治思想观念发生了巨大的变化，民主意识、法治观念、独立自主精神得到强化，解放思想、实事求是的思想路线深入人心。当然，中国的政治体制改革不可能靠一两代人的努力就能完成，中国社会离全面的民主化和法制化还有距离。

2. 加快政治民主化的主要课题

二十多年的政治体制改革，尽管我们取得了很大成就，但与国际国内政治生态环境变化提出的要求相比，差距明显。我国已通过加入WTO的路径进一步融入经济全球化进程。在全球化条件下，意识形态、价值取向、生活方式、大众文化等各方面的相互渗透、相互影响加剧，国际形势的多变性、复杂性增强，国际事态和国内事件的关联度增加。尤其是信息网络在全球的急剧扩展，出现了超越政治空间和地理空间的新的社会、政治及经济结构，国界的屏障作用在弱化，这种国际环境要求我国政治体制的应变力、驾驭力、凝聚力相应增强。而国内，经济成分和经济利益多样化、社会生活方式多样化、社会组织形式多样化、就业岗位多样化的趋势不断加剧，社会资源的配置方式、经济运转方式市场化取向，等等，都诉求政治资源的分配方式、政治运作方式、功能指向等做适时调适。291所以，中国的政治体制改革要有全球意识和世界眼光，积极回应WTO的挑战，适应国际国内环境变化，加快政治体制改革的步伐，缓慢和滞后只会积累矛盾，增加改革的风险。

加快政治体制改革的步伐应着重解决以下主要课题：进一步完善人民代表大会制度，使人民代表真正反映人民的愿望和意志；坚持党政分开，加快党和国家政权关系制度化建设；坚持依法行政，强化权力的监督与约束机制；加强政府职能，全面提高我国政府行政效率。

（三）在发展的维度上，要注重改革与开放、内向发展与外向开放的联动

历史上各强国的崛起既与其内向的整合、成长密切相关，更与其外向的开放和拓展密不可分。在某种程度上，与外部世界联系的速度、广度和深度，既决定着一国国内发展的水平，也决定着该国在世界整体中的地位。历史上强国的成功崛起，主要取决于它们对世界大潮的反应力和对世界事务的参与力。

从中国发展史看，中国经济发展具有强烈的内向性。在长达数千年的历史中，中国社会具有令人惊奇的结构稳定性。中国社会从春秋时期开始，就不断地经受着外部和内部各种力量的冲击。外部

曾有游牧民族和西方诸强的不断入侵；内部则是具有周期性规律的农民起义和战乱。但无论是何种打击，都未曾改变中国内向性的封建小农生产方式和社会结构。

改革开放 26 年来，中国经济从封闭到开放，中国经济体制从传统计划经济到与国际通行规则接轨的市场经济，从两个市场、两种资源结合到成为世界经济的增长极并影响到世界市场资源和要素的重新配置，实现了历史性飞跃[①]。但在目前阶段，中国对世界经济的主动参与力还很弱，中国内向发展与外向开放良性互动的格局远未形成。

要实现内向发展与外向开放的良性互动，首先必须树立新的开放观。随着经济全球化的加速，国际社会和中国本身都在经历一个不断调整和适应的过程。中国经济对世界经济体制还不适应，中国经济规模的迅速扩展与中国经济竞争力的提升也不同步，我国与其他国家的贸易摩擦频繁。为提高中国崛起的质量，我们不能局限在以引进外资、增加出口为主的传统开放观的框架里，而是要把全面增强企业核心竞争力、尽可能消除体制性障碍、发挥国内市场的巨大潜能，作为新开放观的主要支撑点；一方面要提高中国企业的主动调整和适应能力，减少乃至避免中国经济迅速崛起过程中出现严重的结构振荡和国际摩擦；另一方面要鼓励内资内贸借助外资外贸加快进入世界市场，逐步实现外资外贸与内资内贸的有机结合，成为世界经济的新增长极。面对国内经济发展严重的能源瓶颈制约，新开放观应更多地关注中国的能源安全问题。尽快构建中国的全球能源战略，建立全球能源供应体系。中国的全球能源供应体系应由国内供应体系、国外供应体系和战略储备体系组成。实行全球能源战略应贯彻能源多元、市场多元以及开源与节流并重的总方针。一方面要加强国内资源勘查，提高资源利用率，加速建立储备体系；另一方面要以我为主，扩大合作，坚持发展贸易与直接开发相结合，多渠道利用国外资源。

其次，要充分发挥经济外交的作用。21 世纪中国经济的外向拓

---

① 黄仁伟：《中国和平崛起的道路选择和战略观念》，《解放日报》2004 年 4 月 26 日。

展只能是通过和平的经济外交方式，这也是中国和平崛起应有的题中之意。新加坡学者郑永年认为，中国的经济外交有两个层面的意义：一是指经济方面的外交，二是指把经济作为手段而达到其他的目标。① 经济外交既有内在的动力，又有外在的压力。因为光开放市场，而不去占领已经开放给中国的海外市场必然会导致海内外市场的失衡。作为一种"粘性实力"，经济外交是中国发展软力量、冲破其他大国围堵中国最有效的力量，也是中国与国际社会实现双赢的最重要手段。

最后，政府要为中国企业走向世界提供良好的服务。从中国参与国际经济的主体分析，中国跨国企业的崛起是中国和平崛起的重要力量。改革开放 26 年来，中国社会主义市场经济不断规范，中国企业经历了一系列制度创新。面对国际更为规范的市场经济体制，从理论上说，利用"体制落差"，中国企业应该会有更好的作为。在 21 世纪经济全球化浪潮中，中国企业能否迅速成长，不仅在国内市场做到"与狼共舞"，战而胜之，而且在国际市场上做到"长袖善舞、游刃有余"？这将是中国崛起过程中最引人注目的焦点之一。

293

（四）提高创新能力，注意把握世界主导经济的创新方向

从根本上说，中国和平崛起重在历史性创新。现代历史上那些真正兴起的强国，无论是荷兰、英国还是美国，兴起的根本原因都在于在政治、经济和对外关系的发展过程中实现了具有世界历史意义的创新。例如英国通过"光荣革命"实现了宪制政府，后来又发动了工业革命；美国在世界上第一个建立了极大规模的现当代教育、科学和技术开发体系。同理，为了中国的和平崛起，首先要考虑我们怎么在经济、社会和政治发展中实现非常重大的创新。

本书第二章已详细列举了西、葡、荷、英、美等强国的一系列创新，值得关注的是这些国家重大创新的与时俱进性。在不同的时代，这些国家在发展了当时的主导经济的同时，都开拓了"经济创新的新边疆"。占领"新的制高点"，并对"主导经济"进行持续的创新，是强国兴衰最根本的决定性因素。21 世纪，中国能否成功地

---

① 郑永年："中国的经济外交与和平崛起"，《联合早报》2004 年 2 月 10 日。

发现经济创新的"新边疆"?

要开拓中国经济创新的"新边疆",就必须准确把握世界主导经济的创新方向。根据我国学者何传启的分析(见表7-4),21世纪中国经济创新的主要方向无疑主要是网络及生物经济领域。

表7-4　人类文明进程的几个时代

文明进程	时期	大致时间	大约跨度	主要特征
工具时代		250万~0.6万年	250万年	原始文化　工具制造
	起步期	250万~20万年前	230万年	旧石器早期
	发展期	20万~4万年前	16万年	旧石器中期
	成熟期	4万~1万年前	3万年	旧石器晚期
	过渡期	1万~0.6万年前	4千年	新石器时期　作物栽培
农业时代		公元前4000~公元1763	5800年	农业文明　农业经济
	起步期	公元前4000~500年	3500年	古代文明
	发展期	公元前500~公元618年	1100年	古典文明
	成熟期	公元618~1500年	900年	东方文明繁荣　欧洲中世纪
	过渡期	公元1500~1763年	260年	欧洲文明崛起　文艺复兴传播　商业和科学革命
工业时代		1763~1970年	210年	工业文明、工业经济
	起步期	1763~1870年	110年	第一次工业革命　机械化
	发展期	1871~1913年	40年	第二次工业革命　电气化
	成熟期	1914~1945年	30年	家庭机械电器化
	过渡期	1946~1970年	20年	第三次产业革命　电子计算机
知识时代		1971~2100年	130年	知识文明、知识经济
	起步期	1971~1992年	20年	第一次信息革命　个人电脑
	发展期	1993~		第二次信息革命　网络空间
	成熟期			生物设计和克隆
	过渡期			新型运载工具

资料来源:何传启:《第二次现代化——人类文明进程的启示》,北京高等教育出版社1999年版。

另外一个值得关注的新领域是海洋经济的兴起。15世纪以来,对海权的控制一直是强国争夺的焦点。在某种程度上可以说,强于世界者必胜于海洋,衰于世界者必先败于海洋。21世纪,人们对海洋的关注从海权转移到海洋资源。海洋以其丰富的资源、广阔的空间以及对地球环境和气候的巨大调节作用，成为全球生命支持系统的一个主要组成部分，是人类社会可持续发展的宝贵财富。保护海洋、开发海洋已成为当今世界高技术领域的一大主题，也是各国21世纪的主要发展战略。相对地，我国海洋开发战略启动较晚，而且，中国海洋地质和矿产资源的调查很不充分，特别是海洋高技术研究开发能力的差距相当大，总体上落后发达国家至少15～20年。在中国"能源安全"问题愈发突出的今天，经略海洋已刻不容缓。中国除了综合运用外交、科技、贸易、军事等手段参与国际资源市场博弈外，还必须积极发展海洋经济，统筹开发、利用好中国的海洋资源，并争取早日将海洋经济培养成中国的主导经济。

（五）加快构建"中国国际关系新理念"和"新儒家文化"，发展软实力

一个国家的发展，应该包括"硬实力"和"软实力"两方面的内容。一个国家的崛起应该是指它的综合实力的全面提升，即"硬实力"和"软实力"总和的全面提升，从各强国崛起的经验看，制度创新的积极意义更表现在先进的制度（包括文化）对世界各国的吸引力上。先进的、经得起考验的政治经济制度不但能激发国民蓬勃向上的朝气，还会为外交提供适宜和有效率的决策体制。不具备制度吸引力的国家，其实力发挥将受到极大制约，将难以成长为一个经久的大国。①

中国软实力的构建包括两个层面：

1. 发挥中国发展模式的影响力以及中国国际关系新理念的亲和力

独具特色的中国发展模式对发展中国家的吸引力正在逐步展现。但面对世纪之交国际风云变幻的新形势，中国迫切需要突破美国的霸权伦理，构建更有吸引力的新的国际关系理论。根据现有的研究，新世纪中国国际关系新理论的构建可以从以下几方面着手：

一是"和而不同"的世界观。"和而不同"源自中国先辈思想家孔子的"君子和而不同"的思想，是中国几千年传统文化的珍贵结晶之一。费孝通先生指出，这一古老的概念仍有强大的活力，可以

---

① 屈从文：《门罗主义的国际战略启示》，2003年6月27日，http://www.cc.org.cn。

成为现代社会发展的一项重要准则，是世界多元文化必走的一条道路。在当代，"和而不同"是人类共同生存的基本条件。①

二是和平与发展的时代观。20世纪80年代初，邓小平同志坚持马克思主义实事求是的学风，结合自己对当今世界的深刻认识，提出了"和平与发展是当代世界主题"的论断，廓清了当时学术界一些模糊认识。中国共产党以和平与发展为主题的时代观，包括其和平观和发展观，不仅成功地指导了改革开放的实践，并成为影响国际舆论的重要理念，为中国发展争取较长时期和平的国际环境和良好的周边环境。

三是合作共赢的共同利益观。随着经济全球化和区域经济一体化的迅速发展，世界已越来越成为一个多元多样而又相互依存的共同体，其中包含着多元的利益主体、丰富多样的利益内涵以及错综复杂的利益关系。国家利益、地区利益和全球利益相互交织、相互依存。任何国家都把国家利益作为其制定国际战略和对外政策的根本出发点，中国也不例外。但是同时，中国主张顺应历史潮流，维护全球的和平与发展，增进全人类的共同利益；并且主张采取更开明的态度，承认和尊重别国的利益。

四是平等、民主的国际关系观。中国历来主张国不分大小、强弱，彼此应平等善待，主张国际关系民主化。胡锦涛主席指出，"国家不论大小、强弱、贫富，人民不论种族、信仰、传统，应该一律平等。发展中国家有权根据自己的历史传统、文化特征和发展水平选择自己的政治制度和发展模式。"他强调没有发展中国家的稳定，就没有世界的和平；没有发展中国家的振兴，就没有世界的繁荣。发展中国家要实现发展，首先需要自身的不懈努力，同时需要良好的国际环境，而促进国际关系平等化、民主化是创造和平的国际环境的重要途径。

五是优态共存的广义安全观。发生在美国的"9·11"恐怖袭击事件和国际反恐合作，把不同于传统安全概念的非传统安全问题突出地提上国际社会议事日程。跨国和全球性的非传统安全问题的解

---

① 费孝通："经济全球化与中华文化走向"，国际学术研讨会上的论文摘要，《人民日报海外版》2000年11月15日，第3版。

决需要维护传统的和非传统安全的新的广义的安全观。与此对应的安全战略不仅要在安全序列的底端（危态）进行考虑，更要在其顶端（优态）进行设计与共建。① 把优态作为对象的安全置于发展国际关系的最基本前提下，就使安全从保障生命存在拓展到了保障生命存在的优化状态，从"战争－和平－安全"拓展到了"发展－和平－安全"，由此展现了广义安全观的价值目标。优化共存范式（superior co-existence paradigm）就成了广义安全观的战略定位"中国对1997～1998年亚洲金融危机的合作式回应，就是一个负责任的大国对非传统安全的经济安全体现优态共存战略的历史性典范"。②

六是公正、合理的国际政治经济新秩序观。建立国际政治经济新秩序是中国共产党的一贯主张。中国融入现行国际体制的努力及积极在现行国际体制中发挥建设性作用的实践充分表明，中国对现行国际秩序采取了现实的、开明的、客观的态度。中国在指出现行 297 的国际秩序具有不公正、不合理的历史局限性的同时，承认现有国际秩序的存在有其合理性。中国主张建立公正合理的国际政治经济新秩序，但"不是要挑战或用革命性的手段推翻或打破国际秩序，不是要'另起炉灶'，而是要在参加现有国际组织并在其中发挥积极的和建设性的作用，对现有国际秩序的不合理成分加以改造，使其趋于完善、公平、公正，最终形成和确立公正合理的国际政治经济新秩序"。③ 中国的这种新秩序观已为国际社会所广泛接受，这些新理念为中国发展模式的形成和中国走和平崛起的道路奠定了理论基础。

2. 加强精神文明建设，着力构建"多元、理性、重商、和谐"的"新儒家文化"

在人类历史上，以儒家文化为基础的中华文明是惟一没有中断过的古代文明。在过去2000多年时间里，儒家文化的发展道路虽然相当曲折和坎坷，但其强大的生命力始终没有减弱和停息。儒家文

---

① 余潇枫："从危态对抗到优态共存"，《世界经济与政治》2004年第2期，第13页。
② 余潇枫："从危态对抗到优态共存"，《世界经济与政治》2004年第2期，第13页。
③ 夏立平："论中国实现和平崛起的国际战略新理念"，《国际问题研究》2003年第6期，第34页。

化及其价值观已经成为中华民族精神的重要因素，那些关于做人、处事和立国的名言早已深入人心，并在潜移默化中传布到社会生活的各个角落。儒家文化是中华民族的宝贵遗产，更是文化上的优势。中国要成功地和平崛起，绝不能长期跟在西方国家的后面循规蹈矩，而应该创造出独具特色的发展模式和优势文化。

《联合早报》曾发表社论《儒家思想的现代价值》，认为在一些东亚国家，儒家文化所蕴涵的一系列道德准则和伦理规范无处不在。随着现代文明的进步，我们发现儒家思想的很多理念不仅没有过时，反而还在不断地为人们提供智慧和启迪。从现代的角度看，儒家学说中平政爱民和举用贤才的政治思想，以"仁"为核心的道德规范和"以人为贵"的管理理念，不仅超越了时代，而且还超越了国界。一些西方国家的企业家和政治人物在界定其现代管理概念时，也都从儒家的经典中寻找智慧并取得了成功。这些例子不胜枚举。

298

如同所有的文明一样，儒家文化也有落后的东西，"新儒家文化"的构建一方面要取其精华，剔其糟粕，不抱残守旧，不照搬照抄；另一方面，要在当代社会的各种实践中，为传统的儒家文化注入新的生命，增添新的内容。

著名社会学家马克斯·韦伯认为，儒教是为世人确立政治准则与社会礼仪的一部大法典，它所要求的是对俗世及其秩序与习俗的适应[1]。马克斯·韦伯将儒家的生活价值取向概括为以下几个要素：（1）礼。（2）孝。（3）入世。儒教完全排斥佛教与道教的冥想，只关注此世的事物。（4）君子理想。包括对交往诚信的极度推崇，追求既"仁"又"刚"，既"智"又"直"的君子风范，谨慎的中庸之道，不断反省及学习的完善之道。（5）理性。儒教的理性主义是一种秩序的理性主义，儒教的理性本质上具有和平主义的性质。马克斯·韦伯认为儒教的缺点主要在于：（1）缺乏自然法与形式逻辑。不仅形式的法学未能发展，而且它从未试图建立一套系统的、实在的彻底理性化的法律。（2）欠缺自然科学之思维。中国的技艺虽然精妙，但都缺少导致理性主义的功名心（西方文艺复兴意义上的）

---

① ［德］马克斯·韦伯著，洪天富译：《儒教与道教》，江苏人民出版社 2003 年 8 月版，第 126 页。

原动力。（3）对经济思想与专家的排斥。儒教虽然也追求财富，但对经济利润采取一种非常保守的态度：心灵的平静与和谐会被赢利的风险所动摇。儒教高尚的等级理想与禁欲的耶稣教会的职业概念形成更加强烈的对立，因为前者主张培养出具有通才的贵人（君子）。[①]

依据上述分析，21世纪的新儒家文化是否可以包括"多元、理性、重商、和谐"等核心内容？不论如何，新儒家文化是21世纪中国和平崛起的深厚底蕴。这正是亨廷顿做出如下判断的重要依据："最重要的权力增长正在并将继续发生在亚洲文明之中，中国正逐渐成为最有可能在全球影响方面向西方挑战的国家。"[②]

---

① 马克斯·韦伯著，洪天富译：《儒教与道教》，江苏人民出版社2003年8月版，第118～146页。
② ［美］塞缪尔·亨廷顿：《文明的冲突与世界秩序的重建》，新华出版社1998年版，第77页。

2003年第4期，第75页。

25. 孙哲："结构性导航——中国'和平崛起'的外交新方略"，《世界经济与政治》2003年第12期，第58页。

26. 夏立平："论中国实现和平崛起的国际战略新理念"，《国际问题研究》2003年第6期，第34页。

27. 徐坚："和平崛起是中国的战略选择"，《国际问题研究》2004年第2期，第1～8页。

28. 阎学通："西方人看中国崛起"，《现代国际关系》1996年第9期，第36～45页。

29. 余潇枫："从危态对抗到优态共存"，《世界经济与政治》2004年第2期，第13页。

30. 赵卫、顾钱江："和平崛起模式前所未有，聚焦中国发展新'路线图'"，新华网2004年3月12日。

31. 郑永年："中国的经济外交与和平崛起"，《联合早报》2004年2月10日。

32. 郑永年："中国模式概念的崛起"，香港《信报》，转引自《参考消息》2004年4月23日，第1版。

33. 钟伟："我们已经回不去了"，《南风窗》2001年第1期。

34. 《邓小平文选》第五卷，人民出版社1993年版，第282页。

后 记

　　本书是作者多年来关注和研究世界政治经济问题特别是冷战后国际格局变动趋势点滴心得的结晶，也是近年来我和我的研究小组对当代国际格局变动及走势潜心学习和研究的集体成果。

　　在长期从事世界经济及美国经济专题的教学与研究中，我较早地关注到世界政治和美国政治问题，并就冷战后国际格局的演变做了较长期的跟踪、观察和研究。1998 年我作为课题组负责人承担了教育部人文社科项目，题为《当代世界政治格局的经济分析及中国的战略和策略选择》。虽然由于课题组的变动，课题完成较晚。但此项研究激发的问题导向热情经久不衰，对这一领域的关注一发而不可收拾。世纪之交世界格局演变中发生的一些重大事件引发我们深深的思索，科索沃战争、"9·11"恐怖袭击事件、伊拉克战争等血腥恐怖画面令我们无法忘怀。这个世界究竟是怎么了？世界最终将向何处去？大国政治是否能避免如美国学者米尔斯海默所说的悲剧式循环？世纪之交，我们也强烈地感受到中国和一些新兴大国的历史性崛起给世界带来的震撼，目睹世界因这些新兴大国振兴表现出的困惑失措。

　　这一切促使我们这些主要学习和研究经济的学子决心涉入自己本不太熟悉的领域，做一些十分粗浅的研究，提出一些尚不成熟的观点，这实在是对自己学识和能力的挑战。因此，我们是怀着忐忑不安的心情向读者献上这本小册子的。

　　参与本课题研究及写作的是浙江大学经济学院国际商务研究所的研究人员和博士研究生。本书写作的分工为：导论：宋玉华；第一章：黄 舜、江振林；第二章：江振林、徐红亚；第三章：吴 聃、

303

高 莉；第四章：黄 舜、宋玉华；第五章：刘春香、宋玉华；第六章：高 莉、王恩江、童 馨、许朝兵；第七章：宋玉华、刘春香。

贯穿全书的基本思想和核心观点以及框架设计和提纲安排，是由我决定，并由我负责。

感谢浙江大学经济学院领导和社会科学部全体同志的支持。

虽然五月的黄金周成了我们真正的劳动节，但课题组在最终修改、定稿中的相互切磋、精诚合作、亲密无间和无私奉献将成为我们研究生涯中的美好回忆。

本书是一种尝试，更是一篇习作，尚不成熟；国际风云瞬息万变、目不暇接，挂一漏万在所难免，敬请学界与同行指正。

宋玉华

2004 年 5 月

304